Grand Maître

Du même auteur
aux Éditions J'ai lu

UNE ODYSSÉE AMÉRICAINE
N°9673

LES JEUX DE LA NUIT
N°10660

NAGEUR DE RIVIÈRE
N°11022

PÉCHÉS CAPITAUX
N°11628

JIM HARRISON

Grand Maître

(faux roman policier)

ROMAN

Traduit de l'anglais (États-Unis)
par Brice Matthieussent

Titre original :
THE GREAT LEADER (A FAUX MYSTERY)

Éditeur original :
Grove Press

Pour la traduction française :
© Éditions Flammarion, 2012

Pour J.B.

« Selon mes instructions secrètes je devais déterminer la forme du monde.
Mon rapport final stipule que toutes les suppositions étaient erronées. »

John A. McGLYNN Jr.
An Old Man's Rules for Hitchhiking

Première partie

Chapitre premier

L'inspecteur Sunderson marchait à reculons sur la plage en jetant parfois un regard derrière lui pour s'assurer de ne pas trébucher sur un bout de bois. Le vent du nord-ouest soufflait sans doute à plus de cinquante nœuds, et le sable lui piquait le visage et lui brûlait les yeux. Il gelait à pierre fendre. Vers l'embouchure de la rivière, là où le puissant courant percutait de plein fouet les eaux du lac Supérieur, les vagues étaient énormes et chaotiques. Dans le vacarme assourdissant du vent et des vagues, Sunderson se rappela combien il détestait le lac Supérieur, sauf quand il en voyait des images séduisantes sur un calendrier. Il était né et avait grandi dans la bourgade portuaire de Munising ; deux parents à lui, des pêcheurs professionnels, avaient trouvé la mort sur ce lac au cours des années cinquante, plongeant toute la famille dans le désespoir et la tourmente. Le drame le plus terrible de l'histoire locale était le décès de deux cent quatre-vingts personnes en mer, entre Marquette et Sault Ste. Marie. Comment trouver un tueur sympathique ? Durant sa longue carrière bientôt terminée dans la police du Michigan il n'avait jamais rencontré un seul tueur sympathique. Son

ex-femme, qui avait aimé jusqu'aux manifesta-
tions les plus crues de la nature, jugeait répréhensibles les sentiments de Sunderson envers le
lac Supérieur, mais jamais une tante éplorée ne
l'avait serrée très fort dans ses bras à un enterrement. Sa mère, dotée de deux fils et de deux
filles, avait à peine eu la place d'accueillir Bobby,
le frère infirme de Sunderson, après qu'il eut
perdu un pied sur une voie de chemin de fer de
l'usine de pâte à papier locale.

Quand il fit demi-tour pour suivre l'étroit sentier longeant la rivière, il repéra un morceau de
bois récemment calciné, dont la fibre humide et
noire s'effrita entre ses doigts. Dans sa hâte de
traverser la forêt jusqu'à l'embouchure de la
rivière et d'y découvrir peut-être les restes du
bûcher flottant, il avait omis de passer les berges
au peigne fin, ce qu'il fit maintenant avec un certain plaisir, heureux d'être abrité d'un vent dont
le rugissement descendait de la cime des aulnes
touffus et des arbres rabougris. Il était sur la
piste d'un chef de secte aux noms multiples,
soupçonné de pédophilie mais échappant à toute
inculpation possible, car ni la mère ni la fillette
âgée de douze ans n'acceptaient de lui parler.
Sunderson n'avait aucune envie de voir sa
retraite gâchée par une absurde paperasserie.
D'habitude, ce genre de délinquant était un oncle
ou un cousin discret, parfois un voisin. Mais un
chef de secte… Ça le dépassait.

Six cents mètres plus loin, il trouva une casquette de base-ball des Phoenix Suns coincée
dans un barrage de branches, et la récupéra. Il
réussit à se mouiller jusqu'à l'entrejambe, puis
il fut pris de frissons incontrôlables et il lui sem-

bla avoir les tempes serrées dans un étau. Il y avait une tache de sang sous la visière de la casquette, mais il n'en conclut rien. Curieusement, le matin de la fête organisée pour sa retraite, cinq jours plus tard, le labo de la police devait déterminer que ce sang venait d'un raton laveur. L'homme qu'il traquait et appelait Dwight, d'après l'un de ses sept pseudonymes connus, était tellement retors que Sunderson n'aurait pas été surpris d'apprendre qu'il s'agissait de sang d'éléphant. La casquette de base-ball des Phoenix Suns collait bien au profil du suspect, car Dwight possédait deux diplômes, sans doute des faux, de cette misérable usine à licenciés qu'était l'université de Phoenix. L'homme qui avait porté plainte pour abus sexuels, le père, avait quitté la secte pour déménager dans le sud du pays et s'installer dans l'immense ville industrielle de Flint, et il demeurait introuvable. Le chef de la secte avait manifestement mis en scène son propre suicide afin d'éviter toute recherche.

Pour calmer ses frissons, Sunderson mangea son dernier sandwich aux haricots et aux oignons grillés, et but une bonne rasade de sa flasque de schnaps. Boire en service était bien sûr une faute professionnelle grave, mais d'après lui, il n'y avait pas un seul autre flic à cinquante kilomètres à la ronde.

Fatigué et glacé jusqu'aux os, il atteignit la maison longue, habilement bâtie en rondins. Ces vauriens de la secte auraient pu gagner pas mal d'argent, pensa-t-il, en construisant des bungalows d'été. Si cette maison n'avait pas fait trente mètres de long, ç'aurait été un endroit agréable à vivre, niché dans une vallée de feuillus à côté d'un torrent qui se jetait dans la rivière. Avant d'enregistrer les témoignages de dix-sept personnes qu'il considérait toutes comme peu fiables, il s'était dit que ce torrent aurait été idéal pour une bonne partie de pêche à la truite, à condition que les disciples abandonnent leur logement après le départ de leur chef, le Grand Maître. Selon leur expression, et non la sienne. Tous ces témoins semblaient souffrir d'une gueule de bois carabinée, après une veillée consacrée à leur chef, où ils avaient sans doute abusé de leurs infects vins de baies sauvages, que lui-même avait goûtés lors d'une précédente visite. Le pire était le vin de mûres, le meilleur le vin de sureau. Il se demanda distraitement ce qu'ils allaient faire des trente stères de bûches débitées et entassées pour l'hiver, une fois qu'ils auraient abandonné leur foyer.

Les couples chargeaient des 4×4 décrépits : deux Broncos et un Suburban au pare-chocs avant presque entièrement rongé par la rouille. Les femmes, aux yeux rougis de larmes, étaient pourtant assez séduisantes – du moins selon les critères de la Péninsule Nord, lesquels étaient plutôt souples –, une constante chez les membres de la secte de Dwight. Sunderson aimait bien taquiner le Grand Maître à ce sujet, même si ses piques faisaient sursauter les adjudants ou les gardes du corps qui entouraient en permanence G.M., comme l'appelaient ses subalternes. G.M. alias Dwight appréciait ces taquineries et faisait remarquer qu'à l'université de Marquette on distinguait les étudiantes originaires de la Péninsule Nord de celles qui venaient du sud de l'État, car les filles du cru étaient beaucoup plus potelées. G.M. avait aussi éclaté de rire lorsque Sunderson avait craché par terre son vin de mûres en pensant que cette saleté avait le même goût que le sirop pour la toux Robitussin.

« Non mais quels crétins accepteraient de boire une saloperie pareille ? avait demandé Sunderson.

— Mes ouailles », répondit G.M. avant d'ajouter que, selon tous les herboristes, les mûres augmentaient l'énergie sexuelle.

En route vers son véhicule garé près du bâtiment des bains, Sunderson adressa des signes de tête à plusieurs traînards en appréhendant les dix kilomètres de chemin de terre bringuebalant qui le séparaient des gravillons de la route du comté. Il fallait toujours envisager un certain taux de petite criminalité dans la Péninsule Nord pour cette simple raison qu'à moins d'une affaire grave aucun flic ne désirait s'y aventurer, surtout par mauvais temps. On s'amusait souvent à envoyer un bleu à quatre-vingts kilomètres du poste de police en plein hiver pour mettre fin à une rixe de bar, et quand le malheureux atteignait enfin le bar en question, la rixe était d'habitude oubliée, à moins qu'on ait utilisé des armes, une exception dans le bon vieux temps, mais un délit plus fréquent ces dernières années.

Après avoir parcouru quelques kilomètres sur le chemin cahotant, bu deux bonnes rasades de schnaps et mis le chauffage à fond, il eut enfin bien chaud. Cette chaleur le fit somnoler et il dut se garer à l'écart de la route pour faire une petite sieste, laquelle se révéla si longue qu'à son réveil il faisait un froid de canard dans la voiture, le monde était obscur et un fin grésil tapotait le pare-brise. Il eut un bref frisson de panique, mais il était seulement six heures du soir, même si à cette latitude septentrionale il aurait aussi bien pu être minuit. L'un de ses beaux-frères, qui dirigeait une chaîne de terrains de caravaning en Arizona, lui avait proposé la direction d'un de ces campings après sa retraite imminente, mais cette idée lui donnait la nausée. Il avait néanmoins promis d'en visiter un au cours des vacances de Thanksgiving quand il irait voir sa mère, âgée de quatre-vingt-sept ans, qui vivait dans un endroit nommé Green Valley, en Arizona. Sunderson ne savait quasiment pas se servir d'un ordinateur, mais Roxie, la secrétaire qu'il partageait avec d'autres policiers du bureau, avait cherché Green Valley sur Internet, et de fait cet endroit n'était guère verdoyant, surtout les montagnes beiges de déchets miniers situées à l'ouest de la résidence pour retraités.

Il quitta la grand-route près de Marquette et acheta pour son dîner un chausson à la viande fourré aux patates et aux carottes, qu'il finit par manger dans sa voiture, garé devant sa maison plongée dans l'obscurité, convaincu que le micro-ondes aurait bousillé la pâte croustillante. Jadis très bien élevé, il était devenu négligent au cours des trois années qui avaient suivi son divorce. Maintenant il était si absorbé par ses pensées qu'il se mordit le doigt en mangeant la dernière bouchée de son chausson. Il ne savait pas avec certitude si G.M. était un criminel, au sens où il y aurait eu des preuves indiscutables contre lui. C'était son premier cas vraiment intéressant depuis des années. Tout avait commencé quand un homme était venu dans son jet privé de Bloomfield Hills jusqu'à Marquette pour montrer à Sunderson une feuille de papier prouvant un retrait de trente mille dollars sur le compte en banque de sa fille. Cette petite était la « reine » de l'enclave de G.M. Célibataire et blanche, elle avait vingt-cinq ans.

Sunderson ne s'intéressait nullement aux romans policiers, ces livres pour enfants qui égrenaient les recettes du chaos, mais il n'était guère évident de prouver qu'un délit quelconque eût été commis. Peu de citoyens comprenaient la trivialité du boulot d'un inspecteur dans cette région reculée et non urbaine – en ville, même si l'on faisait parfois appel à Sunderson pour résoudre une affaire délicate, la police s'occupait seule de ses propres délits affligeants. En tant qu'historien amateur, Sunderson avait un faible pour l'expression délicieuse d'Hannah Arendt, « la banalité du mal ».

Sunderson s'assit brièvement à son bureau pour prendre quelques notes, mais, après un généreux whisky, il se sentit vaguement léthargique. D'habitude il rédigeait ses notes avant de boire un verre, quand il aimait croire que son esprit carburait au maximum et que les détails d'une affaire lui mettaient les neurones en ébullition. Le rapport quotidien adressé à son supérieur hiérarchique relevait de la simple routine, mais il s'agissait d'ordinaire d'une liste de suppositions non prouvées jusqu'au jour où l'on touchait le jackpot.

1. Encore remarqué que tous les couples de la secte ont des filles âgées de onze, douze, treize ans ou plus. À propos de la rumeur d'abus sexuels, Dwight met-il sur pied son élevage personnel ?

2. Tous les membres de la secte restent bouche cousue, mais ils sont intarissables sur les niveaux de développement spirituel qu'ils souhaitent atteindre.

3. Il faut que je trouve une femme de ménage pour nettoyer cette putain de maison de la cave au grenier.

4. J'ai peu de chances de résoudre cette affaire avant ma retraite, une sur mille, mais la curiosité me tient par les couilles. Historiquement, l'Amérique a toujours été bourrée de sectes, pourquoi ?

Ce devait être l'une des nuits les plus horribles de son existence. Après un autre généreux whisky, il se mit la tête sous une grande couverture ajourée tricotée par son ex-femme et choisit un DVD commandé par Roxie, qui s'occupait de son abonnement à Netflix. Une jeune et ravissante Italienne faisait du vélo en jupe, et cette jupe se soulevait derrière elle pour exhiber un splendide derrière moulé dans une culotte blanche coincée comme il fallait dans la raie des fesses. Ce spectacle fascinait tous les hommes qu'elle croisait, y compris un prêtre. Le prêtre détourna l'attention de Sunderson, car au mois d'août précédent on avait tenté d'inculper un ecclésiastique dont les lèvres seraient entrées en contact avec le pénis d'un garçon durant une baignade organisée par l'église ; mais quand Sunderson interrogea le garçon en présence de ses parents, ce dernier n'était absolument pas sûr que c'était le prêtre, car il y avait des dizaines d'autres nageurs et le garçon reconnut que ce contact sexuel s'était produit sous l'eau. Le père du gamin, frustré de voir s'envoler un procès juteux, avait quitté la pièce en claquant la porte. Assureur de son métier, c'était aussi un escroc notoire. Sunderson ne révéla bien sûr pas aux parents qu'une autre plainte avait été déposée contre ce prêtre, mais les verdicts assortis du paiement de millions de dollars le hérissaient, convaincu qu'il était que dix mille voire vingt mille dollars devraient largement compenser une pipe maladroite. Comme le gamin pesait quatre-vingt-cinq kilos et était solidement bâti, Sunderson ne put s'empêcher de soupçonner que le plaignant était sans doute aussi coupable.

Le spectacle du prêtre égrillard du film et l'emploi évident d'une machine à vent pour soulever la jupe de la mignonne eurent raison de l'érection naissante de Sunderson, qui s'endormit et se réveilla en criant à trois heures du matin, à cause du vent du nord qui faisait claquer les fenêtres de la maison, et d'une branche d'arbre qui craquait. Il avait perdu toute sa lucidité de la veille et son esprit d'analyse si utile durant sa marche le long de la rivière après la rencontre avec les témoins, et il était maintenant en proie à un déluge merdique d'images oniriques du camp de G.M.

Les dix-sept témoins avaient en général admis que le bûcher flottant se trouvait quelque part entre cinquante et cent mètres en aval de la rivière lorsque les flammes étaient apparues et qu'ils avaient soudain entendu un coup de feu. Sunderson avait admiré suffisamment de feux de joie dans sa vie pour savoir qu'on ne voyait jamais grand-chose au-delà de leur lueur éblouissante, mais dans son rêve le camp tout entier était éclairé à la manière de ces discothèques vrombissantes où il détestait entrer pour arrêter un délinquant. Chaque génération était dupée jusqu'à l'ennui par sa propre musique. La mise en scène de la mort du gourou était désormais une évidence.

Sa panique en se réveillant des rêves torrides de la nuit s'expliquait surtout parce qu'il était coincé dans un angle du grand canapé en cuir, la couverture ajourée nouée autour de la tête, l'étouffant presque. Pour cet homme extraordinairement ordinaire, la confusion qu'il ressentit alors était aussi blasphématoire que s'il avait tout à coup perdu les deux bras en conduisant sa voiture. Les adeptes féminines de la secte dansaient nues au son des tam-tams, mais elles étaient effrayantes plutôt qu'aguichantes, et puis que faisait Roxie parmi elles ? Sunderson et Roxie se retrouvaient trois fois par mois chez lui pour faire l'amour, mais elle se garait à deux rues de là et la nuit elle faisait mine de promener son chow-chow dans la ruelle afin de protéger le secret de leur liaison, car elle était mariée. Un disciple de la secte faisait aussi rôtir Walter, le chien de Sunderson, sur un barbecue, bien que l'animal fût mort depuis plusieurs années. Il s'attendait vraiment à ce que la retraite lui éclaircît les idées, mais plus cette échéance approchait plus il était évident que cette lucidité nouvelle s'éloignait.

Il sortit en sous-vêtements sur la véranda pour que le froid le revigore et lui remette les idées en place. Ce processus prit moins d'une minute et il constata avec plaisir qu'une grosse branche de chêne venait de tomber sur la Chevrolet Tahoe flambant neuve du crétin qui habitait de l'autre côté de la rue, un trader malhonnête qui faisait d'ordinaire profil bas. De retour à l'intérieur, il se prépara une assiette de saucisses italiennes et d'œufs sur le plat. Il reprit son film en se gavant de radis noirs en saumure maison, convaincu que l'indigestion constituait une réalité préférable à sa vie onirique. La jeune Italienne, maintenant allongée nue sur son lit, lâcha un « aïe ! » sonore en s'arrachant un poil pubien, après quoi elle commença à se masturber. C'était électrisant, malgré ses remontées acides presque immédiates. La saucisse italienne et le radis noir faisaient mauvais ménage. C'était le moment idéal pour un comprimé de Gas-X et un délicieux verre de whisky canadien. Il mit de côté le restant du film pour l'heure précédant la prochaine visite nocturne de la discrète Roxie. Tous deux étant d'origine scandinave, ils privilégiaient l'adultère bien ordonné et régulièrement programmé tous les dix jours. Il s'installait alors sur la véranda de derrière et elle arrivait à pied dans la ruelle quand il faisait mauvais, ou sur son scooter des neiges rose en hiver. Elle appartenait à un club féminin de scooter des neiges appelé les Snow Queens et elle se mit en colère lorsqu'il lui déclara que ce nom illustrait parfaitement le manque d'imagination de la plupart des habitants de la région de Marquette. Il méprisait les scooters des neiges, qu'il surnommait « les fusées du périnée ». Et puis il n'avait aucun goût pour l'une des positions érotiques préférées de sa maîtresse, où elle était assise nue sur son sèche-linge réglé sur « coton résistant temp. élevée » afin d'en sentir les vibrations chaudes. Lui qui mesurait un mètre quatre-vingt-deux devait alors grimper sur un tabouret bas pour que leurs deux corps entrent bien en contact, et au moment de l'orgasme il redoutait chaque fois de basculer en arrière. Ensuite, elle se pelotonnait sur le canapé dans le peignoir en éponge de Sunderson, fumait un certain nombre de Kools, descendait une Bud Light, et ils regardaient ensemble les infos de onze heures. À l'inverse, lors d'un voyage en Italie avec sa femme, il s'était senti absurdement et délicieusement stimulé par les formes féminines drapées des tableaux de la Renaissance. La sexualité comportait un nombre presque infini de strates, mais celles du bas étaient vraiment pathétiques.

Il essaya vainement de dormir. Les grimaces des danseuses nues ne ressemblaient en rien à celles qu'il avait contemplées au cours de sa vie diurne, sinon au rictus d'une fillette de quatorze ans à Keweenaw qui avait buté son oncle parce qu'il abusait d'elle. Elle avait les yeux hagards et ne pouvait pas s'arrêter de rire. Elle avait tiré une cartouche n° 8 avec un fusil de calibre .12 dans le bas-ventre de l'oncle en question, transformant ainsi l'organe coupable en bouillie sanguinolente et redécorant toute la pièce en rouge. En dehors des formalités d'usage, personne ne fit le moindre effort pour engager des poursuites, car l'état du rectum de cette fille nécessita une intervention chirurgicale. Il se demanda à l'époque quelles chances elle pouvait bien avoir de mener une vie normale, si une telle chose existait, mais aujourd'hui, six ans plus tard, elle jouait au basket dans une petite université du sud du Michigan et préparait médecine. Ces informations ne révélaient bien sûr rien de l'état d'esprit de cette fille, mais Sunderson se rappela très clairement avoir cherché le mot « ménade » dans le dictionnaire, ces femmes de la mythologie qui mettaient les hommes en pièces. Curieusement, le trait le plus troublant de cette meurtrière blessée était sa beauté parfaite.

Il prépara du café à quatre heures du matin, puis rejoignit son bureau, une véritable caverne bourrée de livres, d'abord installé à l'entresol, mais ensuite déménagé dans l'ancienne salle à manger après le divorce. Diane, son ex-épouse, avait déclaré en plaisantant que le budget livres de Sunderson excédait chaque mois le remboursement de leur crédit immobilier, lequel s'élevait seulement à deux cent cinquante dollars. Elle avait travaillé comme administratrice du grand hôpital régional et grâce à leurs deux salaires ils avaient vécu à l'aise, ce qui n'était désormais plus vrai pour lui, mais il s'en fichait car il avait ses livres, presque tous des essais historiques. Sunderson avait été un brillant étudiant en histoire à l'université du Michigan d'East Lansing. Ses professeurs l'avaient vivement encouragé à faire un doctorat, mais la Péninsule Nord lui manquait viscéralement, surtout en mai quand le mal du pays se transformait en une douleur palpable au fond de sa gorge. Il postula par courtoisie et eut droit à un poste d'assistant, mais un jour qu'il se rendait chez son professeur à la faculté il passa devant le quartier général de la police du Michigan et, cédant à une impulsion, il y entra. Dans sa jeunesse passée à Munising, tout le monde trouvait la police de l'État très dynamique et, avec le boulot de chauffeur pour le transporteur UPS, c'était l'un des emplois les plus convoités dans la Péninsule Nord. Il rejetait de tout son être l'idée d'enseigner, car il ne voulait pas se retrouver piégé dans une salle de cours au mois de mai, sa période préférée pour la pêche à la truite. En dehors de l'histoire, les truites de rivière constituaient sa seule autre obsession durable. Cette passion s'expliquait surtout par leurs splendides habitats éloignés de tout, certains des ruisseaux et des sources les plus modestes et les mieux cachés, et puis les étangs de castors.

Trois semaines plus tard, il passa l'examen réservé aux nouvelles recrues et obtint le score maximum, puis sur l'insistance de ses formateurs, il s'inscrivit à un mastère de criminologie. Il serait volontiers devenu un flic ordinaire, mais ses talents évidents et sa connaissance parfaite de la Péninsule Nord firent qu'au bout de quelques années il fut bombardé inspecteur à Marquette et nourrit une aversion viscérale envers toute obligation administrative.

Si un cœur pouvait sourire, le sien se réchauffa lorsqu'il s'assit à son bureau. La seule note légèrement discordante était le calendrier original de Marilyn Monroe, plutôt discret selon les critères contemporains, ainsi qu'une photo de l'actrice Blythe Danner qui tenait une place de choix dans ses modestes fantasmes. Son ami Marion, un métis directeur de collège, lui avait prêté un ouvrage sur les maisons longues des autochtones américains, qu'il avait égaré mais qu'il retrouva bientôt sous une pile de monographies consacrées aux premières exploitations forestières. Marion lui avait tout de suite dit que les Chippewas (Anishinabe) ne construisaient pas de maisons longues, mais qu'il s'agissait des bâtisses préférées des six nations de la confédération iroquoise – Cayuga,

Onondaga, Oneida, Seneca, Mohawk, Tuscarora –
et de certaines tribus de la côte pacifique nord-
ouest comme les Salish et les Suquamish qui en
construisirent une de cent soixante-dix mètres de
longueur. Cette dernière dimension lui donnant le
vertige, il feuilleta les papiers du mince dossier
consacré au Grand Maître, trouvant alors le nom
d'un certain Dwight Yoakam (un pseudo identique
au nom d'un chanteur country) accusé de troubles
l'année précédente à Port Townsend, État de
Washington. Quand Roxie téléphona pour en
savoir plus, on lui répondit que Dwight avait
inquiété un groupe de touristes japonais lorsqu'il
s'était mis à parler dans des langues inconnues.
Lorsque Sunderson avait mis en fourrière la vieille
et rutilante Nash Rambler de Dwight sous le prétexte discutable de vol simple, il avait découvert
dans le coffre neuf plaques d'immatriculation opé-
rationnelles, dont l'une dans l'État de Washington.
Il eut bien du mal à expliquer au père débarqué
de Bloomfield Hills en jet privé que, si sa fille de
vingt-cinq ans prénommée Portia et que les
membres de la secte appelaient Queenie souhaitait donner trente mille dollars, surtout pour le
chauffage au propane de la maison longue et du
bâtiment des bains, elle était parfaitement libre
de le faire. Le père, que Sunderson surnommait
intérieurement Monsieur Limportant, s'enivra à la
Verling House le seul soir qu'il passa à Marquette
et offrit mille dollars à une serveuse, du moins
selon un informateur. Ils prirent un bain dans le
jacuzzi de la suite Teddy Roosevelt de l'hôtel situé
sur la colline. Il s'endormit bientôt et elle ouvrit
la bonde du jacuzzi pour qu'il ne se noie pas,
avant de retirer mille dollars dans le portefeuille

de Limportant, puis elle proposa à ses copines d'aller boire un coup et de sniffer un peu de cocaïne.

Il n'avait pas beaucoup d'informations sur le Grand Maître, mais il refusait de faire appel au FBI. Ces gens-là étaient à la fois trop fouineurs et condescendants ; par ailleurs, comme le prouvait le désastre du 11 septembre, ils n'aimaient pas partager des informations qu'eux-mêmes méprisaient. Roxie avait fait de son mieux pour l'aider à nourrir son dossier, mais dans quatre jours il serait dans l'obligation de se passer de ses services. Sunderson, malgré son intelligence aiguë, n'avait jamais appris à utiliser un ordinateur, surtout à cause d'une aversion durable pour l'électricité. Quand il avait dix-sept ans, un cousin était mort électrocuté en voulant franchir la clôture de la centrale électrique située derrière l'usine de pâte à papier.

La remplaçante idéale de Roxie était une jeune voisine de seize ans, Mona. C'était l'as des hackers et un ami détective spécialisé dans la cybercriminalité lui confia qu'il la gardait sous surveillance constante. Elle s'habillait le plus souvent en noir et elle expliqua à son voisin qu'elle était « goth », une mystérieuse entité que Roxie lui avait expliquée mais dont il oubliait sans cesse les détails. Ils parlaient souvent ensemble, en partie parce qu'ils étaient voisins et que chacun vivait seul. La mère célibataire de Mona étant une représentante en cosmétiques sans arrêt en déplacement, la jeune fille se retrouvait le plus souvent seule, même si elle disait qu'elle ne souffrait jamais de la solitude. Quelques semaines plus tôt, alors que tous deux ratissaient les feuilles d'érable, Mona lui avait reproché en blaguant d'obstruer la dernière fenêtre de sa salle à manger avec une énième étagère de bouquins. L'enfance luthérienne de Sunderson ne pesait plus grand-chose sur ses épaules, mais encore assez pour qu'il ait honte de certains de ses actes. Car il lui arrivait de se camper devant cette étagère, de lever le bras à hauteur du visage pour prendre le traité de Slotkin sur la violence en Amérique, et en même temps regarder dix mètres plus loin, de l'autre côté du jardin, la chambre de Mona. Ce n'était pas illégal, stricto sensu, mais c'était quoi alors ? Une raie des fesses toute nue n'était qu'un espace négatif, mais ce spectacle pouvait faire battre désagréablement les tempes d'un homme frisant les soixante-cinq ans. L'impératif biologique était une vraie calamité. Il consulta sa montre et sut que dans cinquante minutes Mona se lèverait pour aller à l'école, puis il se posa la question suivante : avait-il assez de self-control pour ne pas jeter un coup d'œil, lequel se métamorphosait trop souvent en une transe d'un quart d'heure ? À la seule évocation de ce dilemme une partie de son esprit se bourrelait de culpabilité, même si le fait de mater la voisine de chez soi n'avait rien d'illégal. La sexualité ressemblait parfois à un sac à dos bourré de bouse de vache qu'on devait trimballer toute la journée, surtout pour un senior qui s'accrochait désespérément à ses pulsions déclinantes.

Il relut à l'envers le dossier du Grand Maître, dans le faible espoir d'y découvrir une perspective nouvelle. Dwight, l'homme qu'il traquait, avait fondé des sectes religieuses à quatre endroits des États-Unis et il avait tenté d'en créer trois autres à l'étranger, en particulier au Canada, en France et au Mexique. Il avait seulement duré trois jours à Hattiesburg et Oxford, Mississippi, où la police lui avait conseillé de déguerpir au plus vite. Tant à Montréal qu'en Arles, il avait à peine réussi à tenir trois semaines avant d'attirer l'attention et, parce qu'il avait un passeport étranger, il fut aisé de se débarrasser de lui. Sunderson avait un jour pensé que pour l'homme moyen la foi religieuse avait le même pouvoir de séduction que l'argent. Il manquait à Dwight la cupidité manifeste de tous ces évangélistes du Sud qui avaient bâti des empires financiers, mais il s'était certainement débrouillé pour vivre à l'aise. Pour autant qu'on pût le savoir, Dwight n'avait pas encore quarante ans. Lors de la deuxième visite de Sunderson à la maison longue, les disciples étaient occupés ailleurs et il réussit à jeter un coup d'œil rapide entre les rideaux du domaine privé du Grand Maître, une espèce d'antre luxueux et primitif, disons la tente de Kubilaï Khan, toute une débauche de peaux de cerf au mur, des peaux d'ours par terre, et sur le lit une couette en peau de castor bordée de vison.

Sunderson n'avait pas assez voyagé pour savoir si les étrangers étaient aussi jobards que les Américains. Car en Amérique, personne n'avait besoin de références professionnelles, ou bien, lorsqu'elles étaient requises, on pouvait aussitôt les créer de toutes pièces. Un certain nombre des disciples actuels du Grand Maître étaient diplômés de l'université, mais Sunderson était arrivé à la conclusion que la plupart des universités étaient une simple continuation du je-m'en-foutisme lycéen. Nos élèves de cinquième sont aussi bons que ceux d'Europe de l'Ouest, mais en terminale ils pointent à la vingt-septième place mondiale. Sunderson avait lu ce classement avec délectation, car il expliquait en partie pourquoi le Congrès des États-Unis manifestait une ignorance crasse de l'histoire américaine, sans parler des rustres pontifiants de l'exécutif. Bush martelait : « L'histoire nous apprend que », avant de poursuivre par une contrevérité historique flagrante, ainsi que l'avait souligné l'un des héros de Sunderson, le journaliste David Halberstam. Quand Halberstam avait trouvé la mort dans un accident de voiture, Sunderson avait organisé une soirée privée de deuil, tous les livres de l'écrivain étalés sur son bureau.

Mater ou ne pas mater, telle était la question. Il restait onze minutes avant la fin du compte à rebours, quand Mona allumerait la lumière. Était-il si épuisé par sa mauvaise nuit qu'il manquait de courage ? Sans doute. C'était un faible effort pour retrouver l'humeur mélancolique, philosophique, qui avait jadis accompagné sa lecture de Kierkegaard à l'université. Bien sûr, même à l'époque il aurait laissé tomber *Ou bien… ou bien* comme une vieille chaussette si une fille nue était apparue à une fenêtre. Victoire de la biologie sur la philosophie au premier round. D'où venait donc cette angoisse liée au sexe qui vous crispait le ventre ? Même le sage Socrate était parfois à la merci de sa biroute.

Il eut recours à l'histoire pour essayer de penser à autre chose. Lors du congrès de Vienne en 1814 un orateur – Sunderson eut besoin de chercher le nom du quidam – prononça un discours pour mettre en garde son public contre les dangers inhérents à l'accession d'un homme médiocre au pouvoir. Tout à coup, il lui fallut aller aux toilettes, compromettant ainsi sa vision de Mona à l'aube, mais il accomplit cette humble tâche en un clin d'œil. Vingt secondes avant l'heure H il était de retour à son poste d'observation, car il avait synchronisé de son mieux sa montre avec le réveil de la jeune fille en se fiant à l'instant décisif où elle allumait sa lampe de chevet. Ses neurones turbinaient. Un prof avait jadis déclaré que les Lumières en manquaient singulièrement. Il prit le volume de Slotkin et la lampe de chevet s'alluma. Mona sortit de son lit et resta un moment debout à côté. Elle se pencha pour se gratter le ventre. Son derrière est braqué sur moi, pensa Sunderson, les portes du paradis ou celles de l'enfer. Elle se redressa et pivota vers la fenêtre, aussitôt perplexe. Oh merde, j'ai oublié d'éteindre et elle voit sans aucun doute les rais de lumière à ma fenêtre. Il se baissa, s'accroupit, le buste collé au bureau, en se disant que s'il éteignait maintenant, elle serait certaine qu'il l'avait matée. Quel idiot il était d'avoir oublié la lumière ! Il sentit la sueur perler à son front, la honte ignominieuse du vieux chnoque, ou du presque vieux chnoque sans doute surpris en flagrant délit de vice crapuleux. Il souffrit alors d'une violente remontée acide, ce qui n'arrangea rien. Une fois habillée, le plus souvent en noir gothique, Mona semblait trop mince, mais nue elle arborait une poitrine plantureuse et un derrière charnu. La vieille bite de Sunderson, parfois une amie mais à cet instant précis une ennemie, manifestait une absurde tumescence, et elle méritait, pensa-t-il, d'être coincée dans le tiroir du bureau à cause de son évidente stupidité. Comment énoncer la théorie et la pratique de notre culpabilité ?

Son œil lut machinalement quelques mots sur une feuille mal rangée du dossier de Dwight. C'était le témoignage de Carla G., la seule personne localisable qui avait été en froid avec la secte du Grand Maître, puis était revenue à Marquette. Elle soutenait que Dwight avait déplacé son quartier général depuis Marquette jusqu'à Ontonagon pour accroître son contrôle sur ses disciples, mais Sunderson savait que le vrai motif de ce déménagement était le prix moins élevé des terres dans l'Ouest. Carla G. adorait faire les boutiques et elle prétendait que telle était la raison de sa défection, mais après quelques questions elle fondit en larmes et ses pleurs faillirent gâcher le plaisir que Sunderson prenait à manger son sandwich au poisson blanc. Ils déjeunaient au bar d'un vieil hôtel élégant, le Landmark Inn, et plusieurs femmes de confession féministe fusillèrent alors le flic du regard comme si Carla pleurait à cause de lui. Elle finit par reconnaître qu'elle avait quitté la secte parce que Dwight lui avait maintes fois répété qu'elle était son seul vrai amour, mais elle découvrit bientôt qu'il baisait d'autres filles, parfois même quelques hommes, et peut-être aussi des mineures. Sunderson faillit avaler de travers en entendant cette information inédite, puis l'esprit de Carla s'égara dans une nuée de détails concernant les divers masques et costumes du Grand Maître. Il possédait ainsi une demi-douzaine de costumes d'arbres, taillés dans l'écorce de différents troncs et destinés à le rendre invisible. Il possédait aussi un masque sphérique doté de multiples visages et de trous pour les yeux, et les traits de chaque visage se fondaient dans ceux des visages voisins si bien qu'on aurait dit qu'il avait la vision d'une chouette. La dernière bouchée de sandwich au poisson blanc fut difficile à avaler. Dehors, sur le parking, près de sa voiture, Carla le serra contre sa mince robe d'été, en avançant les hanches et le pubis. Elle se remit à pleurer, puis lui confia que son père avait abandonné toute la famille quand elle avait seulement sept ans, et tout ce qu'elle se rappelait c'étaient les fessées déculottées qu'il lui avait administrées. Avec un léger éclat égrillard dans l'œil, elle suggéra qu'ils rejoignent tous deux son appartement. Il rétorqua qu'il n'avait pas le droit de faire une chose pareille avant fin octobre, quand il prendrait sa retraite, et elle dit alors, « Qu'entends-tu par là ? » comme s'il venait de lui faire une proposition malhonnête. À cet instant précis, le portable de Carla sonna. Elle répondit d'un air très grave et une voix tonna soudain : « Carla, je veux tout de suite ton cul sur mon visage ! » Elle rougit et se débattit avec la portière de sa voiture. « On dirait que tu plais à ce jeune homme », lâcha Sunderson en pouffant de rire. Puis il s'éloigna, absolument convaincu que Carla était non seulement une cinglée mais aussi une menteuse pathologique, et puis selon toutes probabilités une éclaireuse et une espionne au service de Dwight.

Sunderson était vraiment bel homme. Beaucoup de gens pensaient qu'il avait beau friser les soixante-cinq ans, il faisait dix ans de moins. Comme il n'était pas vaniteux, cela ne signifiait rien pour lui. « Soixante-cinq ans c'est soixante-cinq ans », répondait-il alors. Roxie lui avait souvent reproché d'avoir l'air « miteux », mais c'était parce qu'en trois ans, depuis son divorce, il n'avait pas acheté le moindre vêtement neuf. Quelques semaines plus tôt, quand il avait déjeuné avec Diane, son ex-femme, pour régler un problème matériel, elle avait découvert avec horreur que les manches et le bas de sa veste sport étaient tout usés. Elle avait tenu à lui laisser la maison, car à la mort de ses parents, originaires de Battle Creek, elle avait soudain « roulé sur l'or », et par-dessus le marché elle était maintenant remariée à un chirurgien à la retraite qui partageait les passions de son épouse pour l'art et la nature. Sunderson avait rencontré Bill seulement quelques fois, surtout parce que les médecins ne fréquentent d'habitude pas les inspecteurs de police et parce que souvent au cours de leur mariage, quand on les invitait tous les deux, il avait l'impression légèrement paranoïaque que les gens auraient préféré que sa femme vînt seule. Juste avant la fin de leur mariage, au cours d'un dîner en tête à tête, il lui avait demandé comment se concrétisait exactement son amour de l'art et de la nature. Elle fondit en larmes et quitta la table pour rejoindre sa petite pièce privée où elle écoutait de la musique classique et regardait ses livres d'art. Il ne lui expliqua pas que sa froideur grincheuse était due à un cas de maltraitance d'enfant l'après-midi même. Un gamin de dix ans avait été battu comme plâtre par son père ivre. Ce garçon avait perdu plusieurs dents et il avait le nez complètement enfoncé. Ses lèvres étant trop tuméfiées pour qu'il pût parler, il écrivit : « Je ne veux pas que papa ait des ennuis. » L'incident avait eu lieu près de Champion, et quand Sunderson accompagné d'un flic guida l'homme menotté vers l'escalier de la véranda, il lui fit un croche-pied et l'homme tomba du haut des marches sur le trottoir, que son visage percuta violemment. Il ne partageait jamais ce genre de détail sordide avec sa femme qui les trouvait insupportables. Un jeune rouge-gorge tombé du nid dans le jardin suffisait à faire jaillir les larmes de Diane.

Sur le chemin de son travail il se sentit un peu vaseux, si bien qu'il rejoignit le port en voiture et passa un moment dans le vent glacé du nord qui poussait les vagues au-dessus du brise-lames. Morose, il eut l'impression de faire fausse route dans l'affaire du Grand Maître. Pour le taquiner, ses collègues et le capitaine de police lui demandaient : « Mais où est donc la preuve du crime ? » Tout le monde savait qu'il n'y en avait pas la moindre crédible, et c'était manifestement une manière paradoxale de mettre un terme à une brillante carrière. Son oncle John Shannon, un pêcheur professionnel, disait volontiers : « Tous les bateaux cherchent un endroit où couler. » Ces temps-ci, il y avait beaucoup plus de rumeurs d'abus sexuels que de pain rassis d'un jour, et dans le cas présent ni la mère ni la fille ne voulaient témoigner.

Il se retourna pour regarder l'imposante église catholique qui se dressait sur la colline et eut droit à une modeste décharge électrique dans le ɔbe frontal, mais il ne s'agissait pas vraiment 'un indice. L'année avant le divorce, ils étaient rtis en vacances dans le nord de l'Italie, où son ıuse avait connu une succession de transes pai- ɛs devant l'architecture et l'art religieux tandis lui, en tant qu'historien, constatait surtout le itisme de l'Église catholique. Voilà ce qui llonnait réellement dans le cas de Dwight, Grand Maître avait réussi à convaincre

soixante-dix personnes de renoncer à leur existence et à leur argent. En adoptant le mode de
vie primitif du « passé avant le passé » comme
l'appelait Dwight, ils connaîtraient un avenir
radieux. Était-ce vraiment plus délirant que le
dogme des mormons, ou même des catholiques ?
L'idée que les gens gobent un argument aussi stupide le mettait en rogne. Ils tapaient sur leurs
tambours, ils psalmodiaient en des langues inconnues, ils dansaient, chassaient et pêchaient. À
mesure que les disciples atteindraient la maturité
spirituelle, leur passé se reconstruirait. Dwight
semblait croire mordicus à ce qu'il faisait, et puis
un beau jour il n'y croyait plus et il partait ailleurs.
Le peu d'informations réunies par Roxie sur les
activités du Grand Maître semblaient se concentrer sur le calendrier maya, dont Sunderson ne
comprenait toujours pas la nature. Il soupçonnait
que Dwight avait bel et bien eu des rapports
sexuels avec la fille, âgée de douze ans, d'un
membre de la secte, mais ces soupçons ne débou-
chaient sur rien de concret. Selon Sunderson, il
suffisait d'étudier un tant soit peu l'histoire de la
religion pour constater que les puissants trouvaient en général moyen de fréquenter la jeunesse,
ce qui paraissait être aussi un impératif biologique chez d'autres mammifères. Ainsi que
Marion l'avait fait remarquer, ce n'était certes pas
une idée nouvelle. Tout comme le hobby de
Sunderson était l'histoire, Marion, en tant que
métis, se passionnait pour l'anthropologie.

Chapitre 2

Samedi matin le miracle lui tomba dessus par la fenêtre ouverte de sa chambre à l'étage. Un vent tiède quoique fort soufflait du sud et il faisait presque seize degrés Celsius, beaucoup plus chaud que depuis deux semaines. Marion lui avait annoncé ce changement de temps alors qu'ils roulaient vers la fête organisée dans un vaste chalet en rondins près d'Au Train, mais Sunderson y prêta à peine attention, tant étaient grandes son appréhension et sa colère retenue à l'idée de se rendre à sa propre fête de départ en retraite. Il fut tenté de sauter dans l'avion de l'après-midi à destination de Chicago, de descendre au Drake et de passer un samedi tranquille à la bibliothèque Newberry. Ce n'était certainement pas un fêtard : ne pouvait-on tenir compte de son aversion pour ce genre de réunion ? Bien sûr que non. Diane payait la cuisinière qui d'ordinaire s'occupait seulement des grands raouts du gratin de Marquette et aucun des invités à cette fête n'avait sûrement déjà goûté à sa cuisine. Son ex-épouse avait aussi expédié deux caisses d'excellents vins et une demi-caisse d'alcools de luxe à Marion, cet ancien alcoolique à qui l'on pouvait confier ce trésor liquide les yeux fermés, tant il était déterminé. Ça faisait beaucoup de gnôle pour quinze hommes, mais la Péninsule Nord était une région de buveurs invétérés et la plupart de ces hommes qui œuvraient à l'application de la loi s'étaient arrangés pour qu'on vînt les chercher en fin de soirée. L'*animation* était organisée par un jeune officier de police que Sunderson avait d'abord pris en grippe avant de sympathiser avec lui en apprenant que le FBI avait rejeté sa candidature à cause de ses frasques d'étudiant. Et puis le FBI comptait déjà trop de gros balourds incapables de penser hors des sentiers battus. Une vieille dame travaillant pour le FBI avait vu le 11 septembre venir ; eût-elle porté une cravate, des milliers de vies auraient pu être sauvées, sans parler des réactions grotesques d'un gouvernement qui écorna gravement la Constitution américaine et laissa le champ libre aux durs à cuire désireux de réaliser enfin leurs ambitions et de torturer des basanés. Les milliers de sadiques qui ne connaissaient pas mieux le Moyen-Orient qu'un agent d'assurances de Lubbock, Texas, avaient tous des curriculum vitae en béton.

Sunderson prit un café rapide, puis il emballa deux sandwichs au bœuf premier choix rescapés de la fête – pour la troisième fois de sa vie seulement il avait mangé du bœuf premier choix. Il vérifia à nouveau son équipement dans son sac et décida de laisser derrière lui son revolver de service. J'en ai fini avec ça, pensa-t-il, mais il garderait sur lui un permis de port d'armes au cas où un criminel qu'il avait fait coffrer lui en voudrait encore. Au moment de sortir par la porte de derrière, il eut un remords et fit volte-face, entra dans son bureau et ôta de l'étagère le volume de Slotkin. Ce n'était pas un matin d'école et il avait peu de chances de découvrir Mona nue, mais pourquoi commettre un péché par omission ? Et la voici, seulement vêtue d'une culotte minuscule. Il prit la longue-vue dans la poche de son blouson et la braqua sur la raie des fesses où le tissu de la culotte restait coincé. Incroyable mais vrai, elle lisait l'*Audubon Magazine*. Il fit ensuite la mise au point sur ses seins, puis son visage, et il sursauta car elle semblait le regarder droit dans les yeux. Bien sûr la porte de son bureau était restée ouverte et la lumière de la cuisine était très vive. Il avait toujours été un peu maladroit sur le chapitre des techniques de surveillance. Il y avait aussi ce soupçon lancinant que Mona s'offrait consciemment en spectacle pour lui seul. Il s'accroupit en souriant, puis se demanda si pour un retraité c'était vraiment la bonne manière d'entamer sa première journée de liberté, un enjeu majeur en soi ; mais il reconnaissait depuis belle lurette qu'il n'était pas un intellectuel aux idées élevées, ainsi qu'il l'avait encore prouvé la veille au soir. Une longue promenade en terrain sauvage s'imposait clairement, même si cette journée avait humblement commencé par une scrutation intense mais coupable de la raie des fesses de Mona. Comme tant d'entre nous, Sunderson souhaitait être plus malin qu'il ne l'était, mais pas au point de pouvoir surmonter son inconstance très humaine. En deuxième année de fac, une connaissance lui avait prêté *Tropique du Cancer* de Henry Miller, mais Sunderson s'était arrêté à la moitié du roman, tant le désordre de la vie des personnages l'avait effrayé. C'était le premier membre de sa famille élargie à entrer à l'université et à en sortir avec un diplôme ; pour réussir dans la vie il fallait garder le couvercle serré au maximum, ce qui n'était pas une attitude très fréquente chez les jeunes hommes originaires de la Péninsule Nord.

Après deux heures de trajet il s'arrêta à Bruce Crossing pour boire un bloody mary en vitesse, et il reconnut intérieurement que, même si sa gueule de bois ne comptait pas parmi les pires de son existence, elle était bel et bien là et pour dévisser le couvercle trop serré de sa vie il lui fallait lâcher la bride à ses impulsions.

Sa fête de retraite n'avait nullement justifié ses appréhensions. Elle commença à sept heures avec des doses massives d'alcools forts et des centaines d'huîtres, elle continua avec des côtes de bœuf si savoureuses que les invités se jetèrent dessus, des glaces au caramel, puis deux jeunes danseuses dans le chalet surchauffé, pour s'achever à dix heures du soir.

Une modeste révélation eut lieu sur la route d'Au Train quand Marion lui dit qu'en tant que directeur de collège il savait qu'une élève de quatrième, la fille d'un membre de la secte, était enceinte. À quatorze ans, cela en faisait une victime différente de la fillette de douze ans. Sunderson feignit l'indifférence et répondit que, lorsqu'il l'avait vue, cette fille lui avait certes paru un peu potelée, puis il demanda : « Qui est le coupable ? » Il fut déçu quand Marion lui répondit que cette fille avait raconté au conseiller scolaire que c'était quelqu'un parmi quatre ou cinq hommes, mais que son amant le plus régulier avait été indien. Bien sûr, Sunderson aurait voulu entendre que son seul partenaire sexuel avait été le Grand Maître en personne. Une accusation en bonne et due forme de détournement de mineure aurait mis un terme aux activités de cet enfoiré, à condition qu'il ne fût pas mort et qu'on pût mettre la main sur lui. Sunderson, certain que Dwight n'avait pas passé l'arme à gauche, s'était demandé si cet homme savait piloter un avion, car deux jours plus tôt un chasseur de coqs de bruyère avait découvert un ULM dans un champ proche de Bessemer, à cent soixante kilomètres du terrain occupé par la secte. Néanmoins, Roxie affirma qu'aucun permis de pilote n'avait jamais été délivré au nom d'un des pseudos connus de Dwight. Il avait l'impression de perdre de son tranchant, car il fut incapable de se rappeler si l'autre victime avait douze ou treize ans. Mais était-ce vraiment important ? Ce qui le déroutait plus que tout, c'était que la mère refusait de porter plainte. Quel genre de religion fermait les yeux sur le viol d'enfant ?

Quand Marion gara la voiture près du chalet avant la fête, il tendit à Sunderson une enveloppe expédiée par son ex-femme et alluma la lumière intérieure. Cette enveloppe contenait une photo très osée de Diane, qu'il avait prise la première année de leur mariage avec l'appareil Polaroïd que ses beaux-parents leur avaient offert pour Noël. Un soir, après avoir beaucoup bu et fumé un joint, il avait pris cette photo d'elle nue et riant aux éclats, allongée sur le canapé de leur appartement d'étudiants mariés. Cette photo l'avait tellement excité qu'ils avaient fait l'amour deux fois avant de préparer des hamburgers à minuit pour apaiser la faim due à l'herbe. Le lendemain matin, il avait furtivement recherché cette photo, qui avait disparu, et Diane prétendit qu'elle n'avait aucune idée de l'endroit où elle se trouvait. Il avait été furieux et aujourd'hui, plus de quarante ans après, il regardait enfin cette photo. Il la tendit à Marion, qui s'écria : « Nom de Dieu, quel petit verni tu as été ! » Sunderson lut le billet qui commençait par « Cher Big Boy », son surnom, mais Diane disait seulement : « J'ai pensé que ce souvenir de notre mariage te plairait peut-être. » Elle avait toujours fait preuve d'un sens de l'humour remarquablement pervers et il ressentait maintenant un désir désespéré pour elle. Il le savait, il n'aurait jamais le courage de se débarrasser de cette photo. C'était tout simplement un totem pour sa vie.

En un peu moins de trois heures il atteignit le croisement de la route du comté avec le chemin de terre cahoteux de huit kilomètres qui aboutissait à la maison longue et constata avec déception que des traces de pneus sur le sol humide indiquaient qu'un véhicule avait emprunté ce chemin dans le même sens que lui. Il n'avait envie de voir personne, il avait espéré une journée de solitude, un désir parfaitement compréhensible après la conclusion de sa fête de départ. Il but une tasse de café et mangea la moitié d'un sandwich, appuyé contre le capot de l'antique Subaru qu'il utilisait pour ses excursions dans les immensités désertes de la Péninsule Nord. Un sureau tout proche abritait un groupe bruyant de jaseurs des cèdres qui se gavaient de baies avant leur migration vers le sud. La viande du sandwich était si délicieuse qu'il se demanda quelle espèce de bétail pouvait bien être aussi goûteuse. Il se sentit vaguement idiot de n'avoir pas pris son matériel de pêche. La saison était terminée, mais pour le plaisir il aurait pu attraper quelques truites de rivière avant de les relâcher, et l'évocation de la peau fraîche et glissante de la truite lui rappela brusquement la jeune femme de la veille au soir. Les danseuses engagées pour sa fête de retraite se révélèrent être Carla, la jeune femme qu'il avait interviewée au déjeuner et à qui son papa administrait des fessées déculottées, et Queenie, la principale maîtresse de Dwight, originaire de Bloomfield Hills, qui avait fourni les trente plaques pour acheter le terrain de la secte et pourvoir à d'autres dépenses. L'expérience avait appris à Sunderson que ce genre de donzelles étaient moins intéressantes qu'elle ne le semblaient de prime abord : jolies mais creuses. Cette apparition lui confirma aussi que Carla faisait sans doute encore partie de la secte. Il avait été stupéfié par leur incroyable présence physique dans l'espace restreint de la pièce. Elles commencèrent par s'asseoir face à la table du banquet sur un canapé installé devant l'âtre où un feu rugissait. Elles portaient la tenue fort pudique des jeunes étudiantes de son lointain passé : jupe plissée à carreaux et corsage blanc. Carla mit les Grateful Dead sur la sono et les deux filles dansèrent avec une énergie frénétique mais aussi gracieuse. La chaîne joua ensuite *Born to Be Wild* et elles commencèrent à se battre en riant sur le canapé, chacune arrachant les vêtements de l'autre jusqu'à ce qu'elles se retrouvent toutes les deux en string, après quoi elles se caressèrent passionnément. Alors, sur un signal convenu, la cuisinière éteignit les lumières, mais les filles restaient visibles dans la lueur du feu et elles firent l'amour avec vigueur. Soudain elles bondirent sur leurs pieds et sortirent en courant. « Nom de Dieu, braille quelqu'un, j'en peux plus ! » Sunderson chuchota à Marion : « Je vais pisser dehors », et Marion lui répondit : « Je te comprends. »

Debout dans la pénombre de la véranda, près du tas de bois, Carla le regarda, tandis que Queenie se rhabillait dans l'habitacle éclairé de sa Yukon. Il se sentit pris de faiblesse en marchant lentement vers Carla qui serrait son string contre sa poitrine et attendait patiemment. Lorsqu'ils s'étreignirent, elle avait le dos couvert d'une sueur fraîche. Il eut envie de la lécher, mais elle lui tourna le dos et se pencha au-dessus du tas de bois. La seconde suivante, sans même l'avoir décidé, il fut en elle et elle lui murmura : « Frappe-moi le cul », ce qu'il s'empressa de faire avec énergie. Ce fut un coup rapide, et Carla rejoignit bientôt sa voiture en courant. Il trébucha puis s'assit lourdement sur le tas de bois pour allumer une cigarette. Plusieurs hommes agitaient la main aux fenêtres du chalet, mais il ne leur répondit pas car il se sentit soudain gêné. Bah, pensa-t-il, et quand il réussit à retourner dans le chalet, les invités entonnèrent un absurde *Il est des nôtres*. Sunderson se servit un grand verre de whisky qu'il descendit en savourant une énième portion de glace au caramel, après quoi il s'empara d'un os de bœuf pour en manger le restant de viande saignante. Techniquement, il n'avait plus toute sa tête. Marion dit « Tu y as droit » en le trouvant morose plutôt qu'estoma-

46

qué. D'habitude, il avait toute la spontanéité du fil de fer barbelé.

Ses tempes palpitaient d'embarras tandis qu'il finissait la première moitié de son sandwich. Luthérien un jour, luthérien toujours : la devise de sa famille signifiait surtout que les femmes et les enfants allaient au temple le dimanche matin pendant que les hommes restaient à la maison, partaient pêcher, jardinaient ou pelletaient la neige. La religion était un fait de la vie, comme l'huile de foie de morue, les impôts, la rentrée scolaire.

Il entendit alors un véhicule arriver de la maison longue sur ce chemin pitoyable où seuls des chasseurs au volant de leur 4 × 4 auraient osé s'aventurer, car se retrouver en panne au beau milieu de nulle part constituait une expérience fondamentale de la vie dans la Péninsule Nord. Sunderson était irrité. En effet, il avait contacté un adjoint du comté d'Ontonagon pour lui demander de sécuriser la scène du crime et de tendre une longueur de ruban jaune en travers du chemin. Il lui avait téléphoné la veille, mais en réalité il avait désiré explorer seul la section entière du terrain de la secte, c'est-à-dire six cent quarante arpents, sans rencontrer le moindre chasseur de coqs de bruyère ni aucun amateur de tir à l'arc, lesquels bénéficiaient d'une saison précoce de chasse au chevreuil, ni aucun hurluberlu baladant son tas de ferraille le samedi avec une caisse de bière sur la banquette arrière en faisant semblant de chercher un grand cerf pour la prochaine saison de chasse en novembre.

Mais c'étaient un agent immobilier et son client dans un Tahoe flambant neuf, rutilant mais maintenant couvert de boue. Quand Sunderson montra son badge périmé dans son portefeuille, ils descendirent de voiture, l'agent immobilier rougit et le client, un quinquagénaire en luxueuse tenue de sport genre Orvis, bâilla.

Las du protocole, Sunderson dit simplement : « Vous faites quoi ici ? Vous êtes entré par effraction sur une scène de crime. »

En fait, l'adjoint du shérif avait oublié d'interdire l'accès au terrain de la secte. La discussion devint donc courtoise par nécessité. L'agent immobilier déclara qu'il avait reçu un coup de fil lui demandant de faire visiter la propriété.

« Comment s'appelle le propriétaire ?

— Un certain Dwight Janus.

— Il vit où ?

— J'en sais rien », dit l'agent qui se mit ensuite à tripoter son téléphone portable. « L'indicatif régional est cinq deux zéro.

— C'est le code de Tucson, en Arizona », précisa le client qui regardait la partie nord du chemin. « Quelle route terrible...

— Vous comptez faire quoi de la maison ? demanda Sunderson.

— M'y installer avec mon setter anglais et oublier le monde. Vous avez une idée des populations de coqs de bruyère et de bécasses dans les environs ?

— Ça devrait aller. La secte abattait et bouffait tout ce qui lui passait sous le nez, sauf les oiseaux. Le Grand Maître proclamait que tuer des oiseaux était tabou. Il les surnommait les messagers aviaires.

— Délicieux. Ça va me faire bizarre d'acheter toute une section de terres pour moins cher que le prix d'une maison minable à Minneapolis. »

L'agent immobilier se dérida. Le récent krach financier avait eu raison de tous ses efforts, et puis il avait un fils et une fille à l'université.

Ils échangèrent une poignée de main. Sunderson donna à l'agent immobilier ses propres numéros de téléphone dans l'espoir absurde que Dwight l'appellerait peut-être. Il fut ravi de les voir repartir et imagina les efforts que le client allait faire pour installer un peu partout des panneaux « Propriété privée », que les gens du cru ignoreraient bien sûr. Il resta là en plein midi avec l'étrange impression que seule sa curiosité demeurait ambitieuse. Ce serait un vrai plaisir de ne plus jamais arrêter personne, et surtout de ne plus jamais rédiger le moindre rapport du genre : « La Dodge 73 volée a été retrouvée abandonnée à trois kilomètres au SO de Gwinn. Le coupable ou les coupables ont laissé derrière eux onze canettes de bière vides et quelqu'un a chié sur la banquette arrière. » Certes le crime payait, mais souvent très peu. Il se mit à sourire en pensant à sa bibliothèque bien-aimée, puis au fait que le plus récent pseudo de Dwight était Janus, un personnage prophétique et fascinant, à double face, de la mythologie. Cette invention était presque aussi savoureuse que le prénom de sa mère, Nokomis, qui selon lui venait du *Chant de Hiawatha*, les célèbres vers de mirliton du poète Longfellow. Derrière toute sa pompe, le Grand Maître avait de l'humour. Historiquement, les mystères de la religion, du sexe et de l'argent avaient tendance à accumuler les crapuleries pompeuses plutôt que de manifester le moindre humour. Et en tant que féru d'histoire, Sunderson était abasourdi depuis la fac par les rapports très particuliers qui liaient l'argent, la religion et le sexe – c'était même devenu son obsession privée.

En atteignant le portail du terrain de la secte, il ressentit une curieuse impression de légèreté. Il se méfiait de ses humeurs comme de la peste, mais il jugea celle-ci parfaitement explicable. Depuis l'enfance il ne se rappelait pas avoir jamais été dispensé de ses multiples obligations, et ici en ce début d'après-midi d'un samedi de la fin octobre il n'avait pas davantage de devoirs à accomplir qu'un jaseur des cèdres, seulement tenu de se remplir le ventre avant de filer vers le sud.

Les arbres avaient perdu leurs feuilles et il avait l'intention de remonter le cours du torrent à la recherche d'étangs de castors en vue d'éventuelles futures parties de pêche, mais il devait avant tout jeter un coup d'œil à la maison longue. Trois des quatre portes étaient ouvertes et sans cadenas, mais on avait brisé le cadenas de la quatrième, située par-derrière. Quel intérêt ? Des traces de pas toutes fraîches sur la terre humide lui prouvèrent que l'agent immobilier et son client étaient entrés par la porte de devant qui faisait face au sud. Ce cadenas brisé était absurde et méritait donc une petite enquête. Il faisait plus frais à l'intérieur de la maison qu'au-dehors et le sol était couvert des vestiges décourageants de la vie quotidienne : baskets, chaussures de bébé, chaussettes dépareillées, assiettes en plastique, marmites bon marché, gants en coton. Un garde-manger contenait encore une caisse de pêches en conserve, apparemment indignes d'être emportées, et quelques sacs ouverts de farine blanche, de farine de riz, et de riz. Trois souris bien cachées dans le sac de riz levèrent la tête vers lui. La seule chose qui selon Sunderson avait une quelconque valeur dans cette longue pièce rectangulaire, c'étaient six gros poêles ventrus, chacun flanqué d'une grande boîte à bûches. Quelques charognards humains des environs s'approprieraient sans doute ces poêles, chacun valant au bas mot mille dollars. Le dernier poêle au fond était le plus proche des quartiers de Dwight, là où la porte ouverte au cadenas brisé donnait sur la rivière située à trente mètres en contrebas d'une pente. À l'examen, la boîte à bûches de Dwight avait un double fond et Sunderson se maudit de ne pas avoir fouillé le bâtiment abandonné la semaine passée. Quelqu'un l'avait précédé, qui avait retiré les bûches, ouvert la trappe du fond et emporté le contenu de la cache. Il y restait seulement des livres d'écologie et une pile de carnets inutilisés à l'exception de celui qui portait sur la couverture le nom et l'adresse suivants : Philippe Desarmais, 13 rue des Arènes. Sunderson se rappela alors que Roxie avait trouvé une carte d'Arles sur l'ordinateur et que la rue des Arènes aboutissait à un Colisée toujours en usage deux mille ans après sa construction. Avec l'aide d'un professeur de français à l'université du Nord-Michigan, Sunderson avait rédigé une lettre destinée à la municipalité d'Arles et reçu une réponse dans un anglais impeccable, disant que oui, l'Américain nommé Desarmais avait fait quelques vagues dans la région avant d'être « fermement prié » de déguerpir. Il avait loué des salles de réunion et donné des conférences à succès (vin à volonté, fromage et charcuterie), où il se proposait de renverser le gouvernement des États-Unis, chose qui, durant le premier mandat de Bush junior, ne semblait pas complètement idiote. Dwight voulait que les cinq cent douze tribus des premiers Américains soient en mesure de récupérer leurs terres ancestrales et que la capitale du gouvernement américain s'établisse dans la ville plus centrale de Chicago. Selon les autorités arlésiennes, Dwight avait séjourné en Camargue en avril, pour observer les oiseaux migrateurs de retour d'Afrique. Au cours d'un entretien avec un représentant des services secrets français et des membres de la police locale, Dwight, qui paraissait vaguement ivre à ce moment-là, n'aurait pas désavoué l'éventuel emploi de la violence. Avec une aide financière européenne, il comptait armer les tribus indiennes. La police, qui avait remarqué que Dwight parlait relativement bien français, lui avait fait plier bagage avant de le mettre dans un train pour Marseille, une ville qui tolérait la racaille internationale.

À Ontonagon quelqu'un avait aussi fait main basse sur la peau d'ours et d'autres décorations en fourrure de la maison longue, et Sunderson s'étonna distraitement de l'indéfectible engouement des hommes pour ces dépouilles animales. Un jour, Diane et lui avaient fait l'amour sur une peau d'ours dans le chalet d'un ami, et cette peau avait semblé décupler son énergie sexuelle.

Sunderson rejoignit la porte de derrière, s'appuya contre le mur à côté du chambranle et remarqua la présence d'un petit loquet à cet endroit. Il le fit jouer et découvrit un minuscule placard contenant une pile de manuels d'ornithologie et, cerise sur le gâteau, une dizaine de luxueuses nuisettes en dentelle.

Toutes ces découvertes lui donnant la migraine, Sunderson marcha une heure en remontant le cours du torrent, et retour. Le vent se mit à tourner du sud vers l'ouest, si bien qu'à la tombée de la nuit il soufflerait sans doute du nord et apporterait le temps infect typique de cette saison. Comme de juste il y avait deux jolis étangs de castors où de belles truites montaient à la surface pour gober les derniers insectes de l'année. Il allait exploiter sa rapide rencontre avec le client de l'agent immobilier pour avoir libre accès à ces étangs durant la prochaine saison de pêche à la truite.

En partant, il remarqua qu'il ressentait toujours une délicieuse impression de liberté qui lui rappela son enfance, quand le dernier jour d'école éveillait en lui une authentique frénésie de bonheur. Il ne pouvait pas avoir plus de huit ans quand il s'était mis à camper avec deux amis, mais c'était à une époque où les parents couvaient beaucoup moins leurs enfants qu'aujourd'hui. Ils emportaient quelques canettes de bière, un poêlon, du sel et du poivre, une miche de pain et un petit pot pour bébé rempli de graisse de bacon pour y faire frire les poissons qu'ils pêcheraient. Pour le jeune Sunderson, c'était cent fois mieux que le softball, et puis il était trop occupé à tondre des pelouses et à laver des voitures pour vingt-cinq cents : il n'avait pas le temps de rejoindre une équipe comme les gamins de familles plus aisées.

Il était tout près de son véhicule quand il se retourna pour jeter un dernier coup d'œil au bâtiment des bains. Il croyait à la méticulosité plutôt qu'aux idées géniales ou à l'intuition, et il se dit que, si les disciples de Dwight vivaient de gibier et de baies sauvages, sans parler de quelques denrées de base comme le riz ou la farine, il devait bien y avoir quelque part des traces de la chasse, par exemple des munitions ou des douilles. Dwight avait la sagesse de limiter les chasseurs à une demi-douzaine d'employés indiens qui détenaient des droits tribaux dans les environs. Sans doute étaient-ils conscients des entourloupes de leur patron. Sunderson avait brièvement parlé à un garde-chasse qui avait un peu fouiné et lui avait déclaré que sur ce chapitre la secte se montrait extrêmement discrète.

Aux murs du bâtiment des bains pendaient des bouquets de fleurs sauvages séchées qui absolvaient l'endroit de toute odeur de sueur humaine. Il tourna le bouton d'une douche et son geste fit démarrer le générateur de la pompe. Comme il n'y avait aucun cumulus d'eau chaude, il en conclut que les disciples se contentaient de prendre des douches froides. Un poêle ventru empêchait l'eau de geler dans les tuyaux. Malgré toute la liberté sexuelle qui pouvait bien régner là, l'endroit était sans doute lugubre en hiver. Il avait entendu dire que Dwight prononçait des discours de trois heures à la manière de Fidel Castro. Dwight lui avait déclaré que le monothéisme détruisait le monde et que ses disciples à lui adoraient des dizaines de dieux, comme dans de nombreuses cultures de l'Antiquité. Sur le point de quitter le bâtiment des bains, il souleva l'assise d'un des bancs et remarqua que la marque des luxueuses serviettes empilées là était celle qu'affectionnait son ex-femme. Il enfonça la main au fond de chacun des trois bancs et au troisième essai il sortit du coffre un fusil M-16 enveloppé dans de la toile cirée. Examinant sa trouvaille de près, il découvrit qu'il s'agissait d'un modèle entièrement automatique, ce qui en faisait une arme tout à fait illégale. Il était facile d'abattre un chevreuil avec ce type de fusil, car on pouvait tirer en quelques secondes les trente cartouches du chargeur. Que faire ? Rien. Il n'était plus flic, seulement un citoyen curieux, et puis les lois sur les armes sont souvent bafouées en Amérique. Son ami Marion, un ancien marine, lui avait appris qu'un bon tireur embusqué en bout de piste pouvait très bien abattre un avion de ligne avec un seul chargeur d'AK-47 en visant la carlingue sous les pilotes, là où se trouvaient les ordinateurs constituant le cerveau de l'appareil. Sunderson avait connu de nombreux flics qui possédaient des armes illégales, entièrement automatiques, et il était bien difficile de prendre la loi au sérieux quand de tels propriétaires étaient eux-mêmes au service de la loi.

Sunderson finit de déjeuner et but sa dernière tasse de café tiède. Il observa une colline lointaine à travers ses jumelles. Un grand nombre de corbeaux du nord décrivaient des cercles dans le ciel et cette colline était accessible à partir d'un chemin de terre submergé par la végétation, qui démarrait au portail. C'était sans doute l'endroit où les membres de la secte jetaient les viscères et les os du gibier qu'ils tuaient. Il décida de ne pas s'y rendre, parce qu'il ne se sentait pas tout à fait dans son assiette à cause de sa gueule de bois. En plus de ce modeste malaise, il n'avait aucune envie de découvrir un monceau de carcasses de chevreuil desséchées, sans doute quelques castors, des ratons laveurs, voire des porcs-épics. Marion lui avait un jour préparé un ragoût de porc-épic, qui s'était révélé assez bon mais un peu gras. Il ne prévoyait pas de découvrir le moindre squelette d'ours, car les Chippewas (Anishinabe) les plus traditionnels hésitaient, pour des raisons religieuses, à tuer un ours. Il fallait respecter le dogme.

Les troubles dus à sa gueule de bois incluaient une culpabilité irraisonnée et il se demanda à quelle vitesse la nouvelle de ses frasques de la veille au soir allait se répandre. En cahotant sur les nids-de-poule boueux et inconfortables qui aboutissaient à la route du comté, il imaginait parfaitement tous les invités de la fête sauf Marion en train de diffuser la nouvelle de son accouplement avec Carla sur le tas de bûches. Les hommes étaient d'habitude des pipelettes bien plus bavardes que les femmes. Il y avait à Tucson une bonne dizaine de retraités originaires de la région de Munising et d'Au Train et il n'était nullement exclu que son implacable mère apprît ses frasques. Elle se croyait très religieuse, mais elle adorait les ragots bien saignants pourvu qu'ils ne concernent aucun membre de sa famille. Il se refusait à imaginer sa propre arrivée à Tucson pour Thanksgiving si elle avait eu vent de son aventure, et il soupçonnait que ce serait le cas. Le côté comique de la situation – un homme de soixante-cinq ans intimidé par sa mère qui en avait quatre-vingt-sept – ne lui échappait pas.

Sur le trajet du retour il réfléchit à son blocage concernant l'apprentissage de l'informatique.

Roxie l'avait tanné pour qu'il s'y mette, car elle ne serait bientôt plus à son service. Elle pensait pouvoir lui apprendre l'essentiel en deux ou trois semaines, le soir, mais il freinait des quatre fers, car il ne voulait plus subir la moindre obligation. Le téléphone était déjà une corvée suffisante et puis il avait remarqué que les gens de sa connaissance devenaient esclaves de leurs e-mails. Sa voisine Mona, la hacker gothique, lui avait dit qu'il pouvait se contenter de faire ses recherches sur Internet et éviter les mails. Comme elle avait besoin d'argent de poche, elle lui avait proposé de l'aider en échange de dix dollars l'heure. S'était alors posé le problème de la confidentialité, mais maintenant qu'il était à la retraite ce souci était désormais du passé.

Quand il entra dans son allée juste avant la tombée de la nuit, Marion finissait de ratisser le jardin et Mona ramassait les pommes Jonathan tombées par terre à cause du vent. Cet arbre donnait des fruits seulement tous les deux ou trois ans à cause des gelées tardives. Sunderson se rappela que l'épouse de Marion était partie pour Milwaukee régler des affaires tribales et que Marion comptait préparer ses célèbres côtes de porc à la hawaïenne. Mona lui posa la main sur l'épaule et annonça qu'elle allait faire une tarte aux pommes. Elle avait une lueur nouvelle dans le regard et il se demanda une fois de plus s'il était vraiment sage de continuer à la mater par la fenêtre. Il était en tout cas impossible de rectifier sa bourde, quand il avait oublié d'éteindre la lumière. C'était bien sûr ce dont le Grand Maître Dwight parlait toujours : pour améliorer le présent et l'avenir, il fallait changer le passé, ce qui revenait à dire qu'avant de mater par la fenêtre, il fallait s'assurer qu'aucune lumière n'était restée allumée derrière soi.

Il se servit un verre, puis regarda Marion et Mona par la fenêtre de la cuisine. Pas question de transiger avec les manies de Marion. Quinze ans plus tôt, quand il avait arrêté de boire après avoir assisté à une seule réunion des Alcooliques anonymes, il avait senti qu'il devait s'occuper et entreprist de nouvelles activités comme tondre et ratisser la pelouse de Sunderson, remplacer le toit du garage, construire de nouvelles marches jusqu'à l'entresol, les anciennes étant devenues branlantes –, même si en tant que directeur de collège Marion avait régulièrement gagné davantage d'argent que Sunderson, lequel détestait toujours se rappeler qu'enfant il avait tondu et ratissé des pelouses pour vingt-cinq cents de l'heure.

Sunderson détesta aussi la biologie humaine quand Mona entra et se mit à éplucher les pommes à la table de la cuisine. Il s'assit en face d'elle et lui fit sa proposition d'emploi. Il dresserait une liste exhaustive de questions sur Dwight, puis la laisserait se débrouiller avec son ordinateur. Elle fut heureuse de cette offre, car depuis le krach financier sa mère n'avait plus beaucoup l'occasion de sillonner les routes pour vendre ses cosmétiques. Puis elle lui déclara de but en blanc que cette dernière avait une liaison avec un vieux et riche homme d'affaires de Charlevoix. Elle avait lu quelques mails *dégueulasses*, et elle imita ironiquement la voix maniérée de sa mère : « Oh Bob, j'aime tellement ça quand tu me lèches la chatte pendant toute une heure. » Mona ajouta ensuite qu'elle avait découvert via son ordinateur que depuis trois mois Bob payait le crédit de leur appartement.

Sunderson se sentit rougir et baissa les yeux vers son whisky. Ces derniers temps, la franchise des jeunes filles le sidérait toujours et lui donnait l'impression d'être un vieux fossile ou un minuscule joueur de football américain sans protège-visage sur son casque.

Mona enleva bientôt son chandail. En dessous, elle portait un T-shirt beige et pas de soutien-gorge. Peu désireux d'accroître sa propre confusion, il se mit à examiner les côtes de porc extra-épaisses sur le comptoir de la cuisine et par la fenêtre il vit son ami faire démarrer le gril Weber avec son mélange habituel de charbon de bois et de bûchettes de chêne pour obtenir le plus de chaleur possible. Ce fut alors que Sunderson eut l'impression particulièrement désagréable de ne rien savoir de la religion et encore moins de la spiritualité qui endossait la forme extérieure de la religion. Comment, dans ces conditions, comprendre Dwight et ses anciens disciples quand lui-même n'avait pas la moindre idée de leurs convictions spirituelles ? Il se dit ensuite que si on lui demandait sous la menace d'une arme de définir le mot « spiritualité », il en serait incapable. Cette idée ne faisait tout simplement pas partie de ses centres d'intérêt.

« Papa, la retraite ça te déprime ? » Mona se serra contre son dos et il baissa les yeux vers la minuscule gargouille tatouée sur le bras de la jeune fille. Parfois, pour rire, ou du moins le croyait-il, elle l'appelait « papa ». Elle dégageait une douce odeur de pomme Jonathan et il sentit les seins de Mona contre son dos. Sa gêne face à sa propre lubricité était clairement une gueule de bois luthérienne remontant à l'enfance, quand un professeur de l'école du dimanche, de toute évidence un jeune homme gay, avait déclaré à une salle remplie de petits garçons qu'ils devaient traiter les filles comme leurs propres sœurs. Autrement dit, Sunderson connaissait la religion en tant que description systématique des comportements autorisés et interdits. Du point de vue historique, la religion était un pouvoir spécifique avec lequel il fallait compter. Ces pensées lui rappelèrent un livre qu'il avait lu sur l'inaction criminelle de l'Église catholique qui durant la Seconde Guerre mondiale n'avait rien fait pour sauver des juifs. Tous ces Jésus crucifiés et sanguinolents qu'il avait vus avec sa femme en Italie l'avaient laissé de glace alors qu'il s'était mis à bander devant la Vénus sortant des eaux aux Offices.

Il se retourna, mais Mona ne le lâcha pas pour autant. Elle colla son visage dans le cou de Sunderson et dit : « Tu m'as pas répondu.

— Je n'ai jamais été plus heureux de ma vie, mentit-il.

— Oh, conneries ! » s'écria-t-elle alors que Marion entrait par la porte de la cuisine donnant sur la véranda.

« Seize ans, t'en prends vingt », déclara Marion en riant. Il voulait dire que, si Sunderson et Mona poursuivaient leurs roucoulades jusqu'à leur très prévisible conclusion biologique, il risquait d'aller en prison.

« C'est un vieux pédant qui ne veut jamais s'amuser avec moi, se plaignit Mona en blaguant.

Mais ce matin j'ai entendu de drôles de choses sur son compte.

— C'est faux ! » aboya Sunderson en rougissant. Il venait de penser à une remarque de ce grand esprit qu'avait été sir Francis Bacon, mais elle lui échappait maintenant. Il ne pouvait s'empêcher de soupçonner que Dwight comprenait le conflit entre la religion et le sexe, et qu'il avait tout bonnement décidé de mélanger les deux.

« Je lui ferais confiance face à toute une escouade de pompom girls nues », dit Marion. Il hachait d'une main experte une poignée d'ail. Marion avait tendance à se montrer pointilleux sur les recettes de cuisine, et son plat favori pendant un an avait été une assiette de pâtes, avec de l'ail finement coupé, de l'huile d'olive, du persil, et un certain parmesan qu'il commandait chez Zingerman à Ann Arbor. Selon Sunderson, depuis que Marion avait arrêté de boire, il dépensait autant d'argent en mets de luxe que lui-même pour ses livres.

« Je me fiche de ce que des adultes consentants peuvent bien faire à une fête de départ en retraite. » Mona lui tapota le crâne, puis mit sa tarte aux pommes dans le four. Elle alla au salon et franchit la porte du bureau. Il l'imagina sortant un livre de l'étagère située au-dessus de sa table de travail, puis découvrant sa propre chambre à travers la fente ainsi créée. Il tenta vainement de s'en foutre. Roxie lui avait montré quelques saletés assez émoustillantes sur son ordinateur, et il s'était alors interrogé sur l'impact néfaste de ces désordres sexuels sur la population en général. Mona avait sans doute une meilleure connaissance que lui des bizarreries sexuelles. Pour Diane, son ex-femme, l'ordinateur allait tuer l'imagination érotique de notre époque. Il fut manifestement dispensé de cet enterrement en voyant Mona s'étirer au sortir de son bureau. Le nombril saillant de la jeune fille suggéra à Sunderson l'idée même de la continuité humaine. Nous commençons à un endroit avec un nombril douloureux et finissons à un autre, dans son cas à moins de cent kilomètres de son lieu de naissance.

Le dîner fut vraiment bon, mais Sunderson abusa de son vin rouge bon marché et, parce que ni Mona ni Marion n'en buvaient, il ne fut pas sur la même longueur d'ondes qu'eux. Quand il leur demanda de définir le mot « spirituel », tous deux firent la sourde oreille comme s'il venait de leur proposer un jeu de société complètement idiot. Mona et Marion parlaient de la torture, un sujet souvent abordé par les médias dernièrement, mais qui fut abandonné dès que Marion s'enthousiasma pour la délicieuse tarte aux pommes.

« Toi, tu vas trouver un mari sans problème, dit Marion la bouche pleine.

— Y a plus de chances que je me mette à la recherche d'une épouse », rétorqua Mona du tac au tac.

Marion fut un peu gêné, mais Sunderson ne saisit pas aussitôt, car il ruminait l'idée qu'il aurait sans doute pu garder son épouse s'il s'était davantage intéressé à la spiritualité.

« Pourquoi voudrais-tu une épouse ? » demanda bêtement Sunderson.

La voix de Mona devint plate et froide. « Lorsque j'avais douze ans et que j'habitais chez ma tante à Escanaba pendant que ma mère faisait son école d'esthéticienne à Lansing, mes deux cousins m'obligeaient à leur tailler une pipe pendant qu'ils regardaient un film porno. Les filles paraissent plus gentilles. »

Les turpitudes humaines poussèrent Sunderson à fermer les yeux très fort, alors que Marion se mettait en colère.

« Tu aurais dû en parler à quelqu'un ! cria-t-il presque.

— À qui ? Hé, les gars, je voulais pas vous mettre dans un état pareil. C'est le genre de choses qui arrivent. »

Un ange passa dans la pièce, comme si chacun réfléchissait à ce qu'il pourrait bien dire.

« Je me remets de ça et du reste grâce à la sorcellerie. J'ai jeté un sort à ces deux salauds et ça marche. L'un d'eux a craché sur un flic et a perdu quelques dents. » Maintenant souriante, Mona se leva pour débarrasser la table. Quand Marion ouvrit le robinet de l'évier, Sunderson croisa les bras sur la table, y posa la tête et s'endormit.

Plus tard, sans qu'il sût combien de temps s'était écoulé, il entendit leurs voix rieuses, puis il sentit Marion soulever la chaise de cuisine sur laquelle il s'était endormi et la porter jusqu'au salon, où on l'aida à s'installer sur le canapé. Jusqu'à l'âge de trente ans, quand il décrocha son diplôme universitaire en suivant les cours du soir, Marion avait travaillé comme maçon et il était toujours d'une force colossale et doté de ce buste impressionnant qu'on trouve souvent chez les métis chippewa et finlandais. Sunderson entendit Mona rire à nouveau.

« Regarde-moi un peu ce gros papa roupiller »,
fit-elle.

Il se réveilla six heures plus tard, à trois heures
du matin, en sachant dans tout son corps qu'il
devait prendre la poudre d'escampette, abandonner le nid douillet où il vivait depuis presque
trente-cinq années, au moins pour un temps.
S'incruster ici à ce moment de sa vie aurait signifié
un désœuvrement définitif, une existence de zom-
bie. Il ferait mieux de partir tôt pour passer
Thanksgiving en Arizona. Il décida de s'éclaircir les
idées en prenant des notes, une activité qui avait
toujours eu un effet roboratif sur son cerveau, du
moins le croyait-il.

1. Je viens de remarquer sur la table basse le
stupéfiant *Age of Betrayal : The Triumph of
Money in America, 1865-1900*[1] de Jack Beatty.
Ce livre m'a toujours obsédé. Nous vivons en
oligarchie et non en démocratie. Nous sommes
gouvernés par la classe des plus riches.

2. Cela dit, mon opinion ne vaut pas un clou.
Nous sommes impuissants. Quand je l'ai inter-
rogée au déjeuner, Carla m'a dit que Dwight
n'était pas particulièrement attiré par l'argent.
Pour lui, la sexualité est au cœur de l'existence.

3. Ce qui me pousse à me demander comment
il peut bien créer un système philosophique à
partir de la sexualité.

4. Il faut que je quitte cette ville, car je pres-
sens la possibilité d'une cuite prolongée, qui ris-
querait de me tuer. J'ai bien failli mourir après
le divorce. Selon le toubib je me suis arrêté de

---

1. *L'Ère de la trahison : le triomphe de l'argent en Amérique, 1865-
1900*. (*N.d.T.*)

boire juste à temps pour ne pas me suicider, ce que beaucoup de gens font intentionnellement avec la gnôle.

5. Le bouquin de Beatty me rend parfois aussi cinglé que les infos du matin à la station de radio NPR. Toutes les questions qu'on y traite me laissent pantois. Il vaudrait mieux que j'écoute la station d'Ishpeming et que je devienne définitivement le misérable crétin que je suis parfois. Péquenaud un jour, péquenaud toujours.

La compagnie d'aviation répondit au bout de vingt-trois sonneries seulement. Oui, en cette période troublée il y avait beaucoup de places disponibles. Suivirent quelques minutes de lamentations financières avec un type endormi à l'autre bout du fil pendant que Sunderson buvait son café sirupeux en se sentant vaguement coupable, car il disposait d'une retraite plus que convenable et d'économies substantielles. Il ne pourrait jamais vendre la maison, car ses précieux livres avaient besoin d'un toit. D'ailleurs, ces livres lui posaient un problème pressant, car il comptait voyager léger avec une seule valise et il avait décidé d'en emporter seulement deux. Mona pourrait lui en envoyer d'autres si nécessaire. Au moment précis où il pensa à elle, les larmes lui montèrent aux yeux à cause des sévices jadis infligés à la jeune fille par ses cousins, et de la culpabilité due à son propre voyeurisme. Seigneur, quel cauchemar ! Par chance, son sommeil avait été sans rêve, hormis une brève vision où il tentait de ne pas se faire distancer par Diane sur les rives sablonneuses d'un lac proche de Big Bay. Dotée de jambes plus longues et d'une énergie supérieure à celle de Sunderson, elle marchait plus vite que lui. Ce jour-là elle poursuivait un grèbe mâle qui s'activait sur l'eau devant eux, en gardant ses distances à la manière d'un dauphin qui avance à la surface de l'eau en se servant uniquement de la puissance de sa queue.

Le choix des deux livres tombait sous le sens : *Extraordinary Popular Delusions and the Madness of Crowds* de Charles Mackay, et « *It's Your Misfortune and None of My Own* » : *A New History of the American West*[1] de Richard White. Pour des raisons complexes, l'Ouest américain constituait une lacune majeure dans les connaissances historiques de Sunderson. Quand il était gamin, ses voisins à trois portes de la sienne, la famille Mouton, avaient quatre fils costauds. Ces jeunes Mouton étaient de vrais despotes tout en force, et chaque fois que les gamins du quartier se retrouvaient pour jouer au jeu qui faisait fureur à ce moment-là, aux cow-boys et aux indiens, les Mouton étaient les cow-boys et tous les autres gamins devaient être des indiens, soit des victimes rouées de coups, si bien qu'un profond dégoût des cow-boys et de leur culture s'empara alors de Sunderson, pour ne plus jamais le quitter. Il savait bien sûr tout ce que ce dégoût pouvait avoir d'enfantin et la lecture de Bernard De Voto lui donnait une certaine connaissance de l'Ouest, mais il n'arrivait pas à surmonter ses préjugés d'enfant. Lorsqu'il s'en expliqua à Marion,

---

1. Respectivement : *Extraordinaires illusions populaires et la folie des foules* et « *Toi seul connaîtras le malheur* » : *Une nouvelle histoire de l'Ouest américain*. (*N.d.T.*)

le métis trouva plutôt cocasse le point de vue de son ami, car selon lui les cow-boys constituaient le prolétariat de l'Ouest et ils étaient presque autant à plaindre que les Indiens.

Il alla chercher ces deux livres dans son bureau et, cédant à une impulsion subite, il décida de jeter un ultime coup d'œil à sa chère voisine. Il était quatre heures du matin ; à sa grande surprise, elle était réveillée et nue, allongée sur le ventre devant son ordinateur portable ; le halo de l'écran l'éclairait. Elle se retourna, regarda dans la direction de Sunderson et agita la main. Bien sûr, il avait laissé la lumière allumée dans son bureau. Il composa le numéro de Mona et il la regarda se mettre à quatre pattes pour saisir le téléphone sur sa table.

« Salut. Je savais que tu serais debout de bonne heure, car hier soir tu t'es endormi ivre mort à huit heures.

— Je te demande pardon. » Il avait du mal à respirer.

« C'est juste un jeu. Y a pas de mal à ça.

— Je ne devrais pas te mater.

— Bah, tu l'as fait plein de fois et c'est ce que tu fais en ce moment même. Les hommes aiment bien voir des filles à poil. Tant que tu es gentil avec moi, où est le problème ? Je crois pas que tu sois un pervers.

— Hier soir, j'ai pas mal somnolé. Pourquoi avez-vous autant ri, Marion et toi ? » Il voulait à tout prix changer de sujet.

« J'ai dit à Marion que mon histoire était une pure invention. Je n'ai pas le moindre cousin à Escanaba. Il a mis du temps à se dérider, mais il a finalement trouvé mon mensonge très drôle.

— Pourquoi diable faire une chose pareille ?

— J'aime bien explorer les émotions masculines. En fait, c'est avec mon beau-père que j'ai vraiment passé un sale quart d'heure.

— Je refuse d'en entendre parler. Je veux dire, bon Dieu, tu pourrais être ma fille. S'il te plaît, ne me taquine pas. Bon, mon avion décolle de bonne heure. Tu as la clef. Surveille un peu la maison, je laisse tout le dossier Dwight sur le bureau. Va fureter sur Internet et tiens le compte de tes heures. Je te laisse deux cents dollars.

— Je passe te dire au revoir.

— Non. Je t'en prie, non. Je suis d'humeur instable. Je t'appellerai tous les deux trois jours.

— D'accord, mais je ne vais pas te mordre. En fait, tu es mon meilleur ami.

— Au revoir. Tu vas me manquer. »

Il raccrocha, mais continua de mater encore une bonne minute en se demandant ce que pouvait bien ressentir un homme pétri de bonnes résolutions morales. Il se rappela non sans amusement l'épisode de la Bible où le roi David voit Bethsabée se baigner, puis envoie à la guerre le mari de la ravissante pour pouvoir coucher avec elle. Sunderson se serait sûrement coupé les deux mains plutôt que de toucher Mona, mais il se demanda alors comment on pouvait bien s'y prendre pour se couper les deux mains. Et puis une question désagréable le taraudait : comment Mona le voyait-elle, lui ? À la fac, un colocataire aimait jouer un blues déchirant qui évoquait un enfant privé de mère. Et une fille sans père ? Il s'était interdit de fantasmer explicitement qu'il faisait l'amour avec Mona, en sachant que c'était moralement répréhensible, sans parler du point de vue légal. La beauté inaccessible recelait une cruauté particulière, qu'il ressentait maintenant dans sa colonne vertébrale. C'est le moment de décamper, pensa-t-il. À force de paroles, un vieux chnoque bavard peut se convaincre de n'importe quoi.

Chapitre 3

Une fois à bord de l'avion à destination de Chicago, Sunderson fit preuve d'une exceptionnelle lucidité et eut honte du laisser-aller qui avait marqué ces derniers mois. Tout avait commencé au milieu de l'été, quand il s'était enfermé dans un fantasme viril et trompeur typique du nord du Middle West, le Grand Nord, résumable en une phrase, « Je peux me débrouiller tout seul. » Par exemple, il savait que le code stupide de sa jeunesse avait fortement plombé son mariage : il fallait être dur, taciturne ; lorsqu'on était blessé, on disait, « Même pas mal », quand bien même vous saigniez du nez et de la bouche ; on ne pleurait pas aux enterrements, même si dans la solitude du soir on se laissait parfois aller. Sunderson avait remarqué que les femmes cultivées de Marquette accordaient souvent leurs faveurs à des hommes arrivés dans leur ville isolée avec des tombereaux de sensibilité. Il avait certes vu venir la retraite et ses problèmes, mais d'abord il n'était pas encore à la retraite et il avait nié toute possibilité de difficultés réelles. Il avait commencé à « perdre les pédales », selon l'expression consacrée, durant une petite soirée organisée par d'autres policiers et lui-même afin de fêter le démantèlement de ce qu'ils prenaient pour un important réseau de trafic de drogue dans la Péninsule Nord. Ils étaient dans un bar d'ouvriers tout proche des quais charbonniers, à l'est d'Escanaba, et une fois n'est pas coutume Sunderson avait beaucoup trop bu durant ses heures de service, fumé cigarette sur cigarette et flirté avec une grosse barmaid négligée et d'âge mûr. Il restait néanmoins assez conscient pour percevoir l'inquiétude de ses collègues, mais il se refusa à passer la nuit dans un motel des environs, préférant retourner à Marquette au volant de sa voiture. Il gardait un très mauvais souvenir de cette soirée. En effet, il avait toujours été capable de boire quelques verres et de rentrer chez lui en voiture, même si le trajet était long. Il s'était réveillé dans un motel miteux par une froide matinée estivale. Les fenêtres étaient grandes ouvertes et la porte non verrouillée. Pour la première fois il se sentit à l'automne de sa vie et après la douche il évita de se regarder dans le miroir. Il mangea son petit déjeuner, les mains un peu tremblantes, puis roula à tombeau ouvert jusqu'à Marquette pour ne pas arriver en retard au boulot et s'aperçut qu'on était samedi. Il était si furieux qu'il passa sa journée à quatre pattes pour arracher les mauvaises herbes de son modeste jardin potager et les plates-bandes de fleurs pérennes de Diane, lesquelles périclitaient depuis qu'elle était partie. Cette tâche ne fut guère facilitée par la vision de Mona et de trois de ses amies en tenue légère jouant au badminton en double dans le jardin voisin. Un homme aurait dit qu'elles étaient excitées comme des puces, mais qui sait si une puce est jamais excitée ?

Six jours durant il ne but pas une goutte d'alcool et fuma avec modération, jusqu'au vendredi suivant où, à Amasa, il se fit virer d'une taverne avec pertes et fracas par un bûcheron. Il lui fallut dégainer son pistolet pour arrêter cet homme, chose qu'il avait rarement faite. Connaissant les habitudes violentes de l'individu, il aurait dû appeler des renforts, mais malgré son âge il se croyait toujours au sommet de sa forme physique. La veille au soir ce type avait dérouillé trois étudiants, et Sunderson le boucla à Iron Mountain. Sur le long trajet du retour il avait fait halte à Manistique pour dîner et toutes ses bonnes résolutions s'étaient diluées dans deux ou trois whiskies apaisants. Au restaurant, il avait vu un agent immobilier en liberté sous caution après avoir revendu de la drogue. Dans tout le pays le trafic ne se limitait plus à la frange criminelle de la société, et de plus en plus de membres de la classe moyenne participaient au business de la drogue pour de simples raisons financières. La plupart de ces gens travaillaient tout en haut de la filière et étaient donc difficiles à coincer.

À l'aéroport O'Hare il s'offrit un bloody mary et lors du vol plutôt longuet jusqu'à Tucson il dormit les deux premières heures et se réveilla avec l'étrange impression d'avoir été écrabouillé, une sensation tout à fait nouvelle, pas exactement comme un animal écrasé sur la route, plutôt comme un homme dont les contours ont été brouillés, dilués par la perte de la profession qui le définissait jusque-là. Alors qu'il entrait au lycée, son père qui travaillait à l'usine de pâte à papier – un léger mieux par rapport à son ancien métier de débiteur de troncs d'arbre – lui avait dit : « Comme nous autres, tu n'auras jamais grand-chose, mais tu en tireras le meilleur parti. » Malheureusement, son esprit était de plus en plus désordonné et Sunderson continuait à essayer de le contrôler au point que tous les ordres qu'il échafaudait sonnaient faux.

Par chance, l'impression d'être écrasé fit place à cette légèreté ressentie la veille au matin, sur le chemin menant au terrain de la secte. Il n'était plus personne, mais il était libre. Plus jamais il n'entrerait dans une caravane minable pour y trouver cinquante grammes de marijuana, trois grammes de méth et les seringues idoines. On lui avait un jour reproché d'avoir cassé le bras d'un délinquant, mais la méth avait tellement fait maigrir ce jeune homme que, lorsque Sunderson lui saisit le bras pour l'empêcher de s'enfuir par une fenêtre du deuxième étage, il crut entendre une branche se briser. Que comptait donc faire ce jeune drogué, s'envoler ? Contrairement à la plupart des membres de sa profession, Sunderson ne croyait pas que les drogués et les menaces bien réelles qu'ils incarnaient étaient une pourriture sociétale qu'il fallait éradiquer coûte que coûte, si l'on ne voulait pas voir s'effondrer l'ordre social tout entier. Quand un type déjà condamné quatre fois pour conduite sous l'emprise de stupéfiants écrase un gamin et reçoit une peine moins lourde qu'un étudiant trouvé en possession d'une demi-livre d'herbe qu'il a l'intention de vendre à d'autres crétins de son espèce, c'est tout le système judiciaire qui est à revoir. Dans le contexte actuel de la mondialisation, on pouvait facilement se prendre pour un membre d'une cabale secrète de flics qui voyageaient dans le monde entier pour assassiner les criminels les plus nocifs, qui faisaient bien sûr partie de la communauté de la finance, en comparaison de laquelle les activités d'un cartel mexicain de la drogue paraissaient certes sanglantes mais d'une simplicité enfantine. Les cartels ne détruisaient pas l'économie mondiale, mais à quoi pouvaient bien servir toutes ses cogitations ? Ne l'avait-on pas mis au rancart ? Son esprit était devenu une table de ping-pong.

Alors que son avion approchait de Tucson, il céda presque à l'euphorie en se disant qu'avec son énorme bagage historique il était le type idéal pour étudier les crimes de la religion. Parfois il fallait partir de chez soi pour commencer à y voir clair. Les poursuites judiciaires étaient aussi futiles que la profession qu'il venait de quitter. Au moins, Dwight n'avait pas arnaqué des veuves en leur donnant l'espoir d'un ciel où elles auraient pu rejoindre leur mari qui avait travaillé toute sa vie jusqu'à ce que mort s'ensuive. Quand l'avion rebondit sur la piste d'atterrissage, il se sentit un moment perdu car incapable de retrouver aucun des costumes d'arbre de la secte. Ce serait quand même formidable de se pointer au bord d'une rivière à truites, déguisé en arbre, malgré l'éventualité inquiétante d'un ours venant se frotter contre votre écorce. Plusieurs années avant leur divorce, Diane l'avait pressé d'assister à une lecture donnée par un auteur de la Péninsule Nord, qui avait découvert une souche gigantesque au fond d'un ravin de l'arrière-pays, au sud de Grand Marais. L'homme déclarait qu'il s'asseyait souvent à l'intérieur de cette énorme souche creuse. Sunderson avait tellement envié sa situation qu'il n'avait pas écouté un traître mot de la lecture de la fiction et de la poésie de l'écrivain. Il ne s'intéressait nullement à la fiction, convaincu que les essais historiques qui remplissaient son bureau étaient déjà bien assez fictifs comme ça. L'écrivain de la Péninsule Nord avait conclu que cette souche constituait son église.

À cause du changement d'heure il était seulement midi quand il se retrouva dans sa chambre de l'Arizona Inn, lequel constituait une erreur extravagante. Sunderson s'était rappelé le nom de cet hôtel, car Diane y descendait souvent pour rendre visite à ses parents dans leur maison de retraite située au nord de Tucson. Elle ne s'entendait pas assez bien avec son irritable mère pour loger chez ses parents. Sa chambre à l'Arizona Inn lui rappela désagréablement la maison de retraite des parents de Diane, près de Battle Creek. Tout était immaculé, le mobilier ancien et luxueux. La moquette des toilettes était si épaisse qu'on se demandait si c'était vraiment là qu'on pouvait couler un bronze.

Il ressentit le besoin pressant d'une autre sieste, ce qui l'inquiéta. D'habitude il n'était pas un fervent adepte de la sieste, mais c'était sa conscience plutôt que son corps qui était fatiguée. Il consulta le menu, assez cher, du service en chambre, puis sortit et traversa quelques rues jusqu'à un restaurant, le Miss Saigon, qu'il avait remarqué en voiture. Il consomma un excellent bol de *pho* vietnamien, avec tripes, boulettes de viande, porc, piments forts hachés menu, citron vert et coriandre. L'ironie du Vietnam, c'est qu'à la fin de la guerre Sunderson se trouvait dans un hôpital militaire à Francfort où il s'occupait comme aide-soignant des milliers de victimes qui arrivaient brûlées. L'hôpital de Francfort servait du *pho* aux soldats blessés. Toute une année, Sunderson redouta d'être transféré dans un hôpital de la zone des combats. Il craignait aussi les serpents et il avait entendu toutes sortes d'histoires à dormir debout. Le plus grotesque, c'était que la chair brûlée puait affreusement et qu'il vomit un nombre incalculable de fois. Il retrouva l'université du Michigan avec plaisir, et la Péninsule Nord avec une vraie joie.

Il rentra le cœur léger à son hôtel. Un bon repas fait parfois des miracles. Une fois dans la chambre, il découvrit un appel de Mona sur son répondeur et il apprit avec stupéfaction qu'elle avait traqué Dwight depuis Choteau, dans le Montana, jusqu'à Albuquerque et un lieu situé à une cinquantaine de kilomètres de Willcox, en Arizona, près d'un village nommé Sun City, où Dwight recherchait les os de Cochise avec un groupe de six de ses disciples, tous bruns. Désormais, Dwight refusait d'accepter dans la secte les adeptes à l'aspect trop aryen.

« Bon Dieu, comment as-tu réuni toutes ces infos ?

— Trois heures de hacking. Je me suis servie de relevés de cartes bancaires. Roxie, ta secrétaire, est une vraie empotée. Tu veux une carte de l'endroit où Dwight réside, ou une photo aérienne ? » Mona avait rencontré Roxie une seule fois, mais elle la trouvait *dépravée*.

« Bien sûr. Faxe-moi tout ça. » Sunderson était toujours agacé par la masse d'informations qu'elle avait réunies via son ordinateur et de toute évidence par des moyens illégaux, mais le monde d'Internet était-il vraiment régi par la loi ?

« Tu me manques, chéri.

— Je t'ai déjà demandé de ne pas m'appeler chéri.

— Ne t'en fais pas. Je ne veux pas baiser avec toi. Je veux juste qu'on soit copains.

— Avant mon retour, je tiens à ce que tu mettes des stores dans ta chambre. C'est moi qui paie.

— D'ac, mais je suis vraiment surprise que tu ne puisses pas te contrôler.

— Je n'ai jamais été une grenouille de bénitier. » Sunderson s'efforça de changer de sujet. « En fait je me contrôle très bien, dit-il sur la défensive. Je te regarde simplement comme je regarderais un tableau. » C'était piteux.

« Je trouve ça marrant, mais à l'école les élèves les plus sexy sont les fanas de la Bible. Nous autres on a commencé tôt et maintenant le sexe c'est plutôt rasoir.

— Continue de bosser comme ça. » Sunderson raccrocha brutalement. Les discussions sur la sexualité l'énervaient tant qu'il aurait presque préféré découvrir un cadavre dans son placard. Quelques jours plus tôt, quand Roxie était sortie du bureau pour acheter des sandwichs, il avait reçu un appel de l'épouse d'un notable de la ville. Elle déclara en sanglotant qu'elle venait d'apprendre que son fils de quatorze ans était sexuellement actif et que sa copine, une *traînée*, avait envoyé sur le portable du fiston une photo d'elle à poil. Sunderson mit une bonne demi-heure à calmer cette femme, après quoi son sandwich aux boulettes de viande italiennes était froid. Son père disait volontiers : « Tout est fichu comme un sandwich à la soupe. » Pourquoi tous ces gens avaient-ils des téléphones portables ? L'été précédent, à la marina, un groupe de jeunes passaient le plus clair de leur temps à envoyer des textos au lieu de jouer, et il y avait eu plusieurs accidents où des gamins s'étaient fait renverser par une voiture pendant qu'ils écoutaient leur iPod ou regardaient la télévision sur leur téléphone portable.

Il essaya d'empêcher son cerveau de vitupérer contre l'état du monde, d'autant que lui-même n'exerçait plus vraiment de contrôle sur ses pulsions. Son ami Marion, aussi accro aux textes anthropologiques que lui-même l'était aux essais historiques, avait cité Loren Eiseley disant que les hommes de leur âge deviennent des antiquités face à l'accélération phénoménale de l'évolution sociale induite par la technologie industrielle. Chez lui, il était devenu un poisson sorti de l'eau, et cette inadaptation fut encore plus frappante à Tucson où il se retrouva tel un poisson dans le désert.

Il s'assit à la table de sa chambre d'hôtel pour réfléchir à cette vision des choses, ce qui lui donna envie de dormir. Au-dessus de cette table se trouvait une gravure de Frederic Remington montrant une bande de cow-boys rassemblant le bétail dans une vallée de montagne. Lui qui n'était jamais monté sur un cheval n'avait pas la moindre intention de le faire. Cette position semblait affreusement inconfortable. Il se rappela sa gêne d'enfant quand il allait au cinéma en matinée le samedi, le jour où il vit Gene Autry tirer sur les rênes de son cheval pendant un rassemblement de bêtes pour se mettre à chanter, ou plutôt à brailler, *Quand vient le printemps dans les Rocheuses*. Le pire, c'était Roy Rogers la guitare à la main et un pied posé sur une balle de foin pour chanter devant un groupe d'Indiens admiratifs arborant des peintures chamarrées et des coiffes de cérémonie. Pourquoi Sunderson laissait-il un tableau de chambre d'hôtel l'entraîner ainsi vers le vide ?

Mona avait réussi à obtenir le numéro du portable de Dwight, mais Sunderson désirait mettre un peu d'ordre dans ses pensées vagabondes avant d'appeler, puis il décida que le mieux serait d'arriver sans se faire annoncer à l'avance, ce qui aurait peut-être le don de déstabiliser le rusé Dwight. Il pourrait aussi l'accuser d'avoir mis enceinte la gamine de douze ans, mais pareille accusation risquait de le convaincre de disparaître définitivement. Marion s'était montré très utile quand Sunderson l'avait interrogé sur le côté « autochtone américain » des projets du Grand Maître, absolument frappant dans les minces dossiers qui concernaient aussi Choteau, le Montana et l'Arizona. « C'est quoi tout ce merdier indien ? » avait demandé Roxie. Pour Marion, moins de dix pour cent de la population éprouvait un authentique sentiment religieux, mais les Indiens proposaient une alternative passionnante aux camés de l'au-delà. Génétiquement, les humains étaient toujours des primitifs qui réagissaient aux battements de tambours. La religion se nourrit d'un sentiment général d'incompréhension relatif à la vie, et des charlatans avaient créé des cérémonies tout aussi incompréhensibles.

Marion lui soumit le travail d'un spécialiste, Philip Deloria, qui s'intéressait aux diverses manières dont les Blancs singeaient culturellement les Indiens. Sunderson et Marion étaient amis depuis vingt ans, mais Marion refusait de parler de sa propre religion native qui, affirmait-il, ne devait pas devenir l'objet de la curiosité d'un Blanc, même s'il s'agissait d'un ami proche.

Près de la cabane de Marion, au fond des bois et à huit cents mètres de toute autre habitation, coulait une petite mais très jolie rivière à truites dont la source se trouvait près de deux kilomètres en amont dans un vaste marais aux castors. Marion et lui avaient enfoncé dans cette source une branche de mélèze d'Amérique longue de sept mètres, sans réussir à en atteindre le fond. Marion déclara que ce genre de choses appartenait à la sphère sacrée du monde naturel. Quand Sunderson lui rétorqua que, selon certains Grecs de l'Antiquité, les dieux vivaient dans les sources, Marion répondit : « Pourquoi pas ? » Il avait une intelligence très spéciale. Un soir du mois précédent, alors qu'ils zappaient sur les chaînes satellites après avoir regardé les Detroit Lions perdre leur treizième match d'affilée, ils tombèrent sur une émission intitulée *Celebrity Medical Nightmares*. Ils trouvèrent ensuite une chaîne porno soft qui diffusait *Super Ninja Bikini Babes*, et Marion remarqua que dans notre culture tant les hommes que les femmes faisaient tout pour avoir une énorme poitrine, les hommes grâce au body-building, les femmes en ayant recours à la chirurgie. Quand il se demanda ce que ce phénomène signifiait, Sunderson ne sut que répondre.

L'obligation d'aller dîner chez sa mère à Green Valley, à une soixantaine de kilomètres au sud, commençait à lui taper sur les nerfs. Le téléphone sonna : la réception de l'hôtel l'avertit de l'arrivée des fax de Mona. Il quitta très vite sa chambre et ralentit en voyant une femme examiner les vastes parterres de fleurs. Il porta la main à sa poitrine, car son cœur se mit brièvement à battre la chamade. Il était certain que cette femme qui lui tournait le dos était Diane, mais ce n'était bien sûr pas le cas. Elle avait les cheveux d'un brun plus clair et elle était un peu plus petite que Diane, qui mesurait un mètre soixante-quatorze. Il passa assez près d'elle pour humer son parfum, qu'il ne reconnut pas. Quand elle se retourna en souriant, il dit : « Des fleurs magnifiques. » Elle acquiesça, puis s'agenouilla près d'un parterre pour les examiner de plus près. Elle paraissait extrêmement soignée, de même que Diane qui pliait ses sous-vêtements propres comme on plie des mouchoirs. Diane arrivait toujours au petit déjeuner impec-cablement habillée pour son travail, puis elle éta-lait sur son muffin anglais une petite quantité de *cream cheese* et de marmelade écossaise qu'elle recevait par la poste. Elle était toujours fraîche comme une rose alors qu'il se débattait aux four-neaux pour préparer une sauce à la viande man-geable. Elle épluchait même ses fruits avec une grande précision alors qu'il avait bien du mal à accomplir une tâche aussi simple que d'entamer un rouleau de papier toilette. Il dut renoncer aux charmes de leur lit king size car ses ronflements empêchaient Diane de dormir, et il avait refusé de mettre le masque anti-ronflements recom-mandé par son médecin. Celui-ci, originaire de

Kalamazoo, un peu plus au sud, était choqué par le nombre incroyable d'habitants de la Péninsule Nord qui se croyaient en excellente forme physique et mentale, quand selon tous les critères visibles c'étaient de vraies épaves ambulantes. Sunderson fumait et buvait beaucoup, son taux de cholestérol restait toujours trop élevé. Il était très solide pour son âge, mais ça n'avait rien à voir avec le fait que son espérance de vie s'amenuisait.

Il s'assit sous une pergola sur la pelouse de l'hôtel, dans la zone fumeurs officielle, et lut les fax avec une colère croissante. Il n'avait aucune idée du nombre des membres de la secte qui avaient hypothéqué leur maison pour obtenir un prêt avant l'actuelle débâcle financière, afin de faire don de cet argent à Dwight. Mona avait aussi découvert que Dwight avait loué un jet privé pour se rendre de Choteau à Albuquerque, puis à Tucson, pour la somme exorbitante de vingt mille dollars. Mona écrivait enfin que Dwight avait acheté cinq cents boutons de peyotl au Nouveau-Mexique. Elle avait découvert ça en fouillant dans les relevés bancaires de Queenie, qui utilisait un code d'une simplicité enfantine pour désigner le peyotl. Sunderson envisagea un instant de transmettre toutes ces informations aux stups, mais ces gars-là étaient trop occupés à traquer des cargaisons d'héroïne et de cocaïne en provenance du Mexique pour s'intéresser à cette drogue marginale, surtout utilisée par l'Église des autochtones américains, une organisation religieuse très en vogue chez les Indiens, et puis les stups lui demanderaient sûrement d'où il tenait ces informations. Il se dit ensuite que les responsables du maintien de l'ordre feraient bien de louer les services de hackers géniaux comme Mona, puis que certains flics l'avaient sans doute déjà fait.

Mona lui avait envoyé la feuille de route de Mappy pour rejoindre la maison de sa mère, mais il était distrait en atteignant Green Valley, un paysage qui, tout bien considéré, était plutôt brunâtre. En roulant sur la Route 19 parmi des terrains appartenant aux Papagos, il avait été stupéfait et captivé par la flore étrange, les saguaros, les chollas, les paloverdes et l'ocotillo épineux. Sunderson n'aimait pas voyager, encore un sujet de discorde dans son mariage. Exception faite du long vol jusqu'à Francfort pour bosser dans son hôpital de guerre, il avait seulement été une fois à l'ouest du Mississippi, et très brièvement, pour mettre la main sur un prisonnier extradé. Il remarqua avec un certain plaisir que les montagnes Rocheuses semblaient en carton-pâte. Le sud de l'Arizona était une autre affaire, car Marion lui avait prêté un livre sur les Apaches intitulé *Once They Moved Like the Wind*[1], d'où il conclut que sans l'ombre d'un doute les Apaches étaient les *hombres* les plus impitoyables de toute l'histoire de l'humanité. Dwight et ses disciples ne singeraient sûrement pas une tribu aussi récalcitrante, préférant jeter leur dévolu sur des Indiens « plus gentils ».

La maison de sa mère était un petit bungalow en stuc, mitoyen d'une grande maison dont les propriétaires étaient sa sœur Berenice et Bob, le mari de cette dernière, que Sunderson considérait

---

1. *Ils se déplaçaient jadis comme le vent*. (*N.d.T.*)

comme un parfait crétin, mais un crétin bourré aux as, car il avait réussi à mettre la main sur une douzaine de campings. La Cadillac Escalade de Bob était garée devant chez eux, soixante mille dollars de néant, et Sunderson ressentit l'envie irrationnelle de l'emboutir avec sa petite voiture de chez Avis, avant de pouffer de rire comme un enfant.

Il avait à peine franchi la porte d'entrée quand sa mère siffla : « Honte à toi, fils. » Elle était assise sur le canapé, enveloppée dans sa courtepointe multicolore en macramé, et par cette journée chaude elle avait besoin de se pelotonner dans cette couverture à cause de la climatisation réglée au maximum. Berenice lui avait fait une permanente et ses cheveux étaient noués en petits paquets blancs si compacts qu'on voyait son crâne rose et bosselé. « Tu as déshonoré ta famille, fils.

— Maman, tu n'as aucune idée de la force et de la souplesse de certaines femmes là-bas. Elles font de la gym tous les jours. Elle m'a serré contre elle comme dans un étau.

— D'après ce que j'ai appris par mail et au téléphone, tu étais derrière elle, à la vue de tout le monde. » L'indignation vertueuse rendait sa mère suffisante.

« Il faisait froid, nuit noire, et il neigeait. Personne n'y voyait goutte. Je me suis laissé emporter par la passion. » Sunderson avait décidé de passer à l'offensive et il constata que sa mère commençait à douter de sa posture d'attaquante.

« Nous allons savourer ton merveilleux poulet aux galettes de pommes de terre, intervint Berenice.

— Darrell Waltrip pique sa colère ! » s'écria Bob qui regardait une course de stock-car à la télévision, puis il remarqua la présence de Sunderson. « Y a de la place pour toi », ajouta-t-il.

Sunderson s'assit près de sa mère et lui saisit une main toute raide. Elle se détourna, bien décidée à le garder encore un peu sur le gril.

« J'ai aussitôt envoyé un mail à Diane, et tu peux être certain que ton comportement l'a bouleversée. »

Sunderson tenta d'imaginer le langage utilisé par sa mère pour décrire son comportement à Diane, puis le rire cristallin de cette dernière en lisant ce mail. Berenice lui apporta un whisky bien tassé avec des glaçons, ce dont il lui fut reconnaissant. Il en répandit un peu sur la moquette quand Bob cria : « Waltrip a gagné ! »

Sunderson mangea trop de poulet farci et de galettes de pommes de terre, mais les autres convives l'imitèrent. Après sa dernière bouchée de tarte au citron meringuée, sa mère piqua du nez dans son assiette. Il la regarda en se demandant comment, soixante-cinq ans plus tôt, elle avait bien pu le mettre au monde.

« Elle ne va pas très bien. Son cœur est faible, chuchota Berenice en débarrassant la table. Et toi, on dirait que tu as besoin de vacances. Tu ne pourrais pas aller pêcher quelque part au Mexique ?

— Il pourrait se mettre au boulot dès demain », lança Bob en finissant sa deuxième part de tarte et en se frottant le ventre comme s'il venait d'accomplir une prouesse admirable.

Il avait laissé son téléphone portable dans la voiture et il remarqua que Diane l'avait appelé « sans raison particulière », du moins le disait-elle dans son message. Il la rappela avant de retourner sur l'autoroute de Tucson. Pendant qu'ils parlaient, il remarqua un octogénaire qui avançait lentement sur le trottoir en s'aidant d'un déambulateur. Sunderson décida qu'il se tirerait une balle dans la tête avant d'être relégué dans une maison de retraite. Diane plaisanta sur « le faux pas scandaleux » de son ancien mari avec Carla. Les faiblesses humaines l'avaient toujours amusée plutôt qu'indignée, mais sa voix se mit à trembler quand elle lui révéla que l'avant-veille le médecin avait annoncé à son mari qu'il avait un cancer du foie. Comme lui-même était médecin, l'implacable diagnostic l'avait aussitôt déprimé. « Je suis désolé », hasarda Sunderson. « Tout allait tellement bien jusqu'ici », dit-elle avant de raccrocher. Elle était mariée avec lui depuis seulement six mois.

Roulant vers le nord sur l'autoroute, il comprit de nouveau très clairement que son mariage, le fait central de son existence, avait capoté comme tant d'autres parce que cette union et son boulot étaient incompatibles, n'allaient pas ensemble, ne pouvaient pas coexister paisiblement. De fait, quand on travaillait toute la journée pour réprimer les comportements les moins séduisants de l'espèce humaine, on rapportait forcément son boulot à la maison. Diane, une femme vraiment très brillante, n'arrivait pas à croire au mal, ce qui rappelait toujours à Sunderson l'affirmation naïve d'Anne Frank disant que les gens étaient fondamentalement bons. Quand on est flic depuis assez longtemps, on se méfie même des oiseaux chanteurs. La fréquentation quotidienne de la petite délinquance ne prédispose personne aux pensées profondes. Son cerveau fut victime d'un nouveau court-circuit. Son prénom inusité, Simon, ne faisait que lui rappeler un vers de la Mère l'Oie : « Simon le simplet rencontra un marchand de pâtés allant à la foire. » Il signait S. Sunderson et personne de sa connaissance n'avait le culot de l'appeler Simon, hormis sa mère. Dans son enfance, tous les gamins qui se servaient de son prénom se faisaient botter le cul, tandis que les filles l'attaquaient souvent sur ce point sensible, comme ses sœurs Berenice et Roberta. Les membres de la famille appelaient Roberta « Bertie » à cause d'un caprice des parents de Sunderson qui avaient baptisé le petit frère Robert, lequel avait été le souci numéro un de la famille avant de mourir d'une overdose d'héroïne à Detroit où il travaillait comme ingénieur du son pour un groupe Motown. Quand Robert était gamin, il avait eu un terrible accident à la grande scie de l'usine de pâte à papier, et Sunderson et les autres avaient fait cercle autour du bas de la jambe de Robert posé sur le talus de la voie ferrée. Lorsque l'ambulance arriva, le conducteur fourra le pied coupé dans un petit sac en toile de jute. Pour Sunderson cette vison macabre compta beaucoup dans son l'apprentissage des désastres émotionnels.

Quand il rejoignit l'Arizona Inn au crépuscule, il constata que le sosie de Diane était assise près de la table de ping-pong déserte sous la coupole réservée aux fumeurs. Prenant son courage à deux mains, il la rejoignit et fut récompensé par un large sourire. Cet accueil le rendant à la fois heureux et nerveux, il alluma une cigarette. À sa grande surprise, elle l'imita.

« Je fume rarement, mais au dîner j'ai eu une prise de bec avec ma mère. J'ai cinquante-cinq ans, elle en a quatre-vingts, mais elle a essayé de me forcer à manger mes épinards. » Cette absurdité la fit rire.

« Moi aussi je me suis disputé avec ma mère, avoua-t-il.

— À quel sujet ?

— Je me suis mal conduit à ma fête de départ en retraite dans la Péninsule Nord du Michigan, et la nouvelle de mes frasques est arrivée jusqu'ici par mail et par téléphone.

— Qu'avez-vous donc fait ?

— C'est trop indélicat pour que j'en parle. » Il se sentit rougir.

« Je vous en prie. Je suis épiscopalienne, mais je suis aussi adulte. Et puis j'ai envie d'entendre une histoire un peu salace, ajouta-t-elle en riant.

— J'ai en quelque sorte fait l'amour à une jeune danseuse près d'un tas de bois de chauffe. Il y avait des témoins qui regardaient par la fenêtre du chalet. » Il eut du mal à le reconnaître, mais la plénitude du rire qui s'ensuivit lui plut beaucoup.

« Vous avez *en quelque sorte* fait l'amour ! Qu'a dit votre mère ?

— Elle m'a dit : honte à toi, fils. »

Un autre grand rire, et Sunderson feuilleta le livre luxueux qu'elle regardait. C'était un ouvrage de prestige sur les pétroglyphes du sud-ouest.

« Merveilleux. Je m'appelle Lucy. Ma mère m'a servi des épinards, un légume que je déteste, pour mon dîner d'anniversaire. Peut-être ressemblez-vous à Kokopele, l'Indien mythique qui aime les dames ? » Elle lui montra un pétroglyphe de

Kokopele, le joueur de flûte bossu. Comme la lumière diminuait, elle l'invita à prendre un café et un cognac avec elle. Il traversa derrière elle plusieurs jardins, dépassa des chambres et des bungalows en s'inquiétant de ne pas réussir à retrouver son chemin jusqu'à sa propre chambre, et son inquiétude lui fit bientôt l'impression d'une délicieuse terreur enfantine.

« Bas les pattes, mon coco. Je suis mariée et heureuse de l'être, annonça-t-elle à la porte.

— Je suis divorcé et malheureux », rétorqua-t-il.

Il se demanda où se trouvait le lit de Lucy, car il découvrit un élégant salon décoré de deux paravents chinois tandis qu'elle téléphonait au *room service*. Il ne s'était jamais senti aussi loin de la Péninsule Nord, sauf peut-être quarante ans plus tôt dans un bordel de Francfort.

« Mes parents étaient des amis du propriétaire, ils descendaient dans cette chambre et mon père la réserve pour moi. »

Assis à une table, ils tournèrent lentement les pages du livre sur les pétroglyphes. Il avait remarqué un livre similaire chez Marion, mais sans se donner la peine de l'examiner. Quand le serveur arriva, il appela Lucy « Madame Caulkins ». Sunderson nota que le style de la conversation de son hôtesse ressemblait beaucoup à celui de Diane, badin et déférent avec parfois une certaine rudesse abrasive. Elle déclara que ces dessins sur pierre étaient « à l'origine de la religion », puis elle les qualifia de « totémiques », un mot aussi utilisé par Marion. Elle but son cognac plus vite que lui.

« Ma mère me fait de la peine. Pourquoi êtes-vous sur vos gardes ?

— Je ne pensais pas que ça se voyait.

— Mais si. Vous êtes comme mon mari avant un rendez-vous avec l'inspecteur des impôts.

— J'ai pris ma retraite avant-hier et je me sens déjà un peu inutile. » Au début il hésita, puis il continua et expliqua sa vie récente, y compris le Grand Maître, Dwight. Dès qu'elle le poussa un peu dans ses retranchements, il avoua les raisons de son divorce.

« J'ai vu ça une demi-douzaine de fois. Un couple commence par faire plein de choses romantiques ensemble, et puis l'amour s'étiole quand l'homme se consacre exclusivement à son travail. Parfois, ça marche dans l'autre sens. Une de mes amies s'est mise à travailler dans un refuge pour animaux et elle a préféré se consacrer à fond à cette activité plutôt que de s'occuper de son mari, qui de toute façon n'avait rien de très fascinant. Une autre amie a vu ses enfants partir à la fac et puis elle a repris ses études d'infirmière. Aujourd'hui elle assiste un chirurgien, elle vit à New York, et son mari habite toujours à deux pas de chez nous à Bedford en se demandant ce qui lui est arrivé. »

Sunderson regardait le splendide plateau de table devant lui et sentait tout l'impact de sa propre médiocrité. Au bureau, sa table avait toujours été la plus répugnante, crasseuse, couverte de poussière et de taches de café, jonchée de bouts de papier. Roxie n'avait jamais eu la permission d'y toucher, sinon il aurait risqué d'égarer ce qu'il appelait comiquement « des papiers importants ». Baissant les yeux vers cette table admirablement ouvragée et les manches éraillées de sa veste sport, il pensa alors au vieux dicton qui disait : « Les cochons aiment leur propre merde. » Il y eut un long silence, très pesant, comme si chacun d'entre eux se demandait : « Pourquoi nous déprimons-nous autant ? »

« Un mariage tourne au vinaigre très lentement », dit-il avant de s'interrompre pour prendre sa flasque de whisky dans la poche de sa veste. Quand elle acquiesça d'un signe de tête, il remplit leurs verres vides en pensant qu'elle n'avait sans doute jamais bu un whisky aussi bon marché. Et comme de juste, elle grimaça dès la première gorgée.

« Mon Dieu, qu'est-ce que c'est ? Du White Spirit ? » Elle éclata de rire et but une autre gorgée. « Pardon, je vous ai interrompu.

— Je disais qu'un mariage, ça tourne au vinaigre très lentement, et puis chacun n'a plus vraiment besoin de l'autre. On continue simplement de danser les mêmes pas de polka qu'avant.

— Je n'ai jamais dansé la polka. Dans l'Est, nous dansions le fox-trot ou la valse.

— Je pourrais vous apprendre, mais je ne suis pas sûr que Tucson soit une ville où l'on danse la polka. Bref, à vingt ou trente ans, nous avions beaucoup de plaisir à camper en été. C'est merveilleux de faire l'amour sous la tente. L'hiver, nous faisions beaucoup de ski de fond dans la campagne. Quand nous avons atteint la quarantaine, nous avons arrêté ces deux activités. L'été, nous louions un chalet, ce qui n'est pas pareil que de dormir sous une tente, et en hiver nous végétions. »

Repris par la nervosité, il but d'une traite son whisky. Il ne supportait plus la prétendue ressemblance de Lucy avec Diane et il l'imagina habitant une résidence coloniale au milieu d'un jardin couvert de jonquilles, à Bedford, une banlieue cossue de New York. Il se leva pour partir.

« S'il vous plaît, restez encore un peu. » Les yeux de Lucy parurent s'embuer et sa voix était moins assurée. « Quand vous évoquez votre nouveau hobby consistant à enquêter sur les crimes liés à la religion, je suis intellectuellement d'accord avec vous, mais émotionnellement je dois protéger ma propre foi. Nous avons perdu notre petite fille, notre premier enfant, Lucy, quand elle avait cinq mois, à cause d'une déficience cardiaque. Mon mari avait insisté pour qu'elle s'appelle comme moi car il adorait ce prénom. Sans doute à cause de rêves que j'ai faits, j'ai cru de manière irrationnelle que ma petite fille était devenue un oiseau et que son âme allait survivre à travers des générations d'oiseaux. Je suis alors devenue une observatrice assidue des oiseaux, même si avant le décès de Lucy je n'y avais pas prêté beaucoup attention. Nous avons ensuite élevé un fils et une fille, mais je n'ai jamais éprouvé pour eux ce que je ressentais pour Lucy. Nous savions depuis trois mois que nous allions la perdre, mais je ne l'ai jamais accepté.

— Nous ne sommes pas allés au-delà de deux fausses couches », répondit faiblement Sunderson. Il commençait enfin à ressentir une extrême fatigue – il s'était levé à trois heures du matin – et puis un pincement de désir pour cette femme. Ça lui semblait fou que la nouvelle de cette perte terrifiante lui donne envie de faire l'amour à la mère. Il se souvint que Diane, qui grâce à son poste d'administratrice de l'hôpital connaissait un grand nombre d'infirmières, lui avait confié qu'elles étaient souvent très actives sexuellement à cause de leur proximité quotidienne avec la mort. « Baiser, ça donne au moins l'impression d'être en vie », avait-elle conclu en le scandalisant car durant leur mariage ce fut la seule fois où elle prononça ce mot.

« Je n'arrive pas à y croire. » Soudain, elle éclata de rire.

« Quoi donc ? » demanda-t-il avec timidité, devinant déjà qu'elle avait lu dans ses pensées relatives à sa propre ressemblance avec Diane.

« C'est invraisemblable. Drôle aussi. Et puis flatteur. » Elle marqua un temps d'arrêt, puis ajouta, faussement sérieuse : « Maintenant, vous feriez mieux de partir. »

Il la prit au sérieux et se dirigea vers la porte. Elle le suivit et d'un bras lui enlaça le cou.

« Je suis vraiment désolé, dit-il.

— Je vous taquinais. J'ai une bouteille de vin qui sera parfaite pour un dimanche soir. »

Il s'effondra dans un fauteuil près de la porte, baissa les yeux vers ses chaussures tout éraflées, puis regarda Lucy déboucher habilement la bouteille. Depuis le départ de Diane, il n'avait pas bu une goutte de vin. Il retourna vers la table où se trouvait un bourgogne doux appelé Clos de la Roche ; elle déclara qu'il était difficile à trouver, mais que ses parents connaissaient la famille propriétaire du vignoble. Il comprenait peu à peu qu'elle était riche, ce qui lui fit l'effet d'une douche froide car il avait toujours été de gauche et il avait profondément sympathisé avec le destin du mouvement syndical. Il était néanmoins assez honnête pour admettre qu'il n'avait jamais connu intimement une seule femme riche, et que les rares rencontrées à Marquette s'étaient toujours montrées très courtoises.

« Combien avez-vous casqué pour cette bouteille ? » C'était sans aucun doute le liquide le plus délicieux qu'il eût jamais bu.

« Oh, mon Dieu, difficile à savoir. C'est mon père qui me l'a envoyée. Plusieurs centaines de dollars, j'imagine. Bien que démocrate, mon père vient d'une vieille famille de Nouvelle-Angleterre. Il dit que sa famille a gagné beaucoup d'argent dans le commerce des épices et des esclaves, sans oublier la chasse à la baleine, moyennant quoi il tient à essayer de rectifier certaines erreurs passées. Il a toujours méprisé Harold, mon mari, qui a débuté sa carrière comme courtier à Wall Street et qui est aujourd'hui banquier d'investissements. Il le surnomme Harold l'Escroc. Papa a applaudi des deux mains quand sa compagnie a fait faillite. Harold est dépressif depuis deux ou trois mois. J'entretiens la famille avec mon argent, mais je ne pourrais jamais quitter Harold, car les enfants adorent leur crétin de père. Il voudrait que j'investisse dans une entreprise qu'il aimerait créer pour retaper des voiliers, mais papa contrôle mes sorties d'argent et il s'y refuse. » Surexcitée, elle marqua un temps d'arrêt. « Tout ça doit vous sembler très bizarre.

— Ça me paraît surtout très éloigné de mon univers. Quand mon père est mort d'un cancer à soixante ans, il s'inquiétait d'avoir trois mille dollars de dettes. J'ai payé cette dette en faisant un emprunt à ma femme. Il ignorait que cet argent venait de Diane, mais il était fier que j'aie un bon emploi. » Sunderson était ravi qu'ils puissent parler avec nonchalance de leurs familles respectives. « Je n'ai jamais beaucoup pensé à l'argent parce que j'en ai toujours eu assez pour acheter des livres et vivre à l'aise, et maintenant tout va bien aller grâce à ma retraite de l'État. »

Silencieux et vaguement ivres, ils continuèrent à boire. Il soupçonna que seule la solitude expliquait son attirance sexuelle pour Lucy et que le vin avait comme curieux effet de la faire ressembler encore plus à Diane. Quand on a soixante-cinq ans, pensa-t-il, une femme de cinquante-cinq paraît jeune.

Elle lui proposa d'aller examiner les pétroglyphes avec son père le lendemain matin de bonne heure, et il répondit d'abord que non, qu'il comptait s'installer dans un motel moins luxueux, qu'il devait encore voir sa mère quelques fois avant de filer sur la piste du Grand Maître Dwight. Elle parut vraiment déçue et ressembla alors à Diane quand il refusait de l'accompagner pour une sortie, si bien qu'il changea d'avis et dit : « Un jour de plus ici ce n'est pas la fin du monde », alors elle sourit.

« Pourquoi chacun de nous semble-t-il plaire à l'autre ? lui demanda-t-elle à la porte.

— Je n'en ai aucune idée », mentit-il. Il n'allait certes pas lui répondre : « Vous ressemblez à une femme que j'ai aimée et perdue. »

« Un jour, dans un avion, je me suis amourachée d'un anthropologue assis à côté de moi. Il *me bottait*, comme disent les jeunes. J'en ai parlé à ma fille, qui a trouvé ça à hurler de rire. Elle m'a même suggéré : "Pourquoi pas tenter ta chance, maman ?" »

Sunderson repensa à cette dernière anecdote en retournant vers sa chambre et il se perdit complè-

tement avant de rencontrer un gardien bienveillant.
Il passa une nuit très troublée, comme s'il venait
de conduire quinze heures : dès qu'il se coucha,
il eut la bougeotte. À un moment il se réveilla
en larmes, mais deux autres fois ce fut un
énorme rire qui le tira de son sommeil. Ses
larmes étaient dues à un rêve basé sur un fait
réel : il était revenu d'une réunion de trois jours
au Q.G. de la police de l'État pour découvrir que
sa femme n'était pas là en cette fin de vendredi
après-midi. Il se mit aussitôt à pleurer, car il
s'était rappelé non sans une certaine fierté que
c'était leur dix-septième anniversaire de mariage
et il venait d'acheter pour cinquante dollars de
fleurs coupées, un geste absurde car en cette fin
juin elle avait de beaucoup plus belles fleurs dans
son propre jardin. Une partie de leur matériel
de camping avait disparu de la véranda et il lui
sembla étrange qu'une épouse fuyant le foyer
conjugal eût emporté ce genre d'équipement.
Sunderson aurait pu deviner qu'il avait la tête à
l'envers après un trajet en voiture de plus de six
cents kilomètres depuis Lansing et une bonne
gueule de bois consécutive à plusieurs heures
passées dans une boîte disco rock à reluquer des
étudiantes agiter leur cul à croquer. Il alla
prendre une bière au réfrigérateur et trouva le
mot de Diane : « Espérais que tu m'appellerais
hier soir, mais tu étais sans doute occupé. J'espère
aussi que tu te souviens que je campe ce week-
end à notre spot près de Big Bay. Ton dîner, une
blanquette de veau[1], est dans la marmite bleue.

---

1. En français dans le texte, comme tous les passages en italique
suivis d'un astérisque. (*N.d.T.*)

J'ai aussi préparé une vinaigrette pour la salade, etc. À dimanche. Je t'aime. D. »

Il joua à un petit jeu, d'habitude efficace en cas d'insomnie. Il élabora mentalement une succession de notes qu'il n'aurait sans doute pas trop de mal à se remémorer au réveil le lendemain matin. À l'université, il avait toujours appris par cœur les citations essentielles de ses manuels d'histoire pour les replacer dans ses dissertations sur table, et il avait depuis longtemps une excellente mémoire. Le seul problème quand on accumulait ainsi des notes pour lutter contre l'insomnie, c'était que le cerveau plongé dans l'obscurité avait tendance à battre la campagne et à favoriser les absurdités.

1. Comme disait maman quand je mettais du temps à faire quelque chose, « Arrête de tergiversi-tergiversa », une expression qu'on n'entend plus jamais. Plus direct, papa disait : « Sors-toi la tête du cul et mets-toi au boulot », une acrobatie plutôt périlleuse. Cinquante ans après, je suis toujours le fils de mes parents. Tergiversi-tergiversa. Si je veux vraiment coincer Dwight, je ferais mieux de m'y mettre à fond. Carla est peut-être la clef du problème, à cause de sa versatilité, comme chez tous les témoins qui se débattent avec eux-mêmes. Malgré les enseignements de Dwight, elle tient à l'avoir pour elle toute seule.

2. Un vague souvenir de Berenice donnant son argent de poche au pasteur luthérien pour la Mission en Afrique. Maman se mettait en colère quand papa déclarait que le clergé était « les pickpockets de Dieu ». Retour à l'argent et

à la religion. La vie de Lucy semble se concentrer exclusivement sur des questions d'héritage. Une grande part de sa vie émotionnelle est morte avec sa petite fille.

3. Souvenir très précis d'il y a dix ans, quand Diane m'a offert pour mon anniversaire *America 1900* de Judy Crichton, et aussi préparé un excellent civet de lapin, d'après une recette française, m'assura-t-elle alors. Au début, ce livre m'a paru insuffisamment érudit, mais c'était aussi un soulagement. Je me rappelle un passage d'un éditorial non signé paru en 1900 dans le *New York Times*, affirmant que nous n'avions pas avancé d'un iota depuis le Moyen Âge. Dix ans plus tôt, en réaction au mouvement de la Danse des Esprits[1], le *Chicago Tribune* avait déclaré qu'il serait peut-être sage de tuer tous les Lakotas. J'ai eu l'impression glaçante de consacrer ma vie à sillonner la Péninsule Nord en appliquant de minuscules pansements aux blessures les plus superficielles.

4. La conviction que l'Histoire permet de mettre les choses en perspective est en partie une arnaque, car l'Histoire vous accorde seulement une perspective historique ! Imaginez un peu que les membres du Congrès connaissent vraiment bien l'histoire américaine...

Ça n'avait pas marché. Il se retrouvait dans une chambre d'hôtel de Tucson en train de sécher ses larmes après avoir cru à tort que Diane venait de le quitter, et il se sentit complètement idiot.

---

1. Mouvement spirituel des indiens Lakotas, qui invoquaient par leur danse la venue d'un messie qui sauverait les Amérindiens de la domination des Blancs. (*N.d.T.*)

Il alluma la lumière pour penser à autre chose. Avec Diane il s'était toujours senti un peu vulgaire, mal dégrossi, et Lucy lui donnait maintenant la même impression. Curieusement, ses collègues et beaucoup de gens le prenaient pour un homme trop raffiné et cultivé pour être flic, mais ils étaient victimes de la télévision et des romans policiers. Il n'avait jamais désiré jouer au flic dur à cuire, en partie parce que, les deux premières années de sa carrière dans la police, il avait travaillé près de Detroit où il y avait un nombre phénoménal de flics très durs, de vrais bagarreurs, et avant tout parmi eux les *Big Four* à qui l'on faisait appel dans les situations de grande violence. Un soir où il n'était pas de service après un match entre les Detroit Lions et les Green Bay Packers, toujours beaucoup de tension dans l'air, il avait vu les *Big Four* arriver dans leur berline Chrysler noire pour mettre fin à une rixe opposant des supporters, des types du coin et un groupe de gros malabars venus de Milwaukee. Sunderson resta à l'écart pour regarder avec stupéfaction le chef des *Big Four*, un immense Polonais prénommé Taddeuz qui mâchonnait un cigare Crooks à dix cents trempé dans le rhum, foncer tête baissée dans la mêlée et les envoyer en l'air de droite et de gauche, assez haut, en souriant tout le temps de la baston. Plus tard, à l'occasion d'une affaire sanglante, Sunderson avait dîné avec Taddeuz à Hamtrack, soupe au sang de canard et rat musqué grillé, les hommes assis à la table voisine faisaient un peu de boucan, et Taddeuz leur avait lancé : « La ferme, on discute des putains de Nations unies. » Les voisins de table s'étaient aussitôt tus. Ce soir-là Taddeuz était d'humeur mélancolique, car un maquereau avait tranché le mamelon d'une putain noire d'Amazonie qu'il aimait. C'était un mac célèbre, surnommé Vison parce que même en juillet il portait de la fourrure. Taddeuz avait alors déclaré : « Cet enfoiré va sauter d'un pont. Il le sait pas encore, mais il va se transformer en flotteur », voulant dire par là un cadavre sur la rivière Detroit. Lorsque Sunderson fut transféré et que Diane et lui partirent en voiture vers le nord, ils pleurèrent de soulagement en atteignant le détroit de Mackinac. Le moins marrant c'était de ramasser une tête coupée lors d'un règlement de comptes entre dealers près de la piste de dragsters de Flat Rock.

Dans son demi-sommeil, il vit Diane et Lucy debout côte à côte, après quoi il remâcha sa propre indignité. Il aurait dû épouser une fille d'ouvrier de Munising, mais dès la classe de seconde il avait aspiré à un sort meilleur et passé sa vie entre deux mondes.

Sombrant de nouveau dans le sommeil, il éclata de rire au souvenir de leur petit groupe de parias incluant deux métis du coin, qui avait allumé quelques pièces de feux d'artifice volées et braquées sur le faux camp de cow-boys des frères Mouton dans une parcelle boisée située en haut du versant pentu d'une colline derrière la ville. Cette attaque eut lieu à l'aube, quand les Mouton dormaient. Dès que les fusées explosèrent, Sunderson et les membres de son groupe bondirent en hurlant et coururent vers le camp. Le bâtard terrier labrador de Sunderson attaqua le plus gros des frères et lui arracha une jambe de pantalon. La bande de Sunderson se fit dérouiller, mais ça en valait la peine. Malheureusement, l'une des fusées mit le feu aux bois, l'incendie détruisit quelques arpents et son père dut l'accompagner au poste de police où on menaça de l'enfermer dans la maison de redressement de Lansing. Son rire faiblit lorsqu'il se rappela la première visite de Diane chez lui dans le Nord alors qu'ils étaient en licence à l'université du Michigan. Il l'avait vue jeter un coup d'œil aux planches brutes du sol de la salle à manger, au tapis ovale tricoté par sa mère. Tous les membres de la famille avaient immédiatement adoré Diane et ils annoncèrent très vite à Sunderson qu'elle était trop bien pour lui. Son père le prit à part afin de lui confier que Diane avait beaucoup trop de « classe » et que tôt ou tard elle le plaquerait.

Son dernier fou rire eut lieu à l'aube, quand il rêva de l'odeur du feu et se rappela un chalet isolé qui avait servi de labo pour la drogue, près de Crystal Falls, et qui avait brûlé en avril. Il y avait eu une chute de neige tardive et il s'y rendit en scooter des neiges avec un nouvel adjoint local. Les braises fumaient encore et Sunderson perçut aussitôt l'odeur de la chair brûlée, mais il n'en parla pas à l'adjoint, préférant attendre que ce dernier fît ses propres découvertes. C'était une journée splendide et Sunderson appréciait la chaleur croissante permettant au thermomètre de remonter au-dessus de zéro. Il regarda l'adjoint explorer les ruines jusqu'à ce qu'il l'entende crier : « Nom de Dieu, un putain de corps calciné ! » Puis l'homme vomit et s'évanouit. Sunderson lui frotta de la neige sur le visage, et il ouvrit les yeux, le regarda et dit :

« C'est l'anniversaire de ma femme. Je comptais faire des grillades, mais maintenant j'y renonce. »

Mona appela au moment où Sunderson quittait sa chambre, un peu avant sept heures du matin. « Je regrette que tu ne sois plus là pour me reluquer. Ça me fait comme un vide.

— Peu importe. Quoi de neuf ?

— Je me suis renseignée sur les origines de Dwight. Sa maman était dans le Peace Corps en Ouganda. Elle s'est fait sauter par un ingénieur civil français qui bossait sur un projet de barrage. Elle est morte de diverses maladies tropicales alors que Dwight avait un an. Il a été élevé par ses grands-parents. À leur décès, il a été confié à une famille d'adoption.

— Je suis à la bourre. Faxe-moi tout ça. Et puis va faire un tour dans mon bureau et regarde à la page 300 de *America 1900* de Judy Crichton. Un truc sur le Moyen Âge dans le *New York Times*. J'ai oublié une citation que je savais par cœur. » C'est sans doute l'âge, pensa-t-il.

« O.K., je m'en occupe tout de suite. Chéri, ça me manque que tu ne me reluques plus les fesses depuis ta planque. »

Sunderson la remercia et sortit en vitesse.

Chapitre 4

Quand il vit Lucy en compagnie de son père, Sunderson perdit à nouveau les pédales. Car elle se comportait en adolescente écervelée. Ce n'était pas un défaut de sa cuirasse, mais un gouffre vertigineux. Il s'appelait Bushrod, un nom que Sunderson avait seulement rencontré dans certains essais historiques sur la Nouvelle-Angleterre. C'était un poids coq d'origine anglo-écossaise, mais autoritaire, buriné par le soleil, doté de touffes de poils gris qui lui sortaient des oreilles et de sourcils qui auraient mérité une bonne coupe.

« Dix minutes de retard, monsieur le Détective de Choc. Je ne peux pas petit-déjeuner en public dans un endroit pareil. Toutes ces vieilles veuves désespérées qui tentent de remplacer le mari qu'elles ont tué. Ma foi, je n'ai jamais serré la main d'un inspecteur. Vous devriez vous intéresser un peu à l'escroc que Lucy a épousé », dit Bushrod en lui tendant la main mais sans se lever de la table. Le *Wall Street Journal* et le *New York Times* étaient pliés près de son assiette d'œufs brouillés et de saucisses, qu'il avait recouverts de Tabasco, une habitude partagée par Sunderson.

Lucy papillonnait et s'affairait, les joues rosies par la gêne ; elle rangeait des bouteilles d'eau et des cantines de déjeuner dans un ravissant sac en toile. « Papa, s'il te plaît. » Elle lança un regard furtif à Sunderson, qui mangeait en toute hâte, car Bushrod venait de se lever et arpentait maintenant la pièce en lisant la première page du *Wall Street Journal* et en marmonnant.

« On devrait guillotiner cinquante mille traders à Battery Park. Vous qui représentez la loi, vous pourriez m'arranger ça ?

— C'est mon premier jour de travail depuis ma retraite », objecta Sunderson, amusé par les facéties de ce vieux cinglé, qui détenait manifestement la clef du style de vie de Lucy. Elle l'avait qualifié de « rat du désert », un être qui se passionnait des déserts du sud-ouest des États-Unis.

« Trouvez-vous une occupation à plein temps, si vous ne voulez pas crever sur pied. » Bushrod prononça ces mots comme l'aurait fait Moïse.

« J'enquête sur les rapports malsains entre la religion, l'argent et le sexe », blagua Sunderson en constatant avec soulagement que son propre père avait été un homme doux et aimable.

« Excellent. Faites-moi parvenir vos conclusions. »

Bushrod s'installa au volant d'une Land Rover déglinguée, puis ils partirent vers Ina pour traverser le parc national Saguaro, Lucy apparemment pétrifiée sur la banquette arrière feuilletant un livre d'ornithologie dont elle ne voyait pas les pages. Bushrod expliquait la nature de la flore qu'ils dépassaient, les dizaines d'espèces de cactus, pendant que Sunderson cogitait sombrement sur les rapports entre enfants adultes et parents âgés. C'était une autre personne qui occupait la banquette arrière, et Sunderson, parfaitement inattentif aux explications de Bushrod, méditait sur toutes les formes d'autoritarisme en ce bas monde. Lui-même avait roulé dans la farine ses parents qui refusaient de laisser entrer son chien Ralph dans la maison. À l'heure du coucher, son frère Robert et lui descendaient un panier au bout d'une corde à partir de la fenêtre de leur chambre située au premier étage. Ralph sautait dedans, puis ils le hissaient jusqu'à eux. Son père finit par découvrir le pot aux roses, mais ce fut sa mère qui abrogea enfin l'interdiction d'amener des animaux sous son toit. Son père ne vendait jamais la mèche.

Ils atteignirent une piste du désert et parcoururent plusieurs kilomètres dans la réserve Tohono O'odham tandis que Sunderson se disait que la vue de ce bétail étique aurait provoqué de nombreux appels téléphoniques à la S.P.A. du Michigan. Bushrod se gara près d'un bosquet ombragé de paloverdes. Quand Sunderson mit pied à terre, son bras nu frotta douloureusement contre un cactus cholla et il poussa un petit cri.

« Presque toute la flore des environs risque de vous trouer la peau. » Bushrod prit un pansement dans une trousse de premier secours et retira une dizaine de minces épines du bras de Sunderson. « Faites gaffe aux crotalidés », dit-il en se dirigeant vers ce qui ressemblait à un tas de rocs basaltiques haut d'une trentaine de mètres.

« Il parle des serpents à sonnette », précisa sombrement Lucy, le regard humide. Son père, qui escaladait la pente abrupte, était déjà hors de portée de voix. « Il me rend cinglée depuis que je sais marcher.

— Ce n'est pas la meilleure façon de vivre. » Sunderson supposa qu'il devait suivre Bushrod. Les individus originaires du nord du Middle West ne sont pas des alpinistes chevronnés, sauf peut-être quand ils sont plus jeunes et qu'il faut grimper sur des conifères aux nombreuses branches. Ce paysage l'agaçait et, comme il avait déjà vu des serpents à sonnette à la télévision et au cinéma, il n'était guère ravi à la perspective de croiser un reptile susceptible de le tuer. Il se calma en pensant qu'à cause de son métier il avait beau être à l'affût du moindre indice sur son territoire habituel, en voyage il passait volontiers pour un crétin. Un jour avec Diane à Chicago, il avait fait une promenade solitaire et s'était un peu perdu, se rappelant avec peine l'emplacement de l'hôtel qu'elle avait réservé.

« Allez, en avant, mon cher », dit Lucy en escaladant les rochers.

Ses peurs furent dissipées par le spectacle du joli derrière de Lucy en short kaki, mais il continua vaguement à se poser la question, « Qu'est-ce que je fous ici ? » Quand il atteignit le sommet, il avait le souffle court, alors que Bushrod et sa fille respiraient normalement. Les nombreux dessins et bas-reliefs de serpents sur les rochers l'avaient troublé. Il y avait d'autres animaux figurés, mais les serpents étaient majoritaires. Il s'assit en dessous de Lucy et observa à loisir ses jolies cuisses sous le short évasé.

« Beaucoup de spéculations ici, sans doute liées aux racines de la religion avant l'intervention du sexe et du fric, plaisanta Bushrod. À moins que tout n'arrive en même temps, une idée amusante. Cet endroit s'appelle Cocoraque Butte, mais ce n'est pas vraiment une butte, non ? C'est un peu trop près de la ville pour que les gars de l'université s'y intéressent. Ils préfèrent lorgner vers le nord, les Navajos et les Hopis, ou vers Casas Grandes. En fait je suis venu ici une bonne dizaine de fois et je n'ai jamais rencontré âme qui vive.

— Pourquoi toutes ces représentations de serpents ? » Mal à l'aise, Sunderson s'inquiétait qu'un serpent à sonnette pût se faufiler entre les pierres où ils étaient assis.

« Eh bien, ce genre de tas de caillasses constitue un habitat privilégié pour les rongeurs, et donc pour les serpents qui les bouffent. Il faut imaginer des gens sans doute primitifs campant ici il y a six mille ans, au milieu d'un nombre faramineux de serpents à sonnette. Disons qu'un membre de la tribu ou du groupe, peut-être un enfant, a été tué par un serpent à sonnette, animal relativement petit mais au venin extrêmement dangereux. Alors vous leur attribueriez des pouvoirs divins. Vous tenteriez d'amadouer les dieux serpents en les dessinant ou en les sculptant, comme une sorte de prière. Vous prieriez Dieu pour qu'il ne vous tue pas, dans l'espoir qu'il porte chance à votre famille ou à votre groupe. Il s'agit bien sûr d'une simplification grossière.

— D'où venaient au juste les prêtres ? Je veux dire, j'ai suivi un cours d'anthropologie, mais je ne m'en souviens pas. » Sunderson changea légèrement de position pour avoir une meilleure vue sur les cuisses de Lucy. Elle perçut son manège et lui adressa un sourire, le premier de la journée.

« Eh bien, ces gens étaient des nomades et ils comptaient d'habitude parmi eux un homme-médecine, un chaman qui restait en marge ; les prêtres sont apparus ensuite, quand ces gens se sont établis comme paysans ou bien, sur la côte nord-ouest, comme paysans et pêcheurs.

— Ils offraient aussi consolation et conseils, ajouta timidement Lucy.

— Il y a belle lurette que tes prêtres auraient dû te dire de te débarrasser de ton crétin de mari.

— Papa, s'il te plaît.

— Va te faire voir avec tes *s'il te plaît*. » Il se tourna vers Sunderson. « Vous avez déjà rencontré ces gens avec leur costume à trois mille dollars ? Ce sont les prêtres de l'argent, ils font semblant de posséder des connaissances mystérieuses qui leur permettraient de faire fructifier le vôtre, ce qui, comme on l'a vu récemment, leur permet surtout d'arnaquer tout le monde. Moi, j'investis seulement dans la terre. Un promoteur, c'est aussi limpide qu'un panneau de signalisation routière. »

Sunderson reconnut aussitôt que Bushrod appartenait à cette classe très aisée qui avait acheté toutes les terres dont on pouvait tirer un sou tout en se sentant très vertueuse et fière de ce viol foncier.

Lucy, en larmes, entama une lente descente, qui selon Sunderson était plus difficile, car on avait la gravité derrière soi. Il regarda le paysage massif situé à l'ouest et au sud-ouest, puis il baissa les yeux vers Lucy qui venait de trébucher près du bas.

« C'était une championne quand elle était jeune, et puis elle est devenue la jument poulinière d'un imbécile. Très tôt, j'ai fait enquêter sur ce lascar.

Le bruit courait qu'il était entré à Choate et à Yale en trichant.

— Vue d'ici, la *Gadsden Purchase*[1] ne semble guère séduisante. » Sunderson essayait d'éviter le sujet de Lucy, bouleversé qu'il était par la cruauté du père envers la fille. Il s'étonna du nombre de parents qu'il avait connus, qui assommaient littéralement leurs enfants avec les idéaux qu'ils leur imposaient.

« J'ai lu que les membres du gouvernement mexicain qui nous l'ont vendue étaient des escrocs. On en parle beaucoup dans les journaux locaux. » Bushrod se redressa et leva les bras dans un grand craquement d'os.

« Oui, ces jérémiades sont en partie le fait de l'homme que je recherche. » Selon le fax de Mona, Dwight alimentait cette controverse absurde.

« Vous avez déclaré être à la retraite.

— C'est mon passe-temps.

— Voilà trente ans que le mien c'est le désert. Je n'ai pas assez de temps pour le connaître à fond. »

Bushrod descendit d'un pas leste, comme s'il était pressé, alors que Sunderson, resté face à la paroi, sentit la sueur jaillir par tous les pores de sa peau lorsqu'il crut entendre un bruit de crécelle au fond d'une crevasse située en contrebas. Quand on regardait vers le nord-est et Tucson, le brouet opaque de la civilisation décolorait le

---

1. La *Gadsden Purchase* est une région de 76 800 km², située au sud de l'Arizona et au sud-ouest du Nouveau-Mexique. Elle fut achetée *(purchased)* au Mexique par les États-Unis le 30 décembre 1853. Ce traité d'acquisition de terres fut signé par James Gadsden, alors ambassadeur des États-Unis au Mexique. *(N.d.T.)*

ciel alors qu'à l'ouest, dans la brume de chaleur, se dressaient les *majestueuses montagnes pourpres*. Il jeta un coup d'œil dans la profonde crevasse en adressant une prière aux dieux serpents pour qu'ils aient pitié de lui.

Une fois en bas, Sunderson prit la trousse de premiers soins des mains de Lucy, qui essayait en vain d'appliquer un pansement sur son genou éraflé.

« J'ai déjà soigné des blessures par balle », dit-il en s'agenouillant devant elle pour retirer la terre du genou blessé. Elle avait la peau luisante de sueur. Il ressentit dans le bas-ventre un émoi inapproprié mais indéniable.

« Vraiment de belles jambes. La seule chose de valeur que lui a transmise sa pocharde de mère, que j'ai surnommée Miss Vodka. Ce sont de jolis traits qui tempèrent ma laideur. Avez-vous déjà tué quelqu'un ? Je parie que ce n'est pas une question très originale.

— J'ai tiré au-dessus d'un certain nombre de fuyards, histoire de les ralentir. Deux ou trois ont été abattus par des collègues. Plutôt moche à voir. » Il pensa que, si la mère de Lucy était portée sur la bouteille, l'explication se trouvait tout près de lui. Quel plaisir ce serait de clouer le bec de ce vieux salopard ! « Un jour je suis entré dans une maison au sud de Detroit avec mon équipier. Je me suis agenouillé pour examiner un type à la respiration sifflante qui avait un tranchoir à viande planté dans la poitrine. Une bulle rose jaillissait de ses lèvres comme de la gueule d'un chevreuil qui vient de prendre une balle au poumon. Soudain, un autre type jaillit d'une pièce en courant avec un couteau de boucher et mon équipier lui arrache la moitié du cul avec son .357 Magnum.

— Mon Dieu, quelle horreur ! » lâcha Bushrod.

Ils parcoururent encore cinquante kilomètres vers le sud en Land Rover, avant de s'engager sur une piste aussi mauvaise que celle qui aboutissait à la maison longue du Grand Maître. Ils se garèrent au pied d'un canyon abrité du soleil du début de l'hiver. Sunderson devina qu'il faisait bien trente degrés, et le dit.

« En juin, quand nous rentrons dans le Maine, il fait au moins quarante. » Bushrod s'élança d'un pas rapide dans le canyon. Sunderson tenta d'aider Lucy à porter le déjeuner.

« Partez devant avec papa. Je suis la squaw de service. Il adore pérorer.

— Vous avez déjà envisagé de le descendre ? s'enquit Sunderson pour la taquiner.

— Très souvent », répondit-elle avec malice.

Il rattrapa Bushrod qui remontait le canyon en silence et se demanda si c'était l'histoire du tranchoir qui lui avait coupé le sifflet. Ils s'arrêtèrent à l'ombre de paloverdes et de bois de fer ; on distinguait au sol les traces d'un feu récent.

« J'ai campé ici tout seul et j'ai été ravi de la compagnie. Ce matin, avant votre arrivée, Lucy m'a dit que vous étiez divorcé ?

— Oui, depuis trois ans.

— De votre fait ?

— Non. Par ma faute. Elle est partie.

— Vous ne devez pas avoir beaucoup d'argent.

— Pas vraiment. Ma retraite. Ça me suffit.

— Quand on vaut un bon paquet de fric, on ne peut pas se débarrasser des charognards avant qu'ils vous aient plumé.

— C'est ce que j'ai entendu dire. »

Sunderson commençait seulement à comprendre qu'il était en présence de vrais flambeurs, ce qui n'allait pas de soi car, contrairement aux riches du Midwest, ceux-ci étaient tout sauf démonstratifs. Après avoir grandi dans un milieu modeste, sinon pauvre, il s'en était plutôt bien tiré à l'université, du moins le pensait-il. Il n'avait rien trouvé d'enviable à l'existence de gens plus riches comme les parents de Diane, dont les biens semblaient les rendre aveugles au reste du monde. Sa passion de toujours pour la pêche à la truite ne lui coûtait presque rien.

« Elle m'a dit que vous étiez de la Péninsule Nord. Il y a longtemps, ma famille possédait beaucoup de terres boisées là-haut, dans le Wisconsin et le Maine bien sûr. Une chose est sûre, nous étions de nobles prédateurs. » Il pouffa d'un rire peu séduisant. « Ensuite nous avons surtout investi dans les usines de pâte à papier. J'ai retiré mes billes de ce secteur à la fin des années quatre-vingt en sentant que les ordinateurs allaient rendre obsolètes des tas de stocks de papier. Je suis prêt à parier que le *Boston Globe* va boire la tasse. En revanche, mes terres seront toujours là. »

Sunderson pensa que ses soupçons se confirmaient. Bushrod lui rappelait maintenant un gros banquier de Marquette qui, quelques semaines plus tôt, lui avait crié dessus alors qu'il sortait du Verling où il venait de déguster un bon dîner de poisson blanc. Ce banquier s'était garé devant la boîte de nuit et un malotru armé d'une clef avait zébré l'intégralité des portières de sa Lexus flambant neuve. Cet homme pleurait des larmes de rage et exigeait une action immédiate. Sunderson lui avait répondu qu'il était en dehors de sa juridiction et que le banquier devait contacter la police de Marquette ; l'homme fou furieux en resta bouche bée. Décidant soudain de se montrer aimable, Sunderson appela la police de la ville. À l'autre bout du fil, le flic lui dit : « Ce type est un trouduc. On va le faire poireauter une demi-heure. » Sunderson annonça au banquier que la police allait bientôt arriver, puis il s'éclipsa en souriant.

Tout au fond de lui se trouvait néanmoins un endroit plus à vif : ses pensées relatives à son père qui avait travaillé plus de trente ans pour un salaire de misère à l'usine de pâte à papier de Munising. Son père trouvait que ce boulot était malgré tout un grand progrès par rapport à son précédent emploi de bûcheron dans les bois lorsque certains jours d'hiver il faisait presque moins quarante, ou qu'en juin les mouches noires volaient en essaims compacts. Sunderson s'était lui-même livré à cette activité à partir de l'âge de douze ans, les week-ends où il avait mis assez d'argent de côté pour trouver une tronçonneuse d'occasion, mais il était affreusement difficile de gagner quinze dollars en bossant dix heures par jour. Bushrod était le dictateur enfermé dans son bureau inaccessible, le propriétaire de toutes ces terres boisées, de l'usine de pâte à papier, de dizaines de milliers d'esclaves et d'autant d'arpents.

Lucy avait disposé le déjeuner sur une nappe bleu ciel et ils s'installèrent sur des grosses pierres qu'un individu sans doute très musclé avait traînées près du cercle du feu de camp. Une dispute éclata aussitôt, car le sandwich au rosbif de Bushrod était agrémenté d'une moutarde qu'il n'aimait pas.

« Papa, ce n'est pas de ma faute.

— Alors c'est la faute de qui ?

— Prends mon sandwich au poulet, si tu veux.

— Tu es cinglée, ma chérie ? Tu sais très bien que je ne mange jamais de sandwich au poulet. »

Sunderson sentit alors ses cheveux se hérisser sur sa nuque, signe qu'ils étaient observés. Quand il avait remarqué de nombreuses traces humaines à l'entrée du canyon, Bushrod lui avait expliqué que ces empreintes étaient celles d'immigrants mexicains illégaux qui avaient traversé la frontière. Il leva les yeux vers la paroi du canyon et là, à moins de trente mètres, le pétroglyphe d'un être mi-humain mi-lézard les regardait. Sunderson devina qu'il aurait beau lire toutes les explications du monde, jamais il ne comprendrait vraiment ce qu'il voyait. La langue qui aurait pu apaiser ses craintes était définitivement perdue. Mais la seule présence de ce pétroglyphe n'expliquait pas cette sensation d'être observé. Un peu plus haut dans le canyon, à une bonne centaine de mètres, un petit homme, ou peut-être un garçon, les regardait, en partie caché derrière un rocher et un buisson. Le saut mental qui lui aurait permis de faire le lien entre l'homme-lézard et ce garçon embusqué lui faisait défaut.

« Je me demandais quand vous le remarque-riez, monsieur le flic de choc, dit Bushrod avec toute l'arrogance d'un politicien.

— C'est vraiment troublant, répondit Sunderson, très heureux d'avoir fait oublier à son interlocu-teur le choix de la mauvaise moutarde.

« — J'ai abouti à la conclusion que ce dessin a été réalisé par le chaman local pour dissuader les intrus d'entrer sur son territoire. »

Sunderson fit la sourde oreille, se leva avec la moitié de son sandwich, une bouteille d'eau et une pomme, remonta le canyon en diagonale pour s'éloigner du garçon, et posa la nourriture sur un rocher isolé sous un mesquite. « Holà ! » cria-t-il, *Holà* étant le seul mot espagnol qu'il se rappelait après avoir partagé sa chambre à Francfort avec un Américano-Mexicain. De retour au camp, il se vit confronté à des regards perplexes.

« Il y a un gamin dans le canyon. »

Ils le cherchèrent des yeux, mais contrairement à Sunderson ils n'avaient pas la vision aiguisée du chasseur qui regarde *à travers* le paysage, à la recherche d'une forme qui n'a rien à y faire.

« Je ne le vois pas, reconnut Lucy.

— Moi je crois que si. » Bien sûr Bushrod mentait. « Vous ne devriez pas les encourager. »

Au moment de repartir vers Tucson, Sunderson aurait donné n'importe quoi pour fausser compagnie à Bushrod, sans parler de Lucy dans sa présente incarnation de fille soumise, aussi insupportable du point de vue émotionnel qu'un animal écrasé par une voiture. Après l'homme-lézard, le seul événement notable fut un gros serpent à sonnette traversant une piste. Ils descendirent de voiture pour le regarder et Bushrod prit un long bâton pour taquiner le reptile jusqu'à épuisement.

« J'ai gagné ce round, dit Bushrod.

— Le serpent n'avait pas de bâton, fit remarquer Sunderson.

— Que voulez-vous dire par là, jeune homme ?

117

— Essayez donc sans bâton. » Sunderson détestait ces émissions de télé sur la nature où l'on voyait des gens asticoter des animaux paniqués au nom de la science.

« Vous êtes un impudent ! s'écria Bushrod.

— J'espère bien.

— S'il vous plaît », implora Lucy, tel un animal apeuré.

Ils roulèrent en silence et, quand ils atteignirent l'Arizona Inn, Sunderson descendit promptement du véhicule sans un mot. De retour dans la sécurité de sa chambre, il déboucha une pinte bon marché de Four Roses en sachant qu'il lui en aurait fallu une bonne dizaine pour se purger de tout le fiel de la journée. Une enveloppe contenant un fax était posée sur la table basse. Le voyant des messages vocaux clignotait sur son téléphone et il écouta sa mère d'un air sombre. « Fils, Berenice m'a dit que le restaurant de ton hôtel est excellent. Nous viendrons y dîner. » Il la rappela de son téléphone portable, au cas où l'appel de l'Arizona Inn se serait affiché sur l'écran de sa mère.

« Maman, je suis en route pour Willcox.

— L'hôtel m'a assuré que tu n'étais pas encore parti.

— Je viens de le faire.

— Quel dommage. Je comptais vraiment sur un bon dîner avec toi.

— Je te revois dans deux ou trois jours. » Puis il appela la réception de l'hôtel et demanda à ce qu'on filtre tous ses appels. Il lut ensuite le fax de Mona : « Ce type est un malin. Il est entré en contact avec moi pour me dire : "Si tu continues de me pister, tu vas avoir des ennuis." Avec tout mon amour, ta chérie Mona, qui regrette fort l'absence de son beau-papa. P.S. : La citation de Crichton que tu cherchais est extraite du *Washington Post* et non du *NY Times*. »

Malgré tous nos progrès dans les domaines du luxe et du savoir, nous ne nous sommes pas élevés d'un iota au-dessus des périodes les plus sombres de l'humanité... Le siècle dernier n'a en rien modifié les passions, les cruautés et les pulsions barbares de l'homme. Depuis la barbarie du Moyen Âge, nul changement. Nous abordons un nouveau siècle, équipés de tous les merveilleux dispositifs de la science et de l'art, mais le pirate, le sauvage et le tyran sont toujours là.

Sunderson se déshabilla et se glissa sous les draps après s'être servi un deuxième verre aussi généreux que le premier. Il avait besoin d'une sieste de format professionnel, mais son esprit tourbillonnait et délirait car l'alcool n'accomplissait nullement sa mission soporifique. Il était cinq heures de l'après-midi à Marquette, et il avait donc achevé sa première journée de travail de retraité, même si un inspecteur n'échappait jamais vraiment à sa tâche. Les loisirs sont surfaits, pensa-t-il en un second euphémisme. Son esprit errait parmi les ruines en cherchant un quelconque fait agréable susceptible de le propulser vers l'inconscience. Dans les années 1600, selon des rapports d'autopsie, des milliers de jeunes Toscanes avaient jeûné jusqu'à ce que mort s'ensuive afin d'être plus proches de Jésus. Non, ce fait-là était trop perturbant. Grâce à la pêche à la truite il avait remarqué depuis deux ans que les petites grenouilles léopards disparaissaient du paysage, avant que Diane n'ait découvert cette raréfaction dans une revue écolo. Elle avait été furieuse qu'il ne lui eût rien dit. Et alors ? À huit ans, il avait prié pour que la jambe de son frère Robert repousse, mais quand il s'était confié à son père, celui-ci lui avait répondu : « Ça n'arrivera pas. » Et maintenant, cinquante-cinq ans plus tard, il sentait les larmes lui monter aux yeux. Lucy était une Diane de l'enfer. L'espace d'une fraction de seconde, il se vit lâcher Bushrod dans une bouche d'égout avant de rejoindre un sous-bois touffu. Qu'il aille retrouver la merde qu'il est. Mais cela non plus ne marcha pas, car la violence fait monter l'adrénaline. Marion disait qu'il n'y avait pas de vérités, seulement des histoires, mais comment ma propre histoire va-t-elle s'achever dans la désuétude de la retraite ? Marion disait aussi que l'ordinateur permet aux gens de gaspiller d'innombrables heures en les consacrant à des centres d'intérêt inédits et futiles. Comment cultive-t-on le lin ? Pourquoi y a-t-il autant de prostituées russes à Madrid ? Le nouveau mari de Diane étant malade, y a-t-il une chance pour que nous nous rabibochions ? J'en doute. Il était toujours l'homme qu'elle avait quitté et dont l'horizon était beaucoup plus limité que celui de Diane. Au début de sa carrière, il avait arrêté une étudiante à cause d'une centaine de grammes d'herbe et ainsi brisé la vie de cette jeune fille. C'est en tout cas ce que la mère de cette dernière lui avait écrit. La solitude fait-elle gonfler le cerveau ? Bien sûr. La plupart des protestants sont en faveur de la torture aggravée. Les années se sont auto-dévorées et ont disparu. À travers la meurtrière créée par l'absence du livre de Slotkin, Mona était allongée en diagonale sur le lit, son derrière nu braqué vers lui, un derrière poignant et illégal dans le Mississippi ou au Costa Rica. Son sexe se dressa mais son corps se détendit. Il s'endormit.

C'était davantage la nuit que le crépuscule, un oiseau voletait contre la fenêtre et l'on frappait violemment à la porte. « C'est moi, Lucy », dit une voix. Il se retourna en cherchant un indice pour savoir où il se trouvait. Les coups continuèrent et il cria : « Oui ! » Des deux peignoirs accrochés dans la salle de bains il choisit malgré lui le plus petit, un peignoir de femme dont les pans ne se rejoignaient pas tout à fait devant. Ouvrant la porte, il détourna aussitôt les yeux du visage de Lucy, lequel était gonflé de larmes, comme si elle venait de perdre toute sa famille dans un incendie cinq minutes plus tôt. En un contraste saisissant, elle arborait une tenue sexy : une jupe bleue très courte et un corsage blanc sans manches. L'esprit de Sunderson, ralenti par le sommeil, calcula *séduction*. Elle se jeta à plat ventre sur le lit de l'inspecteur et dit d'une voix étouffée :

« Vous êtes injoignable quand j'ai besoin de vous.

— J'ai passé une sale journée à crapahuter dans le désert avec votre papa. J'avais besoin d'une bonne sieste. » Elle semblait indéniablement séduisante, mais il n'arrivait pas à faire le lien entre les larmes et le sexe.

« Je dois partir demain matin de bonne heure. J'ai eu l'impression que vous me désiriez. Hélas, j'ai aussi eu l'intuition que je vous rappelais votre ex-femme. Ce n'est donc pas moi que vous désirez, n'est-ce pas ?

« — Que suis-je censé répondre ? » Se sentant bander à demi, il cherchait à gagner du temps.

« Peu importe. Je connais la réponse. Je ne peux pas faire l'amour avec vous si je vous rappelle une autre femme. » Elle fondit en larmes.

« Je suis désolé. » Son esprit était un sac de nœuds inextricable.

« Prenez-moi au moins dans vos bras », supplia-t-elle. Sa voix était celle d'une petite fille, un défaut rédhibitoire pour Sunderson. Contrairement aux femmes, les filles étaient seulement séduisantes de loin, disons à une dizaine de mètres, la distance séparant la meurtrière du voyeur de la fenêtre de la chambre de Mona.

Il laissa donc Lucy enfouir son visage dans son cou, qui fut bientôt humide et glissant. Il se demanda s'il y avait une limite aux larmes, si les glandes lacrymales de Lucy se retrouveraient bientôt à sec, rendant ainsi l'amour possible. Mais cette hypothèse était improbable.

« Quel dommage que vous ne sachiez pas mentir, pleurnicha-t-elle.

— Bon Dieu, Lucy ! » Il se jeta hors du lit, rejoignit la table et se mit à feuilleter le menu. Il avait donné la moitié de son sandwich au gosse mexicain. Il était neuf heures du soir dans le Michigan, tout le monde avait déjà dîné, et il mourait de faim. Il repéra une salade au jicama, et tant pis s'il ne savait pas ce que c'était. Par téléphone il commanda deux cheeseburgers, une bouteille de beaujolais en se rappelant que Diane adorait boire ce vin en été, et une bouteille entière de whisky canadien à soixante dollars, le prix le plus bas du menu. Peut-être réussirait-il à noyer les larmes de la pauvre Lucy.

« Nous nous sommes manqués », gémissait-elle.

En guise de réponse il alluma la télé et tomba sur Anderson Cooper qui à cet instant précis lui rappela un petit écureuil rayé. Changeant de chaîne, il découvrit un film où des naturalistes embarqués sur un bateau poursuivaient un groupe d'orques au large de l'Alaska et il espéra que les cétacés fassent demi-tour, attaquent le bateau et s'offrent un festin de naturalistes. Il partagea en deux verres le restant de sa pinte de voyage et le cliquetis des glaçons poussa Lucy à sortir la tête de sous l'oreiller où elle se cachait.

Lorsqu'elle franchit enfin la porte vers le couloir, il regarda la bouteille de whisky et constata avec plaisir qu'elle était seulement à moitié vide, moyennant quoi sa gueule de bois du lendemain ne figurerait pas parmi son top cent. Il pensa à ce qu'aurait dit son père en apprenant que le fiston venait de payer soixante dollars une bouteille de whisky. Sans doute rien. Comme Lucy avait seulement mangé la moitié de son cheeseburger, il mordit dans le mélange de pain, de fromage et de viande désormais froids, car il voulait en avoir pour son argent. Après avoir éteint la lumière, il mastiqua lentement et se souvint qu'un professeur avait autrefois déclaré qu'une lecture attentive de l'Histoire suffit pour tout comprendre. Sunderson n'y crut pas. C'était l'une de ces occasions où il ressentait un épuisement absolu parce qu'il n'avait pas fait l'amour, comme un adolescent passant sa soirée à peloter sa copine dans une voiture mais sans résultat. Elle avait fini par évoquer ses enfants en termes si dithyrambiques qu'une fois encore il regretta que Diane et lui n'en aient pas eu.

Chapitre 5

En roulant vers l'ouest à sept heures du matin sur l'Interstate 10 en direction de Willcox et face aux phares éblouissants des citadins partant travailler, Sunderson se rappela qu'enfant il avait ardemment souhaité que le solstice d'été dure toute l'année, cette période où, dans le Grand Nord, le ciel restait lumineux plus de dix-huit heures par jour. Début novembre, la durée du jour tombait à sept heures quotidiennes, sûrement pas assez pour assurer la tranquillité de l'âme et les hommes pris de désespoir avançaient en eaux troubles jusqu'au 21 décembre, date du solstice d'hiver, quand une minute ou deux de soleil en plus aidaient l'âme à espérer à nouveau. À l'époque lointaine de ses études à l'université du Michigan, le cours de Kaplan sur la révolution russe l'avait transporté. Un jour, ce grand professeur d'histoire russe, au magnifique crâne chauve, avait accordé quelques minutes à Sunderson après le cours, et le jeune homme l'avait interrogé sur les effets spirituels de toute cette obscurité typique des pays du Nord. *Très intéressant*, lui avait rétorqué Kaplan en rangeant ses papiers dans sa sacoche, et quand Sunderson avait décroché une excellente note il avait senti la chair de poule lui remonter le long des bras.

Ce ne fut certes pas le cas ce matin-là. Il avait à peine atteint la réception de l'hôtel quand un coup d'œil lui avait permis d'apercevoir Lucy arrivant devant le concierge avec un factotum, puis il s'était caché dans les buissons du parking, de l'autre côté de la rue, tandis qu'elle montait dans une limousine noire conduite par un chauffeur noir. Combien coûtait ce caprice ? Pourquoi ne pas prendre un taxi ?

Il éteignit la radio quand quelqu'un sur la station NPR dit *iconique*, ce mot merdique. Autrefois, il tenait le compte de ces stupides pépites orwelliennes. Quelques années plus tôt, c'était l'usage incessant du mot *limitation* qui suscitait sa colère, et durant la guerre d'Irak le terme idiot de *sanctuarisé*. De manière générale, Sunderson se contrefichait des experts en tout genre. Il se souvint d'un récent article d'un journal de Marquette où une fille du coin qui avait essayé de *faire carrière* à Hollywood déclarait : « Presque tous les gens qu'on rencontre là-bas sont producteurs. » Les soi-disant experts le confortaient dans son idée que tout le monde en Amérique ment sur soi, et aussi qu'il vivait dans un pays où parler c'est penser.

Il s'était levé à six heures pour bavarder avec Mona avant qu'elle parte à l'école. Il avait ressenti le désir juvénile de lui demander ce qu'elle portait – si elle n'était pas nue –, mais elle fut plus rapide que lui.

« Sans toi ici, je m'habille au saut du lit. Maman a baissé le thermostat pour faire des économies. Papa m'a envoyé son message annuel pour me dire de m'accrocher. Quel répugnant suce-bite. »

Le père de Mona les avait quittées quand elle avait eu dix ans. C'était le jeune promoteur immobilier typique qui jouait au petit malin et tentait de créer une énorme affaire en brassant du vent. Malgré la beauté ahurissante de l'endroit, ses projets étaient illusoires, car les principaux centres urbains du Michigan se trouvaient à au moins sept heures de route. En ce début de matinée, Sunderson voulait convaincre Mona d'arrêter d'espionner Dwight via Internet, une activité évidemment dangereuse. Histoire de changer de conversation, il lui demanda des informations sur les sectes contemporaines. Sunderson avait en effet la conviction de ne pas en savoir assez. Après tout, l'essentiel de son travail avait consisté à faire appliquer des lois futiles votées par la législature d'État, les responsables du comté et le conseil municipal pour enquiquiner les gens, sans parler du Congrès des États-Unis, dont les membres subissaient une telle pression de la part des lobbies que beaucoup oubliaient même de quel État ils venaient.

« Ça me branche, répondit-elle à la demande d'infos sur les sectes. Dommage que tu sois pas ici. Deux de mes copines ont dormi à la maison pour une soirée pyjamas et nous avons descendu toute ta bière. Elles sont toujours là et elles sont nues, pas vrai, les filles ? » Il entendit des cris de joie et ces mots : « Nues comme des vers ! »

— Un peu de sérieux, Mona. Je viens de quitter l'Arizona Inn, alors ne m'envoie aucun fax tant que tu n'auras pas de mes nouvelles. » Il raccrocha très vite en entendant des cris et des éclats de rire. Dans sa propre existence dépourvue de toute forme de danse, il ne pouvait imaginer quelqu'un éclatant de rire par une aube glaciale de novembre, mais tel était pourtant le cas. Il essaya de chasser de son esprit l'image de trois filles nues dans le même lit, mais autant essayer de ne pas penser à un cheval blanc. Soudain il y eut un cheval blanc dans la chambre de Mona. Il songea en traversant Benson, une ville qui selon son beau-frère Bob accueillait trente mille caravanes Airstream en hiver, qu'il n'avait vu aucun garçon rendre visite à Mona depuis deux bonnes années, seulement ses clones gothiques féminins, dont le mode de vie le dépassait complètement. Il n'avait aucune envie de s'aventurer sur le territoire de sa très banale ignorance masculine du monde lesbien.

En prenant la sortie de Willcox, il se sentit tout à coup présomptueux, ce qui signifiait en clair qu'il perdait les pédales. Une pancarte annonçait que Willcox était la ville natale de Rex Allen, le cow-boy chantant, et il se retrouva plusieurs décennies plus tôt, un samedi, lors d'un spectacle en matinée où des centaines de gosses et lui-même regardaient le gros Rex et une dizaine d'autres cow-boys à cheval qui entonnaient *Get Along Little Doggie*, puis quelques minutes plus tard déchargeaient leurs six coups sur un groupe de mornes Indiens. D'après les infos faxées par Mona, un scandale avait éclaté des années plus tôt à l'époque où les flics de Willcox prenaient pour cible les chiens errants de la décharge municipale, ce qui fit une très mauvaise publicité aux soi-disant forces de l'ordre. Un autre problème local, celui-ci de nature financière, était lié à une surpopulation d'autruches. Beaucoup de gens avaient acheté des couples reproducteurs pour cinquante mille dollars en espérant élever toute une flopée de jeunes autruches, dont la peau, les plumes et la viande devaient assurer l'inévitable fortune desdits éleveurs. Ce phénomène frappa Sunderson comme étant un mini-plan digne de Wall Street, mais à trop petite échelle pour attirer les émules de Bernard Madoff, seulement quelques millions d'abrutis désireux de s'assurer un train de vie conséquent.

Afin de retrouver énergie et moral, il fit halte à un *diner* pour son habituel petit déjeuner revigorant de saucisses aux œufs et de galettes de pommes de terre, que son médecin lui avait si souvent déconseillé. Tout en vidant un sachet de délicieuses pistaches locales, il remarqua les goitres de tous les retraités qui dévoraient d'énormes petits déjeuners tout en marmonnant la bouche pleine sur les dangers incarnés par Obama. Il n'avait jamais bien compris pourquoi tant de pauvres votaient à droite, alors que sous les Républicains les pauvres constituaient toujours la dernière roue du carrosse de l'État. Les pauvres sont invariablement trahis par l'Histoire, pensa-t-il en ressentant à la fois de la sympathie pour eux et de la compassion pour lui-même, car son propre intérêt pour l'Histoire semblait le trahir. Sur sa table basse il avait compté dix-neuf livres de nature historique, qu'il avait achetés mais pas encore ouverts. Autrefois, la lecture lui avait servi d'échappatoire à son boulot, mais à mesure que ses obligations professionnelles s'étaient réduites jusqu'à la fête organisée en l'honneur de son départ en retraite, son enthousiasme de lecteur avait lui aussi décru. En septembre, le dernier jour de la pêche à la truite, il avait pensé aux Étrusques tout en pataugeant dans une longue portion de la rivière Chocolay. Il perçut alors une odeur de marijuana avant de franchir une courbe de la rivière, puis surprit sur la berge deux jeunes couples qui buvaient de la bière et fumaient de l'herbe. Quand il sortit son badge, les filles se mirent à pleurer et les garçons blêmirent. Il les considéra froidement tandis que son esprit errait jusqu'à un petit musée étrusque que Diane et lui avaient jadis visité en Italie.

« Et merde, dit-il.

— Pourquoi merde ? croassa un adolescent tout en serrant sa copine contre lui.

— J'ai pas le temps de vous embarquer. Faut que j'aille pêcher. » Sunderson observait une truite qui montait à la surface pour se nourrir près d'un tourbillon. Comme Diane et lui avaient été heureux dans le musée étrusque Guarnacci à Volterra !

Il se bagarrait avec les cosses de pistache tout en roulant vers le sud depuis Willcox, au-delà des monts Dos Cabezas, vers les immenses et lugubres Chiricahuas situées plus loin au sud. Peut-être qu'éplucher des pistaches au volant était aussi dangereux que de se servir de son portable dans les encombrements. Son humeur inquiète et ses légères crampes d'estomac après ce petit déjeuner plus que copieux s'accordaient au temps, un vent violent venu du nord et une température ne dépassant pas les dix degrés dans cette vallée deux fois plus élevée que Tucson l'ensoleillée. Il n'arrivait apparemment pas à suivre la trace des bancs de nuages qui filaient au-dessus de lui et l'on aurait dit qu'il neigeait sur les cimes des Chiricahuas. Ses doutes venaient de la vive conscience qu'il avait de sa propre *hubris*, du saut qu'il ambitionnait d'accomplir depuis l'arrestation de jeunots amateurs d'herbe, de méth ou coupables de petits cambriolages, jusqu'à son enquête sur les méfaits de la religion, des crimes trop énormes pour qu'il ait le sentiment d'être en terrain connu. Son dernier cambriolage avant la retraite concernait un vieil homme dont on avait volé les deux bocaux de pièces jaunes, et le lendemain matin Sunderson avait coincé les lycéens coupables de ce larcin quand ils s'étaient présentés à la banque pour convertir leurs kilos de pièces en billets. C'était là un délit indéniablement non religieux.

Après une cinquantaine de kilomètres, il quitta la chaussée asphaltée pour s'engager sur un chemin de terre qui partait vers l'est et les Chiricahuas. La carte de Mappy était tout à fait claire et la vue aérienne de Google montrait un ranch plutôt déglingué, entouré de plusieurs corrals et d'annexes en mauvais état, mais il se demanda s'il s'agissait d'une photo récente. Une carte topographique aurait été plus utile, tout comme un 4×4, pensa-t-il, car les dix kilomètres de piste aboutissaient à un paysage de plus en plus chaotique. Il tourna à droite et parcourut presque deux kilomètres en direction du ranch, constatant que la vue aérienne ne donnait aucune indication sur la profondeur du canyon de part et d'autre de la piste, où la terre conservait des traces de circulation récente. Il se gara à côté d'un portail cadenassé en se sentant un peu nu sans son .38, resté dans le tiroir fermé à clef d'un bureau à Marquette, mais le Grand Maître Dwight s'était toujours montré assez amical, bien que légèrement distant.

Il escalada le portail, jambes flageolantes, et s'engagea sur la route, amusé par la similarité entre ce paysage et celui des westerns où les Indiens ou bien les hors-la-loi jaillissaient entre des rochers en carton-pâte tous identiques pour se mettre à tirer des flèches ou des balles sur Gene Autry ou Roy Rogers.

Il s'arrêta pour observer un grand rassemblement d'oiseaux divers parmi les buissons proches d'une petite source, en réalité un suintement sur la paroi du canyon, et puis il se fit littéralement lapider. Comme dans certains pays du Moyen-Orient, par exemple l'Arabie saoudite, où la malheureuse victime tente de se protéger le visage contre les pierres plutôt grosses qu'on lance sur elle.

DEUXIÈME PARTIE

Chapitre 6

Il essaya de retourner au pas de course vers sa voiture en se protégeant le visage et en jetant de brefs coups d'œil entre ses doigts, mais deux grosses pierres lui frappèrent les phalanges en un rien de temps, brisant un doigt, puis une autre atteignit l'arrière de son crâne, ce qui le mit à terre comme les arbres qu'il abattait jadis, et le sang jaillit aussitôt sur son col de chemise. En tombant, il se retourna pour tenter de voir ses assaillants, mais le sang qui coulait sur sa main lui brouillait la vue. Il tenta aussi de s'agripper au buisson qui avait grouillé d'oiseaux, mais les branches en étaient trop cassantes et minces pour ralentir sa chute, si bien que son visage percuta violemment le sol, il se fractura le nez et eut le souffle coupé. Il rampa à quatre pattes vers la forme vague de sa voiture, dans l'odeur cuivrée du sang qui ruisselait de ses narines. Les pierres continuaient de rebondir douloureusement sur son dos et ses mollets, puis un autre gros projectile percuta l'arrière de son crâne, si bien qu'il s'effondra une fois encore sur le ventre. Il comprit avec une certitude croissante qu'il allait mourir, mais il se redressa malgré tout et se remit à ramper lentement vers le portail ;

il réussit à se faufiler sous le ventail, après quoi les pierres cessèrent. Il entendit une voix, sans l'ombre d'un doute celle de Dwight, crier : « Allez-vous-en ! Ne revenez pas ! » À genoux près de sa petite voiture, il réussit à ouvrir la portière et tâtonna à l'intérieur à la recherche de sa bouteille d'eau, dont il versa le contenu sur son visage levé vers le ciel. Il se retourna et parvint à distinguer Dwight debout au loin entre les parois du canyon en compagnie d'une bonne dizaine de jeunes qui lui arrivaient en dessous de l'épaule. Il n'y avait que des filles et toutes portaient des jupes. Elles firent volte-face, puis retournèrent à pied vers le ranch.

Sunderson avait les mains trop poisseuses de sang et d'eau pour saisir les clefs de la voiture, mais il réussit à ouvrir sa valise et à s'essuyer les paumes sur un short. Convaincu de souffrir d'un traumatisme crânien, il se demanda s'il pourrait conduire. Il réussit à parcourir les dix kilomètres jusqu'à la route principale et il venait à peine de se garer sur le bas-côté quand il s'évanouit. Il eut le temps de remarquer qu'il était dix heures trente à l'horloge de la voiture, et quand il se réveilla à midi, la neige fondue crépitait contre les vitres du véhicule et les sommets des Chiricahuas étaient désormais presque invisibles. Il lui sembla que la partie de son cerveau située à l'arrière du crâne était déconnectée. Il y avait des éclairs, des tourbillons, des moments de douleur intense. Il prit son téléphone portable, mais en l'absence de tout signal il parcourut une trentaine de kilomètres vers le sud jusqu'à un village de ranchs minables appelé Elfrida, où il se gara près de la chaussée et s'évanouit encore. Il se réveilla un quart d'heure plus tard, son téléphone marchait et il appela sa sœur Berenice qui travaillait dans un salon de beauté. Il fallait toujours dire les choses deux fois à Berenice, et il avait bien du mal à parler entre ses lèvres tuméfiées et deux dents brisées qui saignaient. Il raconta qu'il était tombé dans un canyon et qu'il avait besoin d'une aide urgente. Il répéta son message et elle lui répondit qu'elle arrivait avec Bob, lequel pourrait ensuite conduire la voiture de Sunderson. Bob et elle avaient vécu des années à Rio Rico, près de Nogales, et elle connaissait une infirmière et un médecin à l'hôpital de la ville. Elle lui assura qu'ils arriveraient dans moins de deux heures.

Les lumières de son cerveau se remirent à faiblir tandis qu'assis il contemplait la neige fondue qui ruisselait sur le pare-brise. Il n'arrêtait pas de se dire, « Je n'ai aucune preuve », sans savoir très bien ce que son cerveau entendait par là. Jamais il ne s'était senti aussi étranger à sa vie. Il respirait l'odeur brûlée de la terre du désert, mais c'étaient les petits gravillons coincés dans ses narines après qu'il se fut étalé sur le chemin. Son esprit, pensa-t-il, signifiait sans doute par là que toutes les choses précieuses de l'existence se dispensaient de la moindre preuve. Puis il se dit que cette vérité était parfaitement inutile et il se retrouva à deux doigts de marmonner la prière de son enfance : « Maintenant allongé dans mon lit avant de m'endormir, je prie le Seigneur de veiller sur mon âme, et si je dois mourir avant le réveil, je prie le Seigneur de tenir mon âme en sa sainte garde. » Il ne réussit pas à trouver la force de prier, mais il s'étonna de se rappeler ces mots. Il regarda vers l'est et les contreforts des Chiricahuas qui disparaissaient à mesure que sa vision se troublait. Son esprit convoqua une carte dans un livre d'histoire, car c'était juste au-delà de ces montagnes, vers l'est, que Geronimo s'était rendu, dans Skeleton Canyon. Les Apaches étaient les gens les plus durs qu'on pût imaginer, mais ceux qui l'avaient lapidé n'étaient certes pas des enfants de chœur.

Un vieillard grisonnant qui ramassait des ordures au bord de la route le repéra et fut bien-tôt accompagné d'un adjoint du shérif local. Sunderson était à demi conscient quand le vaga-bond ouvrit la portière et s'écria avec une haleine plus fétide que le trou du cul d'un putois : « On dirait qu'un cheval t'a flanqué par terre avant de s'asseoir sur ta gueule ! » L'adjoint se montra froid et distant, c'était apparemment un bleu qui essayait de suivre la procédure indiquée par le manuel de police, mais dans le cas présent en l'absence de toute procédure claire, il se montrait hésitant et effrayé par l'aspect de Sunderson.

« Je suis tombé à plat ventre dans un canyon pentu », siffla-t-il entre ses dents brisées et ses lèvres tuméfiées. Il montra ses papiers d'identité, y compris son badge de la police du Michigan. Il était déçu qu'il fût déjà deux heures de l'après-midi. Qu'avait-il donc fait tout ce temps-là ?

« Monsieur, nous devons vous emmener à l'hôpital. »

À cet instant précis Berenice et Bob arrivèrent dans leur Escalade. Comme sa mère, Berenice était une femme potelée à l'esprit carré. Elle prit les choses en main.

Chapitre 7

Ce fut seulement au soir de son cinquième jour à l'hôpital de Nogales que Sunderson sentit qu'il avait désormais une petite intuition de l'homme qu'il était, même s'il doutait fort de l'importance de cette intuition. La grosse pierre qui l'avait frappé derrière le crâne avait provoqué un hématome sous-dural, ainsi qu'une fracture avec déplacement minime qui n'exigerait vraisemblablement aucune intervention chirurgicale. Les symptômes les plus aigus de son état post-traumatique étaient plus vagues : angoisse et dépression, incapacité à se concentrer, et perte marquée de l'équilibre quand à pas lents il rejoignit une porte dérobée pour fumer une cigarette. Un autre fumeur, un infirmier mexicain, montra le sud de l'hôpital et dit à Sunderson qu'il était tout près de la frontière. Tel était l'aspect le plus positif de son agression, car presque tous les employés de cet hôpital parlaient espagnol entre eux, si bien qu'il n'avait pas à se creuser les méninges pour les comprendre, un effort qui de toute façon le dépassait. Et puis il aimait la pure musique de cette langue. L'un des seuls souvenirs qu'il réussit à convoquer fut celui de son ami mexicain à Francfort disant « *Holà* » et Sunderson marmonnait

« *Holà* » à quiconque entrait dans sa chambre. Il se heurtait malgré tout à un léger problème : ni le médecin urgentiste ni celui que Berenice lui avait trouvé ne croyaient qu'une simple chute avait occasionné ses blessures. Ils refusaient de dire pourquoi et Sunderson n'en avait rien à foutre. Que pouvaient-ils faire ? Continuer à le lapider ? Quand une aide-soignante bien en chair l'avait aidé à prendre sa douche, elle avait chuchoté sans arrêt « *Muy malo* » tandis qu'il se regardait dans un miroir en pied et constatait *de visu* que la principale couleur de son corps était le bleu.

Autre léger problème, le troisième jour un flic en civil lui rendit visite. Comme Sunderson avait les oreilles qui sifflaient, il n'entendit aucun des mots prononcés par ce flic pour se présenter. L'homme était petit et trapu, d'origine mexicaine, il semblait aussi musclé et dangereux que certains inspecteurs de Detroit qui côtoyaient la mort au quotidien. Quand il demanda à voir ses pièces d'identité, Sunderson répondit qu'elles étaient sous clef dans le tiroir de sa table de chevet. Sunderson tripota en vain la serrure du tiroir, le type lui dit « Peu importe », avant d'ajouter qu'il avait déjà lu le rapport de l'adjoint au shérif du comté de Cochise.

« Vous faisiez quoi là-bas ?

— Je rendais visite à ma mère à Green Valley.

— Et que faisiez-vous près d'Elfrida ? Personne ne va à Elfrida sauf pour de bonnes raisons.

— Je me baladais. J'adore l'histoire. Je voulais voir l'endroit où Geronimo s'était rendu.

— Arrêtez vos conneries. Selon la police du Michigan vous avez pris votre retraite la semaine dernière. Beaucoup de flics en retraite depuis peu ont des comptes à régler avec quelqu'un. C'est pas votre cas ?

— Non.

— Rien à voir avec la drogue ou des problèmes d'immigration clandestine ?

— Non.

— Le médecin m'assure que vous n'êtes pas tombé dans un canyon. Les paumes de vos mains sont intactes. Si vous étiez tombé, vous vous seriez écorché les paumes pour tenter d'amortir votre chute.

— On s'en fout, non ? » Sunderson regarda un joli vautour passer devant la fenêtre.

« Pas moi. Ici, c'est chez moi. Il me serait facile de vous expédier ailleurs.

— J'enquête sur une secte. La fille d'un ami a perdu pas mal d'argent à cause de cette secte.

— Oh, putain ! » Le flic lâcha un grand rire. « Ces cinglés d'enfoirés occupent tout l'Arizona. Ils ont sans doute claqué ce pognon pour acheter des légumes.

— Sans doute que oui. » Sunderson fut soulagé par la réaction de son interlocuteur.

« Eh bien, bonne continuation, dit l'homme en se levant pour partir. De toute évidence, les membres de votre secte manquent d'humour. Si vous descendez quelqu'un, vous n'aurez pas droit au traitement de faveur réservé aux inspecteurs de police. Dans le coin, même les sectes sont armées jusqu'aux dents. Au moins, la plupart d'entre elles ne s'occupent pas de la drogue. Je crois que leur drogue c'est la religion, vous voyez, l'opium marxiste du peuple. »

Après le départ du flic, Sunderson regretta d'avoir dû s'expliquer, même laconiquement, mais c'était par courtoisie entre collègues. Il se sentait déjà trop vieux pour un authentique bras de fer et il n'avait plus aucune envie d'affronter le Grand Maître.

Son plus gros problème, c'était Berenice qui lui rendait visite deux fois par jour. Quand il lui annonça qu'un jour sur deux suffirait amplement, elle fondit en larmes. Bob traînait dans le couloir, et Sunderson ajouta qu'elle ne devrait pas venir avec son *connard* de mari. « Vu mon état, tout me flanque la migraine.

— Je suis vraiment désolée pour toi, mais voilà que maman vient d'avoir une petite attaque. Quand elle parle, elle a du mal à articuler.

— Elle a quatre-vingt-cinq ans et elle picole trop.

— Ça n'arrange rien. »

Il lui dicta un mail pour Mona, disant : « J'ai été blessé. Je me rétablis vite. Je te contacterai dans quelques jours. N'envoie rien à Berenice. » Il ne voulait pas que sa sœur lût les infos rassemblées par Mona. Dès sa sortie de l'hôpital, il se rendrait dans un cybercafé.

Chapitre 8

Au cours des sept jours et des sept nuits passés à l'hôpital, rien ne changea vraiment en lui. Il s'aperçut surtout de son âge, une sensation qui avait jusque-là rôdé à la périphérie de sa conscience et qui lui tombait maintenant dessus avec toute la force écrasante « d'un tombereau de briques », comme on dit. Le médecin l'avait averti de certains symptômes post-traumatiques, mais Sunderson avait surtout retenu les mots « dépression » et « amnésie ». Il se concentrait sur une aide-soignante qui venait de lui prendre la température et la tension avant sa sortie définitive. Elle s'appelait Melissa et durant tout son séjour il avait attendu avec impatience ses visites qui avaient lieu plusieurs fois par jour. Lorsqu'elle n'était pas venue la veille, il avait un peu pleurniché, car elle incarnait vraiment son seul contact réel avec la vie. Elle parlait anglais avec un accent prononcé et lui avait montré une photo de sa fille âgée de trois ans qui portait de minuscules boucles d'oreilles, manifestement une coutume locale, du moins le pensa-t-il. Tout le personnel savait qu'il était inspecteur de police, et elle lui apprit que son mari avait été un *narcótico*, assassiné l'an passé. Tous les jours, dès qu'elle quittait la chambre, il se sentait déprimé. Sunderson était trop timide pour lui demander son nom de famille ou son numéro de téléphone. Elle se montrait amicale, mais selon lui elle ne voudrait pas se lier davantage à un vieux chnoque couvert de bleus. Ils parlaient surtout de la pêche et de la préparation des poissons. Le père de Melissa, un ancien instituteur d'Hermosillo, les avait souvent emmenés pêcher, son frère et elle, près de Guaymas. Elle aimerait bien, dit-elle, lui préparer un bar avec du citron vert, de l'huile et de l'ail, mais quand il signa son bon de sortie il n'avait plus aucun moyen de la contacter. Où était donc passée cette débrouillardise légendaire qui avait accompagné toute sa carrière d'enquêteur ? Il ne restait plus en lui la moindre trace de ses anciens talents. Avec les grandes souffrances physiques ou mentales, quand les deux ne se conjuguent pas en cette détresse profonde qu'il connaissait désormais, arrive l'humilité, non pas l'humilité vertueuse mais seulement celle du chien qui, percuté par une voiture, se traîne à l'écart de la route jusqu'à un fossé pour tenter d'éviter un nouvel accident.

En vue de la convalescence de son frère, Berenice avait trouvé un appartement au-dessus d'un garage dans le nord-est de Nogales, non loin de la route de Patagonia. La maison appartenait à un couple âgé du Minnesota, dont Sunderson attendait les pires tracasseries, mais qui se révélèrent être de grands amateurs d'oiseaux ainsi que des photographes de la nature, et qui tous les jours de la semaine sauf le dimanche partaient de l'aube au crépuscule. Les murs du petit appartement étaient couverts d'une surabondance de leurs clichés, si bien que l'effet global était un peu scabreux, d'autant que le clou de cette collection était l'image d'un énorme serpent à sonnette sauvage tenant un pic-vert dans sa gueule, l'oiseau regardant l'appareil photo comme s'il réclamait une explication, une métaphore un peu trop facile de sa propre situation, du moins Sunderson le crut-il. Sans vraiment oser se l'avouer il se savait dépourvu de tout objectif clair, sinon qu'il ne pouvait pas prendre la poudre d'escampette sans demander son reste. Et puis rôdait un mystère majeur : qu'étaient donc censés faire les retraités toute la sainte journée ? lire et boire ? s'inscrire aux Alcooliques anonymes ? apprendre à cuisiner ? Une des conséquences du divorce avait été l'absence des bons petits plats de Diane, qui lui manquaient affreusement. Il avait envisagé de prendre des cours, mais tant Marion que Mona cuisinaient bien et ils lui avaient proposé leurs lumières. En attendant, il sentait qu'il devait au moins rester en Arizona avec sa mère pour Thanksgiving et jusqu'à ce que son esprit blessé se rétablît. Dans la minuscule partie de son crâne qu'il appelait son cerveau reptilien, il nourrissait le fantasme d'abattre Dwight d'une balle en pleine tête à une distance de cinq cents mètres avec un fusil Sako. Ce salaud ne l'aurait pas volé.

Berenice l'emmena chez le dentiste se faire arracher les deux incisives brisées, et dans l'immédiat après-coup de l'extraction sous anesthésie locale il écouta les messages de son téléphone portable. Lucy l'avait appelé, bien sûr en larmes et passablement ivre, pour dire que sa compagnie lui manquait, ce qui paraissait improbable. Diane, son ex-femme, avait laissé un message disant que son mari malade et elle-même revenaient s'installer à Marquette. Le nouveau mari avait une espérance de vie de moins d'un an et il désirait être dans sa ville natale où il pourrait se faire soigner par des médecins qu'il connaissait et en qui il avait toute confiance. Marion demandait si Sunderson voulait qu'il lui envoie certains livres de la pile de ses récents achats, et attendait son appel. Le message de Mona, assez confus, disait qu'elle avait vécu « un désastre » et qu'elle lui avait envoyé des explications par FedEx avec de nombreuses infos sur la secte. Elle avait aussi prié Odin pour un prompt rétablissement de Sunderson. Cette dernière nouvelle le laissa sur le cul, mais il se rappela alors qu'il y avait tout un fatras de statuettes de divinités exotiques sur la commode de sa chambre. Beaucoup venaient d'Extrême-Orient, et il s'interrogea alors sur l'attirance des jeunes pour l'Inde et le Tibet.

Berenice étant occupée à examiner des plantes dans le jardin, il lui demanda d'aller récupérer les informations de Mona sans traîner. Comme de juste, les larmes envahirent les yeux de Berenice et elle rougit de colère, mais c'était de la frime entre un frère et une sœur qui avaient chacun passé leur enfance à *fouiner* dans les affaires de l'autre. Il y avait trois chambres à coucher au premier étage de la maison, les parents devant, ensuite Berenice et Roberta, enfin le petit Bobby et lui-même derrière. Berenice et Roberta avaient un passe-partout et gardaient leur porte fermée à clef, mais dans le tiroir de leur papa, Bobby avait

146

trouvé un autre passe, et ainsi, en lisant le journal intime de Berenice ils avaient découvert qu'elle avait perdu *sa cerise* le soir où, en première année de fac, on l'avait couronnée reine de l'université. À cette époque, Sunderson était en deuxième année et Bobby, de cinq ans son cadet, en classe de troisième. Lorsqu'il avait demandé, « C'est quoi, une cerise ? » Sunderson ne lui avait rien répondu. Les enfants de cette famille étaient arrivés en deux vagues, la dernière constituée de Roberta et puis, un an plus tard, Bobby, après que papa eut renoncé à travailler comme bûcheron en forêt pour conduire un gros engin de chantier et toucher le salaire relativement meilleur payé par l'usine de pâte à papier. Lorsque le jeune Sunderson taquina Berenice sur la perte de *sa cerise*, elle riposta en lui chipant son paquet volé de préservatifs Trojan pour le placer au centre de l'assiette de leur mère lors du petit déjeuner du dimanche matin, ce qui occasionna bien sûr une scène mémorable.

Sunderson repensa à sa famille en attendant le retour de Berenice. La gorge serrée, il se rappela Roberta poussant Bobby dans son chariot rouge vers le sommet de la colline pentue, après qu'il eut perdu sa jambe et avant l'arrivée de la prothèse.

Assis sur une chaise de jardin, Sunderson fit semblant de dormir quand Berenice revint avec une enveloppe. Il fut soulagé lorsqu'elle repartit. Cette enveloppe resta close cinq jours pour deux raisons qui tournaient à l'obsession, la première étant l'éloignement forcé de sa terre natale, un mal du pays encore aggravé par son déplorable état mental et physique. Il n'avait aucune solution à ce problème, surtout pas la vengeance, un mot à ses yeux beaucoup trop pompeux et luxueux. Sa seconde obsession s'appelait Melissa, mais il n'avait aucun indice pour la retrouver en dehors de son aspect physique et de son léger zézaiement. Peut-être jolie, elle était néanmoins assez peu séduisante, un peu potelée comme tant de femmes chicanos des environs. Il tenta de s'imaginer en père de la fille de Melissa, mais n'y réussit pas. Au bureau, Roxie lui avait conseillé de se remarier afin qu'après son décès sa veuve pût toucher une partie de sa retraite. Telle était la mentalité de la Péninsule Nord. Ce n'était pas une région prospère, et la moitié de la population sans doute ne bénéficiait pas de la sécurité sociale. Un ami pêcheur atteint de la maladie de Charcot, la sclérose latérale, s'était tiré une balle dans la tête pour laisser un peu d'argent à son épouse.

Sunderson se laissa pousser la barbe afin de cacher un visage qu'il ne comprenait plus à cause de toutes ces ecchymoses bleues et jaunâtres. Le cinquième matin après la livraison de l'enveloppe de Mona, il suspendit une serviette devant le miroir du meuble de la salle de bains pour ne plus voir son reflet. Il sortit s'asseoir sur la chaise de jardin afin de prendre son café et découvrit avec surprise que son propriétaire, au lieu d'être parti vagabonder dans la nature, ôtait les mauvaises herbes de ses parterres fleuris. L'homme lui expliqua que sa femme était malade à cause de la chimiothérapie qu'elle devait faire, car elle avait « le cancer » ainsi qu'il le formula en insistant sur « le », une habitude de langage remarquée par Sunderson dans tout le nord du Middle

West, comme si le cancer était un fléau monstrueux et non, plus simplement, une prolifération cellulaire cauchemardesque.

« Malgré ce qu'on vous a fait subir, dit Alfred, vous devriez marcher tous les jours, si vous ne voulez pas devenir un légume.

— C'est sans doute vrai. » Sunderson constata avec plaisir qu'il ne sentait pas la moutarde lui monter au nez comme chaque fois qu'on le gratifiait d'un conseil personnel.

« Ici, en comparaison du Middle West, nous vivons en plein ciel. Il faut aider vos poumons à s'y habituer. Et quand on habite l'arrière-pays, on envisage très vite d'acheter un pistolet. »

Sunderson acquiesça d'un signe de tête, puis Alfred s'éloigna. Après s'être baladé presque quarante ans avec un pistolet, on n'a pas forcément envie de continuer. Marion pourrait sans doute lui expédier son arme avec les livres, mais ce serait peut-être illégal. Il ne se rappelait plus. Sunderson ne s'était jamais intéressé de près à la législation sur les armes à feu, mais il soutenait l'interdiction des armes automatiques et il était convaincu que les États-Unis se porteraient mieux si, comme au Canada, on interdisait les armes de poing. En définitive il s'en fichait comme de l'an quarante, mais selon toute probabilité s'il avait tiré un coup de feu en l'air en guise d'avertissement, ces gamines auraient cessé de le caillasser. Une fois de plus, il se dit que sur aucun sujet on ne pouvait aboutir à une conclusion incontestable.

Sauf sur la faim. Ayant peu mangé, il se sentit pris de faiblesse et il rentra réchauffer la soupe aux lentilles que Berenice lui avait préparée. Il mit la casserole sur la cuisinière, s'assit à la table de la kitchenette et ouvrit enfin l'enveloppe contenant les infos de Mona. En haut de la pile de papier trônait un mail de Lucy, à qui il avait donné l'adresse de Mona pour rester en contact avec lui. « Votre idée consistait à essayer de me baiser avant de m'oublier. Vous êtes un sale type. Toute à vous, Lucy. » Ce message le plongea dans la confusion, car suite à la gravité de son traumatisme il souffrait de pertes de mémoire qui, selon le médecin, seraient seulement temporaires. En revanche, la lettre de Mona expliquant son « désastre » pénétra au plus profond de son cerveau meurtri. Mona était tombée amoureuse d'un frère et d'une sœur, et sa mère qui lui avait fait la surprise de revenir chez elle sans prévenir avait découvert les trois jeunes au lit en train de faire des galipettes. Elle leur avait tapé dessus à coups de balai. Le clou, c'était que la mère de Mona tenait à ce que sa fille voie un psy à cause de sa *perversion*. Sunderson fit un gros effort pour se sentir scandalisé, mais pour la première fois en deux semaines il fut plutôt excité. Il n'avait pas osé penser sexuellement à Melissa, car il tenait à cultiver un amour éthéré pour mieux supporter sa déception si jamais elle lui refusait un rendez-vous.

Il dégusta à petites gorgées la soupe de Berenice, dépourvue de tout assaisonnement, tout en feuilletant la liasse des papiers consacrés à la secte, des informations que Mona avait trouvées sur Internet. On y apprenait des choses assez bizarres, mais rien qui attire vraiment son attention. Sur un coup de tête il téléphona à un sympathique infirmier de l'hôpital, un certain Giacomo, ce qui n'était pas un prénom mexicain ; lors de leurs brèves discussions dans la chambre d'hôpital, il lui avait confié qu'on l'avait appelé ainsi en hommage à un gros propriétaire terrien de Tucson qui au cours des années quatre-vingt avait aidé ses parents quand ils s'étaient installés dans le nord. Giacomo répondit qu'il ne connaissait pas le numéro du portable ni celui du fixe de Melissa, ce dernier étant sur liste rouge car le frère de Melissa était un important *narcótico* impliqué dans la guerre entre les cartels, et le bruit courait qu'il avait tué le mari de cette dernière à cause d'un deal foireux. Sa fille et elle couraient en permanence le risque d'être kidnappées, le prénom Melissa était une pure invention, et il n'avait aucune idée de son vrai nom. Elle n'était pas venue travailler ce jour-là.

Assis devant sa soupe insipide, Sunderson sentit son esprit confus se liquéfier encore un peu plus. L'image de Mona au lit avec un frère et une sœur dériva vers Melissa et son bébé surveillés par Daryl, le nouveau pseudonyme de Dwight selon Mona.

On frappa à la porte. C'était Alfred, qui donna à Sunderson une carte en disant qu'il y avait signalé quelques endroits des environs où faire des promenades intéressantes. Alfred l'invita ensuite à se joindre à sa femme et à lui pour dîner dans leur restaurant mexicain préféré. Sunderson voulut d'abord refuser, mais, incapable de trouver la moindre raison valable, il accepta. Après le départ d'Alfred, il remarqua en tirant sur la ceinture de son pantalon qu'il avait maigri. Il avait sans doute perdu cinq ou six kilos en presque deux semaines depuis sa lapidation, mais cette perte de poids était en partie due au fait que dans sa confusion il avait oublié de boire une seule goutte d'alcool pendant presque deux semaines, alors que depuis son entrée à l'université il n'avait jamais laissé passer une seule journée sans descendre au moins un verre. Il téléphona à Marion en sachant très bien que c'était l'heure du déjeuner dans son collège.

« Je n'ai pas bu une goutte d'alcool depuis douze jours, annonça-t-il.

— Arrête tes conneries, dit Marion en éclatant de rire.

— C'est vrai. En fait, j'ai oublié de picoler à cause de ce qu'ils appellent mon état post-traumatique.

— Je parie que cette année tu vas aussi louper la saison de la chasse au chevreuil à mon chalet ? » Les deux hommes ne chassaient jamais pour de bon, à moins qu'un chevreuil ne s'approche du bloc de sel illégal accroché dans la clairière.

« Je ne peux pas prendre la poudre d'escampette après m'être fait casser la gueule, ce qui est un euphémisme.

— Si tu descends Dwight, tu passeras le restant de tes jours en prison. Il paraît qu'on y mange mal.

— Il s'appelle Daryl maintenant.

— Je sais. J'ai dîné avec Mona. Elle a des problèmes avec sa mère.

— C'est ce qu'elle m'a dit. Tu crois qu'elle est lesbienne ? » Sunderson y réfléchissait depuis un certain temps.

« Peut-être. Qui sait ce que tu es à seize ans ? Au même âge mon prof de musique me taillait

152

des pipes, et je suis devenu hétéro. » Marion éclata d'un grand rire. « Il suçait vraiment bien.

— Tu es un homme qui a beaucoup d'expérience. J'ai pensé que tu pourrais m'envoyer quelques bouquins. Sur la table basse, il y en a vingt-neuf que je n'ai pas encore lus. Envoie-m'en sept choisis au hasard. Sept, c'est mon chiffre porte-bonheur. »

Sunderson raccrocha après qu'ils eurent évoqué les conséquences probables du retour de Diane en ville. Il n'y en avait aucune, hormis un pincement de cœur lorsqu'il la croiserait. Quand il se leva de table, il eut du mal à tenir debout, et il se rassit pour finir la soupe tiède, qu'elle lui plaise ou non. Ce qui lui aurait vraiment fait plaisir c'était une sieste, mais la matinée n'était même pas terminée. Une sortie s'imposait. Il déplia la carte d'Alfred et se sentit requinqué en découvrant l'endroit où il se trouvait. Il y avait un bourg appelé Patagonia, à une vingtaine de kilomètres de là, dont le nom résonnait dans sa mémoire. Les guerres de Cochise, qui durèrent trente ans, avaient commencé à cinq kilomètres au sud-ouest de cet endroit. Un rancher pauvre prétendit que les Apaches avaient kidnappé son enfant, ce qui se révéla mensonger, mais les guerres n'en continuèrent pas moins. Ce fut un peu comme Bush convaincu que la guerre en Irak était la volonté de Dieu. Le côté violemment irrationnel de l'espèce humaine continuait d'irriter les plaies du cerveau de Sunderson, tandis qu'il roulait vers la communauté montagnarde de Patagonia.

Sa promenade fut décevante. Il trouva un endroit qu'Albert avait signalé sur la carte, la petite route de Red Mountain, mais la pente relativement faible fut pour lui un calvaire. Il fit donc demi-tour, franchit le portail d'un enclos à bestiaux, puis parcourut environ quatre cents mètres à pied, plongé dans ses pensées, jusqu'au moment où il faillit tomber dans un trou dissimulé par quelques buissons. Ce trou abritait un tuyau d'environ un mètre de diamètre qui menait tout droit au centre de la terre, du moins le crut-il. Citoyen de la Péninsule Nord, il était habitué au paysage dévasté un siècle plus tôt par les grandes entreprises minières. C'était l'endroit rêvé où se débarrasser du corps de Dwight-Daryl si jamais l'occasion se présentait. Cette pensée lui donna des sueurs froides et, en retournant vers sa voiture, il comprit qu'il avait sous-estimé sa colère après avoir été presque lapidé à mort.

Il s'arrêta à Patagonia et savoura un grand bol de *menudo*, le ragoût de tripes que Melissa lui avait conseillé de manger tous les jours pour retrouver des forces. Comment faire autrement ? N'ayant jamais mangé de tripes auparavant, il n'était pas certain d'apprécier ce plat, mais le problème n'était pas là. La serveuse, grosse et adorable, lui apprit que l'os du ragoût était un pied de veau, ajouté pour son goût succulent. Il rumina cette idée, que les femmes mexicaines l'attiraient parce qu'il n'en avait aucune expérience. On en voyait de temps à autre à Marquette, surtout des étudiantes de l'université du Nord-Michigan, mais il n'en avait jamais fréquenté aucune. Un barman de Marquette qui avait vécu au Mexique lui dit que les femmes de là-bas baisaient jusqu'à ce que vos oreilles s'envolent, mais on ne pouvait jamais faire confiance à un barman, c'était bien connu. Les fondements des fantasmes masculins étaient parfaitement ridicules, pensa-t-il en imaginant des oreilles voletant à travers les airs comme des étourneaux.

Dans la rue, il décida que ce village lui plaisait. Il consulta une nouvelle fois la carte d'Alfred et revint sur ses pas, s'arrêtant d'abord dans un bar, le Wagon Wheel Saloon. Il lui semblait important de ne pas repousser davantage son retour dans le monde de l'alcool. Un type âgé derrière le comptoir, sans doute le propriétaire, parut le repérer aussitôt *en tant que flic*, et même en tant que flic à la ramasse. Sunderson descendit son double whisky canadien, puis emporta sa bière dans la zone fumeurs de la cour arrière. Les habitants de l'Arizona avaient été incapables de freiner leurs mauvaises habitudes en public, sauf le tabagisme ; d'ailleurs, Berenice lui avait demandé de ne pas fumer sous son toit. Il était donc sorti et sa mère lui avait piqué une clope. Il était merveilleux de regarder une femme de quatre-vingt-cinq ans fumer une cigarette. Toute sa vie, la mère de Sunderson avait arrêté de fumer et, selon Berenice, elle était descendue à quelques cigarettes par semaine.

Il y avait là une tablée d'ouvriers du bâtiment, des gringos et des Mexicains, qui buvaient plutôt qu'ils ne mangeaient et qui firent silence dès l'arrivée de Sunderson dans la cour. Était-il si peu discret avec sa vieille veste sport kaki que Diane lui avait achetée chez Orvis et qu'il avait portée jusqu'à ce qu'elle devienne une vraie loque ? Qu'ils aillent se faire foutre, pensa-t-il en s'installant à la table en plastique la plus éloignée de la leur. Il se concentrait exclusivement sur les particularités des

Mexicaines. Il avait remarqué que, jusqu'à sa jeune voisine Mona, les femmes avaient un sens de la réalité stupéfiant et étonnamment varié, mais qui ne collait jamais avec le sien. Autrefois, Diane achetait chez le marchand de journaux l'édition dominicale du *New York Times*, qui arrivait le lundi. Elle était par ailleurs abonnée au *New Yorker*, mais aucune de ces deux publications n'intéressait Sunderson, car, à ses yeux, leur manquait la permanence des livres. La dernière chose qu'il désirait dans la vie, c'était d'être à la page. Malgré les supplications réitérées de Diane, il n'avait jamais mis les pieds à New York et elle prit l'habitude de s'y rendre tous les deux ans avec des amies. Il était parfois un raseur si buté que lui-même n'en revenait pas. Quoi de plus normal si Diane s'était fait la malle ?

Le double whisky et la bière mexicaine furent plus que suffisants et ce fut d'un pas légèrement vacillant qu'il sortit du Wagon Wheel. Au volant de sa voiture, il s'engagea sur une petite route en gravillon, signalée sur la carte d'Alfred après un long terrain appartenant à la Protection de la Nature, ralentissant pour regarder un jeune homme aux cheveux clairsemés monter sur un tracteur, mettre un chapeau de cow-boy avachi et commencer à tondre un grand champ d'herbe. Sunderson continua, enchanté par cette promenade. À gauche, des bois assez denses bordaient une rivière, à droite une succession de petits canyons aboutissaient aux montagnes. Il adorait les routes couvertes de gravillon, car elles lui rappelaient sa jeunesse et une époque où il y en avait davantage. Les routes en gravillon étaient plus praticables en hiver, car elles offraient davantage de prise aux pneus à travers la neige. Il tourna à gauche pour retrouver la grand-route, mais s'arrêta devant une énorme flaque d'eau à l'endroit où la route traversait le lit de la rivière, et il se demanda si sa petite voiture lui permettrait de passer le gué en toute sécurité. Sur la droite, à moins de cinquante mètres, un homme lançait de la nourriture à un groupe de corbeaux, depuis le patio d'une maisonnette presque entièrement cachée dans un bosquet de bambous et d'arbres. Sunderson fut aussitôt submergé par le mal du pays, car Marion et lui ramassaient les animaux tués sur la route quand leur viande n'était pas trop faisandée, puis ils les hissaient sur une plate-forme à la lisière de la forêt, près du chalet de Marion. Les corbeaux se tenaient à l'affût et arrivaient bientôt.

« Restez sur votre droite et vous allez y arriver ! cria l'homme.

— Merci. Vous leur donnez quoi à manger ?

— Des tripes. Ils adorent ça !

— Moi-même je viens d'en manger. » Sunderson agita la main, remonta dans sa voiture, puis traversa lentement la rivière pour éviter que l'eau ne submerge son moteur.

De retour à l'appartement, il s'offrit une somptueuse sieste d'une heure, interrompue en son milieu par un appel de sa mère, au comble de la fureur.

« Cette petite salope de Berenice m'a piqué mes cigarettes », lui cria-t-elle presque, d'une voix rendue légèrement pâteuse par sa récente attaque. « Elle m'a aussi piqué mes clefs de voiture, bordel ! » Sa mère jurait seulement quand elle était très en colère.

« Calme-toi. Je passerai avec des clopes dans la matinée. » Le moment était venu de prendre quelques notes dans son calepin.

1. Je me dis soudain avec inquiétude que ma traque de Dwight-Daryl a un motif religieux, même infime. Je préfère croire qu'il s'agit strictement d'une affaire de police, mais ce n'est plus mon boulot. Je suis moralement indigné, ce qui confère une dimension quasi religieuse à mes efforts. C'est un peu gênant.

2. L'état post-traumatique s'accompagne de nouveaux souvenirs, comme si des paquets de neurones étaient réactivés. Ma mère à l'hôpital juste après la naissance de Bobby. Papa parti avec son ami Big Frank à Trenary pour récupérer une tête de truie et préparer ce qu'ils appelaient *souse*, ou fromage de tête. Je me rappelle que j'étais installé sur la banquette arrière de la vieille Dodge avec Berenice. C'était une froide journée de novembre, ils venaient de tuer la truie chez le fermier, et j'ai tapé du talon sur une flaque gelée de sang de cochon jusqu'à ce que la glace se brise. De retour chez Frank, ils ont fait bouillir l'énorme tête dans une grosse marmite au-dessus du feu. Je me rappelle avoir pleuré chez le fermier parce que je n'étais pas assez costaud pour lever cette tête. Ils l'ont faite bouillir tout l'après-midi, puis ils l'ont découpée avant de mettre les morceaux dans la casserole avec le liquide, et le lendemain ça ressemblait à de la gelée à la viande de porc et ça avait bon goût.

Sunderson prit une douche, réchauffa du café, puis se changea en vue du dîner avec Alfred et son épouse. Il voulait aller à Tucson le lendemain matin pour acheter un pistolet et en chemin laisser des cigarettes à sa mère. À quoi bon priver d'un menu plaisir une femme de quatre-vingt-cinq ans ? Tous les habitants de ce continent passent leur temps à se harceler les uns les autres, sans parler des enfants et des animaux.

S'il n'avait pas eu la mauvaise idée de se regarder dans le miroir en pied de la salle de bains, la bonne humeur consécutive à sa sieste bénie aurait duré. Bon Dieu. Quel péché ai-je donc commis pour me retrouver couvert de bleus ? Je me suis bel et bien fait lapider. Il préféra ne pas se retourner pour éviter de découvrir d'autres marques bleu foncé et d'un jaune répugnant. Histoire de se changer les idées, il parcourut l'épaisse liasse de papiers envoyés par Mona sur les sectes aux États-Unis, soudain submergé d'humilité face à la tâche gigantesque qui l'attendait. Mona avait ajouté une note qui lui avait échappé lors de sa première lecture. Elle était entrée en contact avec une ancienne membre de la nouvelle commune fondée en Arizona par Daryl (alias Dwight) et baptisée Yahweh Kwa. Cette femme adorait « les aventures spirituelles », mais trouvait un peu raides les droits d'inscription de vingt mille dollars exigés par Daryl. Cet argent était destiné à bâtir une *kiva* et des cabanes de berger en pierre dans le style basque et apache, où vivraient les membres de la secte. Deux cents personnes seulement seraient autorisées à habiter ce village spirituel. Les travaux avaient déjà commencé, et cette femme se plaignait de ce que les toilettes et les douches étaient en plein air, sous prétexte qu'il

159

n'y avait aucune honte à être un mammifère spirituel. Elle refusait l'idée de « faire caca » en public et de vivre sous une tente jusqu'à l'achèvement de sa hutte en pierre. Selon elle, par les nuits d'hiver en Arizona à presque deux mille mètres d'altitude, la température descendait en dessous de zéro, malgré l'immense feu de mesquite qu'entouraient les tentes. Le régime alimentaire pour l'hiver serait « apache naturel », soit du mouton et du bœuf, alors que cette femme était végétarienne, ce qui devait constituer le régime alimentaire de l'été. Autre objection, les cent niveaux d'accomplissement spirituel décrétés par Daryl, qui resteraient non écrits et à l'entière discrétion de ce dernier. À Berkeley le Grand Maître avait passé des années à la bibliothèque de l'université de Californie pour ses recherches sur les principales religions du tiers-monde, et il était parvenu à définir ces cent niveaux. Toutes les semaines aurait lieu une danse rituelle autour d'un feu dantesque et Daryl présenterait le défi spirituel de la semaine en cours. Le village de Yahweh Kwa serait à l'abri de toute intervention possible du gouvernement, car il était situé sur le terrain de l'illégale *Gadsden Purchase*, que Daryl contestait devant un tribunal fédéral.

Les conneries du même tonneau continuaient sur ce mode abracadabrantesque, sans oublier le fait que plus de la moitié des membres de la secte étaient des étudiants diplômés. Sunderson éclata d'un grand rire, son premier en deux semaines depuis son « accident », et l'espace d'un instant, il oublia qui au juste était à l'origine de ses blessures presque mortelles. Le médecin de Nogales s'était inquiété de certaines palpitations cardiaques baptisées tachycardie, mais après quelques jours elles disparurent d'elles-mêmes. Ce médecin avait évoqué l'implantation sous-cutanée d'un pacemaker, et malgré son état semi-comateux cette perspective l'avait fait grincer des dents. Rétrospectivement, il avait eu tort de s'inquiéter, mais il entretenait cette mauvaise habitude de se faire du mauvais sang pour des problèmes déjà résolus. Lui manquait l'influence apaisante de son ami Marion, et il se demanda pour la millième fois s'il ne serait pas plus calme s'il ne buvait pas autant, une habitude qui s'était encore développée après le départ de Diane. La seule pensée de renoncer à l'alcool lui donnait l'impression que la vie allait le doubler.

Il tira sa chaise jusqu'à une fenêtre donnant au sud-est en essayant de chasser cette idée obsédante selon laquelle il devait tout simplement abattre Dwight-Daryl et puis rentrer chez lui. Comme c'était tentant ! En un éclair, son corps toujours très douloureux lui avait fait prendre conscience de son âge. Dwight-Daryl lui rappelait une chose qu'il avait entendue sur la station NPR. Quelque part en Amérique du Sud vivait une redoutable espèce de mille-pattes long d'une trentaine de centimètres qui restait accroché au plafond des cavernes à chauves-souris et boulottait ces innocentes bestioles pour son dîner.

Derrière la fenêtre, à quelques kilomètres au sud-est, un jet atterrissait à l'aéroport international de Nogales. Pourquoi construire un aéroport près d'une montagne ? s'étonna Sunderson. Mais il y avait très peu de terrains plats dans les environs. Partout, la substance de la terre se dressait sous forme de collines rocheuses et de montagnes, ce qui donna le vertige à Sunderson. Pourquoi des Blancs s'installaient-ils ici ? Pourquoi n'avait-on pas laissé ces terres aux Apaches indigènes ? Il lui aurait sans doute été plus facile d'accepter ce paysage si toutes les plantes, les buissons et les arbres ne lui avaient pas été inconnus, hormis les peupliers locaux, qui étaient bien sûr parents de ceux qu'on voyait dans la Péninsule Nord. Pourquoi leurs prétendus chênes arboraient-ils des frondaisons d'un vert frelaté en novembre ? Il avait touché une seule plante dans le jardin, et, à ce contact bénin, son doigt avait saigné. En tant qu'inspecteur de police expérimenté, il était sûrement assez habile pour tuer Dwight-Daryl et rentrer chez lui sain et sauf. Il n'était guère pressé de passer à l'action, car l'ouverture de la saison de pêche à la truite aurait seulement lieu dans six mois. Il se rappela subitement un matin à l'hôpital où Melissa avait poussé dans la chambre un meuble à roulettes supportant un moniteur cardiaque. Lorsqu'elle s'était baissée pour prendre quelque chose dans un placard, malgré les effets soporifiques de l'Oxycontin, il avait clairement aperçu les cuisses de la jeune femme sous son uniforme, jusqu'au pubis. Elle sentit le regard de Sunderson, rougit et fit pivoter ses hanches pour qu'il ne puisse plus la mater. Maintenant, à la fenêtre, ce souvenir le fit bander, un évident retour à la vie. Son esprit sauta malgré lui vers l'image de Mona nue aperçue par la meurtrière de sa bibliothèque. Son érection devint douloureuse. Il avait le mal du pays. Il prit son téléphone, composa un numéro.

162

« Salut, mon gros chéri. Tu me manques. »
Elle semblait défoncée.

« Moi aussi, tu me manques. Tu planes ? C'est
illégal, ajouta-t-il en blaguant.

— Juste un petit joint après la thérapie. Il
paraît que je suis bisexuelle.

— Je préfère ne pas y penser. » Il regrettait
déjà son appel.

« Ne fais pas ta chochotte. Les parties génitales
sont simplement génitales. Tout se passe dans le
ciboulot.

— Pardon. J'ai perdu toute mon assurance en
partant de chez moi. » Il s'étonna de le reconnaître.

« J'arrive pas à t'imaginer sans une absolue
confiance en toi.

— C'est pourtant la vérité. Mon premier voyage
à l'étranger se solde par un désastre absolu. Je
veux dire, techniquement ça fait partie des États-
Unis, mais je n'y crois pas une seconde. À l'heure
qu'il est, tu n'aurais aucune envie de me regarder.

— Je suis au courant. Marion m'a dit avoir
parlé deux ou trois fois à ta sœur Berenice. Elle
lui a confié que, chaque fois qu'elle sortait de ta
chambre d'hôpital, elle fondait en larmes.

— Merci pour tous les documents que tu m'as
envoyés. » Sunderson tenta de changer de sujet
pour ne plus penser à lui-même.

« J'ai encore fureté un peu à gauche à droite.
Notre Dwight-Daryl a été accusé de détournement de mineurs à Choteau, dans le Montana.
Je crois qu'il a acheté les parents, comme font les
grosses huiles. Il m'a encore légèrement mena-
cée, alors pour tous les trucs un peu délicats je

passe par un cousin de Pittsburgh qui est un as du hacking.

— Bonne idée. » Sunderson ne connaissait strictement rien à cette technologie, mais d'autres soupçons lui vinrent soudain à l'esprit. « As-tu déjà rencontré une certaine Carla ? » Il se demanda si Carla ou Queenie espionnaient à Marquette pour le compte de Dwight-Daryl.

« Tu veux dire Carla la gouine ? rigola Mona. Elle a tenté de me draguer au club de tennis. C'est une copine de ma soi-disant thérapeute qui prétend que mon vrai problème c'est la disparition de mon père.

— Évite-la à tout prix. » On frappa à la porte. « On dirait qu'il faut que j'aille dîner. Je te rappelle demain. »

Sunderson s'empiffra comme un idiot dans un restaurant du centre de Nogales, le Las Vigas. Il crut d'abord que l'enseigne de ce restaurant comportait une faute d'orthographe, mais Alfred lui expliqua qu'en espagnol *vigas* signifiait « poutres », comme dans « les poutres du toit ». Alfred l'aida à choisir dans le menu et tous deux commandèrent des *chicharrones*, des morceaux d'intestin de bœuf frits, une assiette de guacamole, puis du *machaca*, de fines tranches de bœuf frit et séché, accompagnées de piments et d'oignons. Molly, l'épouse d'Alfred, venait de terminer sa deuxième séance de chimiothérapie et elle dut se contenter d'une soupe. Sa perruque n'arrêtait pas de glisser et elle la remettait joyeusement en place. Dans un espagnol impeccable elle parla à un serveur prénommé Alphonse. Ils blaguaient aux dépens de la patrouille des gardes-frontières en évoquant la tonne de cocaïne découverte la veille à bord d'un camion de légumes. Quand Molly lui traduisit leur conversation, Sunderson n'en revint pas, car, dans toute sa carrière, lui-même n'avait jamais saisi plus d'un kilo de drogue, en tout et pour tout.

« Quelqu'un vous adresse des signes de la main », dit Alfred en le détournant du contenu de son assiette.

Sunderson leva les yeux et trois tables plus loin Melissa, sa petite fille et un homme se restauraient. Il sentit le sang lui monter au visage et il avala non sans mal sa bouchée de *machaca*. Il se leva lentement en redoutant les effets d'une généreuse margarita.

« Je suis contente de vous voir, dit Melissa. Voici mon frère Xavier et ma fille Josefina. »

Xavier se leva et Sunderson lui serra la main gauche, la droite n'étant nulle part visible. Il maîtrisa son étonnement dû à l'aspect de Xavier. L'homme portait un beau costume sombre et une cravate rouge. Il paraissait quelque peu efféminé, mais son visage avait un tranchant et une pâleur de mauvais augure, un air sauvage comme si toute son éducation, toute sa vie en fait, avaient eu pour cadre la nuit.

« Notre région vous plaît ? demanda Xavier avec un sourire froid.

— Assez, malgré une certaine inimitié. » Sunderson s'étonna de sa propre réponse, mais Xavier était manifestement loin d'être un crétin.

« Oui, Melissa m'a appris que vous aviez trébuché sur une pierre avant de faire une chute de dix mille mètres. » Il adressa un clin d'œil à Sunderson avant de faire tinter sa main gantée contre la table. « Moi aussi j'ai un jour trébuché et perdu une main. » Il eut un rire métallique. « Asseyez-vous, je vous en prie.

— Un accident est si vite arrivé », dit Sunderson. Dès qu'il fut assis, Josefina rampa sur les cuisses du gringo pour tâter sa barbe naissante en souriant.

« Elle prend tous les hommes d'un certain âge pour d'aimables grands-pères, expliqua Melissa.

— C'est un rare plaisir que d'être assis en compagnie d'un inspecteur de police. » Xavier jeta un coup d'œil vers la porte d'entrée, où se dressaient deux très gros types.

« Je suis à la retraite depuis peu, dit Sunderson en sentant son ventre se contracter.

— Quelqu'un ignorait que vous étiez à la retraite », rétorqua Xavier en se levant et en laissant tomber un billet de cent dollars sur la table. Il se pencha pour embrasser sa sœur et sa nièce. « Soyez gentil avec ma sœur. Elle adore pêcher et pique-niquer. Appelez-moi si vous avez besoin d'aide. »

Sunderson regarda Xavier traverser le restaurant bondé, où tout le monde détourna les yeux sur son passage, y compris les nombreux gardes-frontières qui occupaient une grande table. Par la vitrine de l'établissement, il vit Xavier et les deux colosses qui avaient attendu près de la porte monter à l'arrière d'une Suburban noire aux vitres fumées.

« Il a décroché un diplôme d'histoire du théâtre espagnol à l'université d'Arizona. Maintenant il se prend pour un courtier en bourse. » Melissa soupira et serra sa fille contre elle. « Allons pêcher sur le lac Patagonia quand vous voudrez. » Elle tendit à Sunderson une carte où figurait son numéro de portable, l'embrassa sur la joue, puis partit.

« Je l'ai rencontrée à l'hôpital. Elle est vraiment adorable, dit Molly quand il fut de retour à la table.

— Vous vous êtes mis dans le pétrin jusqu'au cou, dit Alfred d'un ton bourru. À votre place, je m'attendrais à recevoir de la visite.

— Je ne suis qu'un vieil homme amoureux d'une infirmière », répondit Sunderson en s'emparant de l'addition et en remarquant qu'Alphonse le serveur évitait maintenant son regard.

Après avoir dit bonsoir à Alfred et Molly, il se retrouva dans un état d'esprit excluant tout simulacre d'équilibre. Pourquoi le destin le rendait-il amoureux d'une jeune femme dotée d'un frère comme Xavier ? Il sortit de sa valise une pinte de whisky canadien pour se calmer les nerfs. La seule fois où il avait rencontré un individu comparable à Xavier, c'était à Detroit dans les années soixante-dix quand le jeune policier qu'il était avait reçu l'ordre de surveiller un chalet sur l'Hudson River, près de Ann Arbor. C'était à l'époque où Detroit était une ville électrique, débordant de colère, aux salaires faramineux de l'industrie automobile, en proie à une agitation résiduelle après les violentes émeutes de 1967. Tout ce qu'on attendait de lui, c'était de garer sa voiture de patrouille près de l'allée du chalet afin d'inquiéter suffisamment son occupant, un tueur à gages de Chicago, pour qu'il rentre chez lui. On révéla à Sunderson qu'on avait vu ce type discuter avec un gros bonnet de la mafia de Detroit lors d'un concours hippique à Grosse Pointe. En deux jours de planque il vit l'homme une seule fois et quand ce dernier s'approcha de lui au volant de sa voiture de location, Sunderson se sentit pris de nausée simplement en regardant le visage souriant du tueur. Contrairement à ce que montre la télévision, les flics ont parfois très peur. À Detroit on l'avait lâché dans la jungle tel un boy-scout armé d'un pistolet.

Le whisky avait très bon goût et Sunderson se dit que, si la journée était assez chaude, Melissa porterait peut-être un maillot de bain quand ils iraient pêcher. Il avait vraiment besoin d'une dose de vie qui ne l'effraierait pas. Il gardait le vague souvenir d'une soirée, des années plus tôt, où Diane avait préparé le rosbif préféré de Marion, lequel avait apporté un vieux film qui, disait-il, était le meilleur jamais produit en Amérique, *La Soif du mal* d'Orson Welles. Comme d'habitude, Sunderson but un coup de trop, mais avant de s'endormir sur le canapé au milieu du film il pensa que c'était le plus terrifiant qu'il eût jamais vu. Et maintenant il se retrouvait au beau milieu du même genre de mise en scène, dans cette même ambiance d'effroi non localisable.

On frappa sèchement à la porte et Sunderson regretta de ne pas avoir sur lui le pistolet qu'il comptait acheter le lendemain. C'était l'inspecteur de l'Arizona qui lui avait déjà rendu visite à l'hôpital. Cette fois, il entendit le nom du flic : Roberto Kowalski.

« Kowalski ? répondit Sunderson en souriant.

— Ma mère a épousé un soldat à Sierra Vista. Il était originaire du nord de votre pays. Flint, Michigan, pour être exact. J'y suis allé. Ça pue. Je suis venu vous demander ce qui vous a pris de dîner avec Xavier Martinez, putain.

— Je n'ai pas dîné avec lui. Je suis simplement passé saluer sa sœur. Je me suis amouraché d'elle à l'hôpital. »

Roberto resta silencieux une longue minute. « J'ai cru que c'était lié à autre chose. Personne n'a le droit de parler à Xavier. Il s'est servi de sa main artificielle pour battre à mort le mari de Melissa. Il en possède deux ou trois bien plus dures que celle en plastique qu'il porte en public.

— C'était sans doute à cause d'un problème d'argent, plaisanta Sunderson.

— Bien sûr. À votre place, je dirigerais mon affection ailleurs. S'il arrive le moindre bobo à la sœur en votre présence, vous êtes mort. C'est une gentille gamine et vous êtes un putain de vieux chnoque.

— Elle a vingt-cinq ans. C'est une femme. Peut-être un peu jeune, d'accord. Vous n'avez jamais été attiré par les jeunes femmes ? » Sunderson se sentait agacé.

« Peu importe. J'ai essayé, mais elles ne savent pas parler. Les mots sont les mêmes, mais ils ne veulent jamais dire la même chose. Et puis j'ai été faire un tour sur le terrain de votre secte. J'ai vu beaucoup de sang sur la piste. Pourquoi n'avez-vous pas porté plainte ?

— Les coupables, les lanceurs de pierres, étaient des gosses, des filles. Dans les douze ans. Impossible de porter plainte dans ces conditions.

— Ouais. Ils ont fondé une école pour filles à problèmes. Avec des vrais profs, même si Daryl est déjà accusé de détournement de mineurs.

— Oui, à Choteau, Montana. Affaire réglée en dehors des tribunaux. Comment se fait-il qu'un type comme Xavier puisse traverser la frontière ?

— Ses parents sont mexicains, mais Xavier est né à Tucson alors que son père étudiait à la fac, si bien qu'il est citoyen américain. Son casier est vierge ici. Il figure dans les pages jaunes comme courtier en bourse.

— Plutôt rigolo, vu l'économie locale, suggéra Sunderson.

— Ce type-là n'a rien de rigolo. C'est un cynique. Nous avons fait les papiers nécessaires pour que Melissa puisse travailler ici et qu'elle ne soit pas mêlée aux échauffourées plus au sud.

— Elle est en sécurité ici ? » Sunderson était surpris.

« À peu près. Ce serait mal vu que les cartels tuent quelqu'un au nord de la frontière.

— J'envisage de rentrer chez moi. Cet endroit me flanque la trouille, mais c'était aussi le cas de Detroit.

— Voilà une bonne idée.

— Peut-être pourriez-vous me rendre un service en chassant Daryl hors d'ici, pour qu'il retourne dans le nord, là où je me sens plus à l'aise.

— Eh bien, nous avons envisagé de le virer d'Arizona. Je connais une *puta* locale de dix-neuf ans qui en fait quatorze. L'accusation ne tiendrait pas, mais on pourrait lui faire assez peur pour qu'il décampe. »

Quand Roberto se leva, il semblait épuisé. Sunderson lui offrit un verre et servit une bonne rasade.

« Délicieux, dit-il en le vidant en deux gorgées. J'ai perdu deux épouses à cause de mon boulot.

— Moi, une. Tous les jours on rentre à la maison avec de la merde plein les chaussures. » Sunderson marqua une pause en essayant de rassembler ses pensées. « Vous savez, à Marquette, Daryl s'appelait Dwight et son surnom était Grand Maître. Il y a un moment que je me dis qu'il ne s'agit pas simplement d'une arnaque au fric. Il croit forcément à ce qu'il fait.

— Peut-être un jour sur deux. » Il poussa son verre de l'autre côté de la table et Sunderson partagea le restant de la pinte. La perplexité affaissait les traits de Roberto. « Je lui ai seulement parlé quelques minutes, mais il m'a rappelé un instituteur, vous voyez, l'instit le plus allumé de l'école du coin. Ses disciples le dévoraient des yeux comme si son visage irradiait. »

Sunderson était sur les rotules quand Roberto partit à minuit, mais il savourait le tour banal de leur récente conversation. Ils étaient simplement deux collègues veillant au respect de la loi, même si Roberto avait chassé du plus gros gibier dans une région beaucoup plus violente.

« J'espère que vous vous sentez mieux que vous n'en avez l'air, avait dit Roberto avant de partir.

— Je vais m'en tirer », répondit Sunderson sans beaucoup de conviction.

Il s'endormit tout habillé sur le canapé et se réveilla peu avant trois heures du matin, croyant dans son état semi-comateux entendre des oiseaux. Leur gazouillis provenait de la zone du traumatisme à l'arrière de son crâne. Ils continuèrent à chanter quand il alluma la lampe, puis leur chant décrut lentement. Il y vit un message venu de la décennie précédente, un soir où il avait pêché dans la partie ouest de la rivière Fox. À la nuit tombée, il avait fait un petit feu, mangé un sandwich préparé par Diane avant de se pelotonner dans un sac de couchage sous la voûte céleste, sans oublier de boire une unique gorgée à sa flasque. Le solstice d'été approchait et les premières lueurs du soleil septentrional le réveillèrent peu après quatre heures du matin. Une profusion de chants d'oiseaux faisait vibrer l'air liquide de l'aube et il eut l'illusion de pouvoir comprendre ce dont ces oiseaux parlaient à travers leurs chants. Les paroles, d'une grande banalité, évoquaient la nourriture, le foyer, les arbres, l'eau, le guet des corbeaux ou des faucons. Il n'y avait là rien d'extraordinaire, et il continua de comprendre les oiseaux jusqu'à ce qu'il tisonne les braises et prépare son café. Quand, le lendemain, il se confia à Marion après avoir tenté en vain de s'expliquer ce qui s'était passé, son ami lui répondit qu'il était vraiment chanceux d'avoir vécu ce genre d'expérience mystique.

Et maintenant, à Nogales, une décennie plus tard, son mal du pays fut atténué par la pensée que dans le Michigan c'était la saison de la chasse au chevreuil, et que dans cinq mois commencerait celle de la pêche à la truite. Il se déshabilla, se mit au lit et, quand il éteignit la lumière, les oiseaux reprirent leur raffut dans la partie blessée de son crâne. Il espéra qu'à son réveil il ne serait pas un bébé. Il n'avait aucune envie de revivre toute sa vie. D'où pouvait bien lui venir une idée pareille ? Tout ce qui pourrait le purger de son identité de *flic* serait bienvenu. Il y avait un professeur à l'université du Nord-Michigan qui donnait un cours passionnant d'histoire du Moyen-Orient, et un autre prof qui enseignait la géographie humaine et vous apprenait pourquoi des gens habitaient cette région infernale du monde. Marion pensait qu'il pourrait devenir prof remplaçant et ainsi avoir le plaisir de rectifier certains préjugés largement répandus sur l'histoire américaine. Sunderson était prêt à n'importe quoi pour échapper à cette identité de flic qui avait poussé sa femme à le plaquer.

Chapitre 9

Au réveil il avait si froid que l'espace d'un instant il n'arriva pas à croire qu'il était en Arizona, mais derrière la fenêtre nord grande ouverte s'étendait le jardin de cactus d'Alfred et Molly. L'effort qu'il dut accomplir pour fermer cette fenêtre lui occasionna un léger vertige ; pourtant, sa pensée la plus négative fut que, si le lendemain il allait pêcher avec Melissa, elle ne porterait certainement pas de bikini. Il ne faisait sans doute pas plus de dix degrés dans sa chambre et la couverture dans laquelle il s'était enroulé était notoirement insuffisante. Il se mit à rire, ce dont il n'avait certes pas l'habitude à une heure aussi matinale. Le fantasme de Melissa assise en bikini à l'arrière de la barque par ce temps glacial devint comique, et un peu cruel. Ils n'avaient qu'une différence d'âge de quarante ans, et d'ordinaire on pouvait surmonter ce handicap seulement quand l'homme était riche. Pourquoi sinon une jeune Mexicaine adorable sortirait-elle avec un vieux grigou couvert de bleus qui par endroits viraient au jaune ?

Penser à Roxie assise sur le sèche-linge secoué de vibrations ne servit à rien. Ce fut Carla contre le tas de bois à la fête de Sunderson qui emporta le morceau. C'était aussi ridicule que ce vieux plombier à la retraite qu'il connaissait et qui avait acheté une voiture décapotable et une combinaison vert fluo, convaincu que grâce à ces accessoires grotesques il aurait toutes les jeunes femmes à ses pieds. Avec ça, plus cinq cents dollars pour commencer, il pourrait peut-être goûter à la chose, lui avait déclaré Sunderson. Et merde, pourquoi en ai-je après cette fille ? se demanda-t-il en préparant le café et en avalant une gorgée de jus de canneberge, censé l'aider à lutter contre la goutte et les calculs rénaux. Les Américains partagent une habitude déprimante en vieillissant, comme ces trois vieux chnoques dont il avait surpris la conversation au garage Ford : en attendant que leurs voitures respectives soient réparées, ils échangeaient des blagues sexuelles comme s'ils étaient toujours dans le coup. Ou tous ces retraités qui mataient des films pornos dans leur chalet de chasse alors qu'ils n'arrivaient même plus à bander devant une serveuse. Si Carla lui avait permis de la culbuter sur le tas de bois, c'était sans doute parce qu'elle espionnait pour Daryl-Dwight ou parce que, comme nombre d'humains, elle avait cédé à une crise passagère de lubricité.

Il se mit tout seul en garde contre le ridicule. Ses efforts et ses peurs faisaient partie de cette comédie où il tentait de conserver ses préjugés de la Péninsule Nord dans un endroit complètement étranger où chaque situation nouvelle le prenait à contre-pied. Mais ces émotions faisaient peut-être partie de l'*instabilité post-traumatique* dont les médecins lui avaient conseillé de se méfier.

Il feuilleta les pages jaunes de Tucson prêtées par Alfred, en essayant de localiser sur le plan de la ville l'adresse d'un armurier. Assez simplement, il appréhendait de voyager parce qu'il n'en avait guère l'habitude. Il connaissait bien une région de la Péninsule Nord de cinq cents kilomètres sur deux cents, mais aucune autre. Au printemps précédent, il avait été chercher un prisonnier à Grand Rapids et réussi à se perdre un bon moment. Il s'était porté volontaire pour cette promenade de santé en déclarant à ses collègues qu'il connaissait l'endroit comme sa poche, alors qu'il n'y avait pas mis les pieds depuis trente ans. Le prisonnier lui avait dit : « Hé mec, tu te goures complètement. T'es censé être sur la 131 nord, mais tu roules vers Muskegon. » Ce type broyait du noir sur sa banquette arrière isolée par une solide grille, car il était interdit de fumer dans les voitures de police de l'État.

Sunderson prit le chemin le plus long pour se rendre à Tucson afin de sacrifier à ses saines habitudes : un bol de *menudo* et une promenade matinale à Patagonia. Malgré le vent du nord glacé, les montagnes se dressaient dans une clarté resplendissante. Il avait lu quelque part que les mules humaines transportaient des balles de marijuana de vingt-cinq kilos à travers ce paysage escarpé, et il pensa que ces mules devaient être en bonne santé. Quelle méthode admirable pour maigrir ! Il se surprit à réfléchir à ce qui clochait dans cette belle région. C'était justement pour ça que Diane l'avait quitté. Elle lui avait dit : « Ta profession consiste à découvrir ce qui cloche et tu l'exerces depuis si longtemps que tu n'es plus capable de voir ce qui va bien dans la vie. » C'était ce que les médias appelaient *un signal fort* et Diane avait mis dans le mille. Il n'avait aucun argument à lui opposer.

Il se gara au bord de la route près d'une table de pique-nique en se disant qu'il devait mettre un terme à ce mode de pensée déplorable s'il voulait vraiment flanquer Daryl-Dwight en prison. Il se ramollissait alors qu'il aurait dû s'endurcir. Il pensa aussitôt qu'une partie du problème venait de son état de célibataire, dispensé depuis trop longtemps de tempérer ses humeurs, une nécessité impérieuse du mariage afin de préserver la civilité, cette étiquette quotidienne qui fait durer les couples. Des humeurs farfelues le submergeaient trop aisément depuis peu, alimentées qu'elles étaient par l'abus de boisson et l'allure générale négligée de son logement. La vie sans une femme capable de tempérer vos âneries était réellement difficile. Même une activité aussi banale que d'aller faire ses courses le plongeait parfois dans une colère noire. Au cours de son mariage, Diane avait toujours cédé à l'impulsion du moment pour procéder à quelques achats avant le dîner, en rentrant de l'hôpital, après quoi elle cuisinait avec plaisir, en fredonnant des chansons idiotes. À l'inverse, Sunderson pouvait claquer cinquante billets au supermarché durant une visite éclair et, de retour chez lui, découvrir qu'il n'avait strictement rien acheté pour dîner. Il s'était disputé avec le directeur du magasin à cause des prix, car il n'avait toujours pas compris que, s'ils avaient certes augmenté, c'était surtout la quantité des denrées par paquet qui avait diminué d'un tiers. Le directeur lui avait patiemment expliqué qu'il vendait simplement ces aliments et qu'il ne les fabriquait pas.

Assis là au bord de la route face à l'immense panorama des montagnes et au chapeau neigeux qui recouvrait le mont Wrightson, il se souhaita la froide lucidité de quêtes plus élémentaires. Quelques années avant le divorce, il avait rencontré les gardes-chasse d'une demi-douzaine de comtés de la Péninsule Nord pour les aider à élaborer une stratégie destinée à capturer deux braconniers du Tennessee impliqués dans ce délit trop banal consistant à tuer de nombreux ours pour leurs pattes et leur vésicule biliaire, extrêmement prisées dans la pharmacopée chinoise. Ces parties de corps d'ours transitaient par Chicago avant de s'envoler vers Pékin sur un vol de Northwest Airlines. Les douaniers de Chicago en avaient saisi quelques-unes grâce à l'examen aléatoire des bagages aux rayons X, mis en place après le 11 septembre, puis ils avaient remonté la filière à travers les services de protection de l'environnement, jusqu'au propriétaire d'un restaurant chinois d'Evanston et aux deux chasseurs du Tennessee qu'il fallait prendre la main dans le sac, en train de chasser et en possession de parties d'ours dans la Péninsule Nord du Michigan. Ce furent deux merveilleuses semaines de traque en octobre, où Sunderson se fit passer pour un alcoolique et un chasseur à l'arc, ce qui n'était guère éloigné de la vérité, du moins sur un point.

Il fit appel aux dizaines d'informateurs et de délateurs qu'il connaissait dans les bars de toute la Péninsule Nord et, au bout d'environ deux semaines de recherches infructueuses, ce fut un informateur d'un bar isolé de Wolf Junction, au nord de Newberry, dans le comté de Luce, qui lâcha le morceau. Il appela aux environs de minuit, passablement saoul, tout comme Sunderson.

« Ils se dirigeaient vers le nord et le lac Supérieur, alors ils vont sans doute rejoindre Crisp Point ou Grand Marais. Je les aurais bien suivis pour voir s'ils tournaient à gauche ou à droite au sud de Deer Park, mais ils m'avaient l'air un peu effrayant et pas très sympathique. L'un d'eux mastique en permanence un énorme bubble-gum, ils roulent en pick-up Ford noir et ils ont des chiens. »

Incapable de trouver le sommeil, Sunderson partit vers trois heures du matin pour Grand Marais dans une tempête de neige, mais il savait qu'elle ne durerait pas car le vent virait au sud. Il se sentait stupide dans sa tenue de chasseur, avec son arc démontable sur la banquette arrière, d'autant plus qu'avec une flèche il aurait été incapable d'atteindre une grange à dix mètres. Sur un coup de tête, il décida à l'aube de rejoindre la région des lacs Barfield. Il avait prévenu les gardes-chasse de son arrivée dans les comtés contigus, mais le problème c'était que dans la Péninsule Nord le braconnage figurait très bas sur le totem des activités répréhensibles et abattre un chevreuil en dehors de la période de chasse autorisée était le passe-temps favori des autochtones après la fermeture des bars, surtout après le 4 juillet quand la chair des chevreuils perdait le goût du cèdre qu'ils avaient acquis en passant l'hiver à batifoler dans les marais.

L'aube pointait à peine et il se dirigeait vers le sud sur une petite route de campagne qui gravissait Pull Up Hill quand il croisa le pick-up de trois quarts de tonne qui roulait en sens inverse. Son téléphone portable captant un signal, il appela un garde-chasse qui avait pris position à Seney. Il attendit quelques minutes avant de faire demi-tour en espérant qu'ils ne repéreraient pas son pick-up.

Sa bonne étoile ne le lâcha pas : près de Seney ils s'engagèrent sur une piste sans issue, près de laquelle Sunderson avait déjà pêché dans la Driggs River. Le garde-chasse et lui-même partirent en reconnaissance et, une heure plus tard, ils entendirent des aboiements et un coup de fusil, après quoi ils appelèrent des renforts. Moins d'une demi-heure plus tard, un autre garde-chasse et deux policiers arrivèrent. Bingo, pensa Sunderson. Quand le gros pick-up approcha et tenta de faire demi-tour, Sunderson fit éclater les deux pneus arrière avec son .38. À l'intérieur d'une glacière cachée dans un compartiment secret du pick-up, ils découvrirent seize vésicules biliaires, dont une encore chaude, et soixante-quatre pattes d'ours. Cette saisie fit la une des journaux, mais Sunderson refusa d'être cité dans les articles, abandonnant ainsi toute la gloire aux gardes-chasse. Il ne voulait surtout pas devenir trop visible. Il apprécia malgré tout le plaisir d'une opération rondement menée. Les coupables en prirent pour cinq ans.

Non loin de Patagonia son portable se mit à émettre l'ouverture de *Guillaume Tell*, une musique qu'il détestait, mais il ne savait pas comment changer cette sonnerie. Il répondit parce que le nom de Mona apparut sur l'écran du téléphone.

« Bonjour, ma jolie.

— Tu devineras jamais ce qui se passe alors même que je te parle. Tu sais qu'ici il fait toujours nuit en novembre à sept heures du matin. Eh bien, Marion vient de se garer devant chez toi en allant au boulot. Il est entré dans ta maison, il a pris un livre dans ta bibliothèque et soudain j'ai aperçu un rai de lumière. Il m'a matée dix bonnes minutes. Je croyais que c'était notre secret. Je suis furieuse que tu lui en aies parlé, mon chéri.

— Je ne lui ai rien dit, protesta Sunderson en riant. Il est venu prendre quelques bouquins pour me les expédier par FedEx. Il a découvert ça tout seul.

— J'ai fait quelques exercices de yoga toute nue, histoire de ne pas le décevoir. J'accepte de te croire. Je veux dire, tout ça est vraiment ridicule, mais j'aime bien l'idée que c'est juste entre nous.

— Bah, il ne va pas venir tous les jours chercher des bouquins pour me les envoyer. Maintenant, voici une chouette suggestion : quand tu auras raccroché, appelle-le sur son portable et dis-lui : "T'es démasqué, espèce de sale pervers à la con."

— Je choisis moi-même mes répliques, répondit-elle en riant. Peut-être que je vais lui dire : "Viens me voir tout de suite, mon gros lapin."

— S'il te plaît, non.

— T'es jaloux, chéri ? »

Sunderson raccrocha et, lorsqu'il mangea son *menudo*, la texture de muqueuse des tripes le rendit lubrique. La liberté liée à la retraite était atterrante. Autrefois, à ce moment de la journée, il roulait vers son travail et passait en revue les

182

affaires en cours. Pourquoi cette vieille veuve ratatinée à qui feu son mari avait laissé une pension confortable chapardait-elle dans le magasin de tissu où elle travaillait vingt heures par semaine ? Une minuscule caméra vidéo l'avait surprise la main dans le sac. Elle fondit en larmes. Elle aidait une nièce cancéreuse, expliqua-t-elle, mais on découvrit qu'elle n'avait pas de nièce. C'était en fait une joueuse compulsive, habituée du casino indien situé à l'est de la ville. Un mois après que le juge l'eut condamnée à une peine avec sursis et mise à l'épreuve, elle se fit encore pincer par une caméra vidéo en train de voler de la monnaie dans les gobelets des autres joueurs et à piquer les pourboires sur les tables du restaurant. Sunderson détesta lui tirer les vers du nez, car malgré ses méthodes d'interrogatoire dernier cri il ne trouva pas le défaut de la cuirasse. Elle déclara vouloir gagner le jackpot de cent mille dollars pour en faire don à sa paroisse parce que l'épouse du pasteur avait le cancer. Un simple coup de fil permit d'apprendre que l'épouse du pasteur était en parfaite santé. Au contact de cette vieille écervelée, les remontées acides de Sunderson empirèrent et il ressentit le besoin de picoler davantage. Au cours de sa dernière semaine de travail, elle s'était fait prendre à minuit en train de siphonner les parcmètres grâce à une technique secrète qu'elle refusa de révéler. Quand Sunderson rencontra le procureur, ils se donnèrent rendez-vous au bar du Ramada Inn, où il reçut un appel téléphonique de la librairie Snowbound Books. Dans la salle du fond, le propriétaire venait de surprendre cette femme en train de fourrer trois exemplaires du nouveau Danielle Steel sous l'élastique de sa culotte. « Tuez-la », avait dit Sunderson avant de raccrocher. Ce n'était vraiment pas une vie.

Lorsqu'il eut fini sa dernière bouchée de tripes, un plat qui fit naître en lui l'image mentale de Mona, il se dit qu'aucun type sérieux n'aurait dû être obsédé par la chatte dès le petit déjeuner. La solitude avait fait de lui un parfait crétin, un adolescent ramollo du ciboulot. Il songea qu'à soixante-cinq ans il aurait dû avoir dépassé toutes ces conneries, mais de toute évidence ce n'était pas le cas. Il ne pouvait tout de même pas demander à Melissa de porter une minijupe pour aller à la pêche. Maintenant que sa guérison, bien que lente, était en bonne voie, le moment était venu d'en découdre avec le Grand Maître. Son papa disait toujours que l'oisiveté était la mère de tous les vices. Il n'avait aucune envie de s'abandonner à l'oisiveté, mais son problème c'était de déterminer comment s'y prendre alors qu'il se trouvait très loin de sa base. Il ressentit le besoin urgent de se tonifier les neurones afin d'être plus vif et plus attentif.

Il marcha une heure sur un chemin qui traversait le terrain de la Protection de la Nature, mais sans son attention habituelle dans un environnement naturel, car il se rappela ce qu'un inspecteur dur à cuire de Detroit lui avait dit quarante ans plus tôt : « Pour un flic, la paranoïa est un plus. » Peut-être que Roberto Kowalski l'avait mené en bateau, soupçonnant Sunderson d'être un agent fédéral, pourquoi pas un type des stups venu fourrer son nez dans le business local ? Peut-être que deux semaines plus tôt Melissa avait prévenu son frère Xavier qu'un inspecteur venait d'atterrir à l'hôpital de Nogales dans un sale état, et que Xavier avait demandé à sa sœur de le tenir à l'œil ? Le problème était de savoir si, oui ou non, cette paranoïa était un plus ou bien la simple émanation d'un cerveau détraqué.

Remarquant un léger bruissement de feuilles, il bondit en arrière, pour autant qu'un homme de son âge puisse le faire. Il était persuadé que cette région était bourrée de serpents à sonnette alors qu'en vérité il aurait fallu un expert particulièrement têtu pour en trouver un seul, car ce matin-là il faisait dix degrés, beaucoup trop froid que ce genre de bestiole manifestât la moindre activité. Il s'agenouilla en sentant la douleur envahir ses jambes meurtries, puis examina un gros scarabée noir qui se frayait lentement un chemin parmi les feuilles en décomposition. Des scarabées de cette taille, on n'en voyait pas dans le Nord, et Sunderson se demanda comment il réussissait à vivre, où il mangeait et dormait, comment il s'accouplait.

Ce scarabée lui permit de s'arracher à ses cogitations pour redescendre sur terre ; il fit demi-tour et parcourut quelques centaines de mètres jusqu'au sentier longeant la rivière. Il avait à peine remarqué cette rivière tandis qu'il réfléchissait à la paranoïa, et maintenant il s'assit sur une bûche de peuplier et regarda l'eau vive. Ça aurait pu être une bonne rivière à truites s'il y avait eu des truites aussi loin vers le sud, même s'il avait lu que les montagnes d'Arizona situées plus loin au nord abritaient des truites arc-en-ciel. Il repéra quelques vairons qui nageaient en banc dans un trou d'eau, puis il observa un héron bleu qui le survolait, apparemment plus petit que les grands hérons bleus du nord.

Il regarda longuement le bosquet de mesquite de l'autre côté de la rivière. Il y avait aussi un certain nombre de gros buissons verts qui ressemblaient aux sureaux du Michigan, et plusieurs peupliers imposants. Il entendait seulement des chants d'oiseaux et le bruit de l'eau vive, ses deux sons préférés depuis l'enfance. Il remarqua que jamais depuis qu'il était parti de chez lui il n'avait été plus détendu ni respiré plus profondément. Il sourit au souvenir d'une expérience vaguement mystique qu'il avait vécue l'été passé au bord d'une petite rivière, près de Steuben, au sud de Shingleton. C'était une matinée caniculaire d'août, il avait tenté d'attraper des truites de rivière sous un barrage de rondins en utilisant une ligne courte et sa mouche préférée, une petite *woolly bugger* couleur olive. Quand sa mouche se coinça sous les rondins, il céda au désespoir car c'était sa dernière et il avait oublié d'en préparer d'autres. Et puis il avait la gueule de bois, un état qui – il l'avait remarqué des dizaines de fois – le rendait un peu distrait. Il jeta donc l'éponge, se hissa sur la berge, se débarrassa de ses *waders* et de ses vêtements, pour se retrouver en caleçon. Il plongea sans plus réfléchir sous le barrage de rondins, sa main suivant la ligne, jusqu'à réussir à détacher la mouche fichée dans l'écorce glissante d'un rondin, pas tout à fait une glorieuse victoire car il lui fallut se débattre vio-lemment pour se redresser contre le courant, en se disant que ce serait vraiment bizarre de se noyer pour aller récupérer une *woolly bugger* couleur olive. Il émergea le souffle court et saisit une branche pour résister au courant, lançant la mouche qui atterrit près de sa canne à pêche sur la berge. Sans aucune raison, il lâcha la branche et se laissa emporter vers l'aval en roulant plusieurs fois dans l'eau, puis il se contenta de faire la planche, les yeux tournés vers le ciel bleu et les arbres qui bordaient l'eau. À une centaine de mètres en aval, il rampa sur un banc de sable et y resta allongé, plus heureux que jamais depuis le départ de Diane trois ans plus tôt.

L'armurerie de Tucson était une horreur couverte d'affichettes patriotiques et anti-Obama, y compris le très banal slogan VIVRE LIBRE OU MOURIR. L'employé était un pimpant rondouillard d'âge mûr.

« Je voudrais un revolver Smith and Wesson, calibre .38, dit Sunderson.

— Ce qu'il vous faut, c'est plutôt un pistolet, répondit l'employé en gloussant de rire.

— Merci. » Impatient de sortir au plus vite de l'endroit, Sunderson montra le pistolet qu'il voulait dans la vitrine.

Malgré son permis d'inspecteur périmé et celui toujours valable de port d'armes cachées, il s'avéra qu'il ne pouvait pas acheter de pistolet parce que son permis de port d'armes avait été délivré dans le Michigan et qu'il n'était pas résident de l'Arizona. Il fut tellement écœuré qu'il sentit ses tempes palpiter. L'employé attendit que cette mauvaise nouvelle ait fait son chemin, gloussa encore et indiqua à Sunderson la bibliothèque publique la plus proche.

« Vous prenez une carte de bibliothèque, c'est une pièce d'identité valable en Arizona, et je vous vends ce pistolet. »

Sunderson fut atterré par la bêtise de cette législation, mais il se calma et retrouva même un semblant de sourire à la bibliothèque, car la jeune fille de l'accueil, bien que laide, sentait le lilas, un parfum fortement érotique pour lui. Il eut l'impression d'être un vieux débris sénile en lui montrant fièrement sa carte de bibliothèque du Michigan, mais elle se renfrogna quand il lui fournit son adresse à Nogales.

« J'adore la ville suivante, Patagonia, dit-elle.

— Moi aussi. J'y mange du *menudo* tous les matins.

— Je ne supporte pas les tripes.

— Ça donne des forces. »

En ressortant de l'armurerie après sa seconde visite, il sentit le poids désagréable du .38 dans l'étui d'épaule et se dit que cette arme le poursuivait depuis près de quarante ans comme une espèce de tumeur à très long terme. Dans sa voiture, en route vers Miss Saigon pour y savourer un *pho*, il se gara près de l'université d'Arizona afin de passer un coup de fil. Des jeunes hommes dépenaillés et de ravissantes jeunes femmes défilaient sur le trottoir en une telle profusion qu'il se surprit à penser à l'échec des politiques de contrôle des naissances à l'échelle planétaire. Il appela un collègue de Marquette.

« Sunderson ! Tu t'éclates ?

— Je vois plus de culs qu'un siège de toilettes. J'ai besoin d'infos sur un flic d'Arizona nommé Roberto Kowalski.

— Une minute, je m'en occupe pendant qu'on bavarde. »

Ce collègue deux fois divorcé donnait toujours à tout le bureau l'impression d'être un chasseur de chattes invétéré, ce qui n'était sans doute pas le cas.

« Aucun membre de la police d'Arizona ne répond à ce nom, annonça l'inspecteur de Marquette.

— Merci du service.

— T'es en train de rater la chasse au chevreuil. »

Incapable de trouver une réponse adéquate, Sunderson raccrocha. Il s'installa de nouveau sur la terrasse du Miss Saigon, fuma deux cigarettes d'affilée et comprit qu'il s'était toujours un peu méfié de Kowalski, pas lors de leur première rencontre désagréable à l'hôpital, mais la seconde fois, à son appartement. Ce type sonnait faux, il ne parlait pas le sabir qu'emploient entre eux les flics. Son téléphone sonna alors que la serveuse lui apportait un *pho* aux viandes variées, incluant des tripes, mais aussi des boulettes de porc. C'était Lucy.

« Je ne pleure plus, mon chéri, mais j'ai réfléchi à notre nuit guère mémorable.

— Ton budget Kleenex commençait à m'inquiéter. Écoute, je suis en rendez-vous. Je te rappelle. »

Avant qu'elle ne pût répondre, il coupa la communication en s'interrogeant sur les aspects trompeurs de la mémoire. Pourquoi n'avait-elle pas qualifié cette nuit de grotesque plutôt que d'employer l'euphémisme « guère mémorable » ? Quand on est seul, n'importe quel contact humain vaut mieux qu'aucun.

Deux heures plus tard, il avait trouvé un autre petit appartement temporaire sur une colline de Patagonia. Une pièce et demie, un peu exigu, mais il y avait des poulets dans la cour de derrière et deux clapiers à lapins. Ses parents avaient jadis assuré leur régime de protéines avec beaucoup de lapin frit. En route vers Nogales pour récupérer ses maigres biens, il passa à contrecœur devant le Wagon Wheel Saloon. Ce bar attendrait.

Alfred, qui était dans le jardin, apprit à Sunderson que, peu après son départ, M. Kowalski était venu récupérer son précieux briquet.

« Vous lui avez demandé une pièce d'identité ? demanda Sunderson avec inquiétude.

— Eh bien, non. Je veux dire, la nuit dernière vous avez passé une heure ensemble. J'avoue avoir jeté un coup d'œil par la fenêtre : il était au téléphone à la table de la cuisine. »

Sunderson ne prit pas la peine d'annoncer à Alfred que Kowalski était un faux nom. Alfred fut contrarié de voir partir son locataire, mais ravi quand Sunderson lui dit de garder le restant du loyer mensuel.

« Où allez-vous ?

— Il serait dangereux pour vous de l'apprendre.

— Je vois. Vous êtes en mission incognito ?

— Apparemment pas assez. »

Il fit sa valise sans oublier les papiers de Mona. Rien dans l'appartement ne semblait *dérangé* ; au contraire, on aurait dit que les papiers étaient mieux rangés qu'avant. Les documents sur le Grand Maître avaient sans doute ennuyé Kowalski à mourir, mais il avait maintenant le mail de Mona. Il l'appela.

« Ne réponds à personne dans la région sauf à moi.

— D'accord chéri, mais pourquoi ?

— On me file le train et ma fouine va essayer de retrouver ma trace avec ton mail.

« — C'est impossible, mais ça paraît excitant. Faut que je rédige une dissert sur Emily Dickinson, et elle est chiante.

— Non, elle n'est pas chiante. Elle est merveilleuse. » Sunderson adorait Dickinson depuis qu'en deuxième année à l'université du Michigan il avait suivi un cours sur elle.

« Cette blague a marché du feu de Dieu avec Marion. J'ai un peu dansé nue et je l'ai appelé. J'ai entendu son portable heurter le sol.

— Bravo.

— Carla, ton enfoirée de copine, veut que j'aille dîner chez elle. Ma thérapeute y sera. Bon Dieu, rien que trois filles. Peut-être qu'elles vont tenter de me violer.

— N'y va pas. Sinon, fais gaffe. Tâche de garder tes vêtements.

— Entendu, papa. »

Il raccrocha, puis appela Melissa. Elle comptait passer le chercher en vue de leur partie de pêche matinale, mais par mesure de précaution il préféra ne pas lui indiquer sa nouvelle adresse et lui demanda de le retrouver au lac de Patagonia. Parce qu'elle flirtait au téléphone, il fut de nouveau soupçonneux, mais il veilla à ne pas laisser sa paranoïa lui gâcher la prochaine partie de pêche, sans parler de lointaines possibilités d'ordre sexuel. Il sortit de l'appartement et dit au revoir à Molly, l'épouse d'Alfred, qui traitait ses roses contre les pucerons, quand une camionnette de FedEx se gara devant la maison. Il avait failli oublier les livres envoyés par Marion.

« Mon deuxième cycle de chimio ne donne rien, annonça Molly. Alors je vous dis définitivement au revoir.

« — Je suis désolé, dit Sunderson soudain paralysé.

— Croyez-vous à une vie après la mort ?

— Je n'ai pas encore décidé. Je ne suis pas vraiment porté sur la religion.

— Je crois que c'est le cas de tout le monde. Je ne sais plus au juste qui a dit que, s'il ne se passe rien, nous ne le saurons jamais. Mes fleurs me manqueront, les oiseaux, et la limonade aussi. »

Il la serra contre lui, puis monta dans la voiture en regrettant de ne pas pouvoir boire tout de suite un double whisky et en pensant qu'il ne restait pas grand-chose de Molly. Elle semblait constituée de Tinkertoys, ces fragiles baguettes avec lesquelles on pouvait construire de petits bâtiments et des ponts, mais certes pas des êtres humains. Il se rappela que son frère Robert et lui-même avaient trouvé un faon mort depuis peu, il ne sentait pas encore, et ils lui avaient accordé ce qu'ils croyaient être un enterrement décent. Molly ne pouvait pas peser beaucoup plus lourd que ce faon que Sunderson avait laissé tomber dans le trou peu profond que lui et son frère avaient creusé. Quand le corps de l'animal avait percuté la terre, on avait entendu un léger bruit étouffé.

Le paquet de livres envoyés par Marion fut une maigre consolation. Sur le parking il ôta l'emballage et choisit *Playing Indian* de Philip Deloria, que Marion lui avait prêté deux ou trois ans auparavant, plutôt que l'une de ses récentes acquisitions comme *They Are All Red Out Here : Socialist Politics in the Pacific Northwest, 1895-1925* de Jeffrey Johnson, ou *Yeomen, Sharecroppers, and Socialists : Plain Folk Protest in Texas, 1870-1914* de Kyle Wilkison, et certainement pas la nouvelle édition de *The Irony of American History* de Reinhold Niebuhr, un livre qu'il avait feuilleté des années plus tôt et qui l'avait plongé dans une profonde mélancolie.

Au bar, en buvant son premier double whisky accompagné d'une bière, il lut la lettre de Marion, la première partie lui conseillant de commencer par le Deloria, qui l'aiderait à comprendre l'utilisation du « folklore » indien frelaté par le Grand Maître. Selon Marion, de nombreux Américains non Indiens laissaient libre cours à leurs fantasmes d'indianité afin d'acquérir une spiritualité « bidon ». Dans la seconde partie de la lettre, Marion racontait comment, après avoir pris le Deloria dans l'étagère située au-dessus du bureau de Sunderson, il avait découvert Mona nue, toute à ses rituels matinaux. « Ne pense même pas à m'imiter, mon ami. C'est très perturbant, d'autant qu'elle m'a pris la main dans le sac. Je suis parti travailler rouge de honte et avec une érection aussi douloureuse qu'une rage de dents. J'ai repensé à un article spécialisé écrit par un psychanalyste nommé Sullivan qui disait que dans leurs meilleures incarnations la poésie et la religion repoussent les frontières de l'ineffable. Eh bien, un corps féminin réussit aussi cette prouesse. »

Amanda, la barmaid, lui apporta son second double whisky. Il avait eu une vision splendide de son opulente poitrine quand elle s'était penchée afin de prendre de la glace pour une margarita.

« Tu regardes quoi, trouduc ?

— Je regarde à l'intérieur de mon esprit. Je ne vois pas grand-chose, répondit-il.

— Pas mal trouvé, mais un peu fumeux », fit-elle en éclatant de rire.

Soudain, Sunderson eut peur. Deux doubles, c'est largement suffisant quand des méchants te cherchent sans doute noise. Il était cinq heures de l'après-midi et il savait qu'il devrait dîner de bonne heure, lire un peu et rester scrupuleusement sobre. Sur un coup de tête absurde, il retourna au restaurant mexicain et mangea un autre bol de *menudo*, qu'il épiça généreusement de piments très forts et odorants. Il se sentit fier de s'acclimater aussi vite, même si c'était plus facile quand il était en Italie avec Diane et qu'il aimait tout ce qu'il mangeait.

Dans son nouveau logement, il sortit les livres de sa valise, dont « *It's Your Misfortune and None of My Own* » : *A New History of the American West* de White, et *Extraordinary Popular Delusions and the Madness of Crowds* de Mackay. Les livres d'histoire étaient la principale consolation de sa vie, avec la pêche à la truite, mais ce soir-là les plaisirs de l'histoire firent long feu. Il comprit que son problème était que le sentiment du danger l'obligeait à considérer seulement la vie au présent. Il essaya les infos télévisées, mais sa méfiance envers l'histoire instantanée des médias fut la plus forte. Il ne trouva pas un seul film convenant à son humeur et il dut se rabattre sur un film de flics, seulement parce qu'y jouait Robert Duvall, son double, un acteur absolument crédible dans tous les rôles qu'il incarnait. Sunderson ne regardait presque jamais de films policiers, car leur manquaient les aspects viscéraux de l'expérience réelle. Un jour où il était en formation à Detroit, il avait rendu visite à une baraque de drogués au bord du fleuve et trouvé deux têtes coupées sur une table de cuisine, toutes deux dotées d'une énorme langue violacée, et entourées d'un nuage de mouches, car elles étaient là depuis deux ou trois jours.

Malgré sa soif, il refusa bêtement de boire de l'eau, car il ne voulait pas se lever pour pisser à cause de l'hyperactivité de ses vieux reins. La goutte le frappa à minuit, un diagnostic facile à établir : il avait l'impression qu'un rat lui boulottait le gros orteil droit. Il rejoignit la salle de bains à cloche-pied et prit deux comprimés de colchicine, plus un Oxycontin contre la douleur. Sa dose quotidienne d'allopurinol avait perdu la bataille contre la goutte et les purines cristallisés de son orteil irritaient maintenant ses terminaisons nerveuses. La faute en revenait indubitablement aux tripes, car, il s'en rappelait maintenant, les tripes figuraient sur la liste des aliments interdits par son médecin. D'habitude, c'était le foie de biche pendant la saison de chasse. Comme son père avant lui, Sunderson ne pouvait tout bonnement pas résister au foie de biche.

Il dormit au mieux par à-coups. Pour lui, les seuls drogues fiables étaient l'alcool et le tabac ; même l'ibuprofène et l'aspirine étaient suspects, car ils modifiaient la vie onirique qui l'amusait et le fascinait. Son principal souci, c'était qu'il ne réussirait peut-être pas à baiser Melissa si l'occasion se présentait. Les douleurs à l'orteil n'avaient rien de sexy et une barque n'était pas l'endroit idéal pour batifoler. Au début de leur mariage, alors que Diane et lui campaient, ils avaient essayé de faire l'amour sur le lac Gogebic avant de renoncer, pris de fou rire à cause de leur maladresse. S'il était croyant, pensa-t-il, il pourrait au moins prier pour qu'il fasse chaud et qu'il puisse reluquer un peu de peau. Il finit par s'endormir, car pour une fois il avait la chance d'être vieux et avec l'âge on renonce à essayer de comprendre tout ce qui se passe, à tenter désespérément de régler les centaines de variables dans la maison du cerveau aux milliards de chambres entre lesquelles il n'y a pas assez de portes, loin de là. Il comprit une fois de plus que la vie comportait un nombre ahurissant de pièces mobiles.

Il arriva à la marina du lac Patagonia une demi-heure avant l'heure prévue avec Melissa. Selon les critères du Michigan, ce lac était plutôt minable, mais le décor montagneux était magnifique. Sunderson traînait douloureusement la patte, mais était prêt à ramer tandis que Melissa pêcherait. Il parcourut avec difficulté la faible distance séparant le parking du quai, son gros orteil et dans une moindre mesure tout l'avant de son pied droit palpitant comme la racine d'une dent brisée, mais c'était toujours mieux que la terrible souffrance qui précède une crise cardiaque. Au moins, la goutte n'incluait aucune gueule de bois émotionnelle. C'était un sale tour qu'on se jouait à soi-même, le plus souvent par inattention. La liste des aliments prohibés était scotchée au-dessus de son bureau. Le problème, c'était que la douleur demeurait une abstraction tant qu'elle n'était pas là, et qu'elle ne faisait pas le poids face à une poêlée de minces tranches de foie de biche rapidement dorées. Son père lui avait assuré que le foie était la plus saine des viandes pour bâtir un corps musclé, mais le foie était aussi la viande la moins chère qu'une famille relativement pauvre pouvait s'offrir. Il avait follement désiré être aussi costaud que son père, qui soulevait facilement l'une des boîtes de poisson blanc du cousin Charlie, laquelle pesait cent cinquante kilos.

Sunderson s'assit sur le quai près de la barque numéro sept qui, d'après l'employé de la marina, était la meilleure des dix. C'était de toute évidence une grosse merde, dans la droite ligne de toutes les barques qu'il avait connues. La mythologie du foie et des barques disparut quand il pensa à la puissance de *Playing Indian* de Deloria, un ouvrage qu'il avait feuilleté au milieu de ses affres. La plupart des livres d'histoire universitaires qu'il lisait accumulaient des pages de prose indigeste, et Diane en lisait parfois une phrase ou deux à voix haute, avant d'éclater de rire. Elle aimait bien écouter Leonard Cohen en lisant son auteur préféré, Loren Eiseley. Lui-même appréciait tant le chanteur que l'écrivain, mais pas en même temps. Il se mit bientôt à somnoler à cause de son cocktail médicamenteux de colchicine et d'Oxycontin, auquel il avait ajouté l'Imodium. La colchicine opérait parfois une purge violente. Un peu plus tôt dans la matinée, quand Melissa l'avait appelé pour lui demander quel jus de fruit lui ferait plaisir pour accompagner le déjeuner, il avait répondu, « Une pinte de vodka », encore un ingrédient plus que douteux.

Elle arriva enfin au volant d'une Toyota 4Runner Sport presque neuve, un véhicule convoité par Sunderson, mais qu'il ne pouvait pas s'offrir avec sa modeste retraite, et que Melissa n'aurait jamais pu se payer avec son salaire dérisoire d'aide-soignante. C'était sans doute un cadeau de son frère, le faux trader.

Ils chargèrent rapidement sa petite boîte de matériel, deux cannes à pêche avec leurs moulinets, et le panier de pique-nique. Elle débordait d'un tel enthousiasme qu'il semblait feint, et malgré sa légère confusion mentale Sunderson se mit en garde contre une suspicion qui risquait de lui gâcher son plaisir. Elle portait une veste bleu ciel et un jean à la place des vêtements affriolants dont il avait rêvé. Il s'installa dans le rafiot, rama, but de la vodka et fredonna, *You Can't Always Get What You Want*. Il avait toujours préféré l'agressivité des Rolling Stones aux cantiques frivoles des Beatles. Melissa attrapa enfin une jolie perche à petite bouche sur une mouche Rapala, mais elle la relâcha en disant qu'elle préférait manger les poissons d'eau salée. Il faisait maintenant assez chaud pour qu'elle enlève sa veste, après quoi ses seins sans soutien-gorge sous un léger chandail sans manches se mirent à ballotter plaisamment chaque fois qu'elle lançait la ligne. Cette vision pénétra à travers le brouillard médicamenteux de Sunderson et une certaine agitation s'empara de son entrejambe. Avec son autre canne munie d'un gros plomb et d'un ver elle pêchait à la traîne et elle attrapa un petit poisson-chat, qu'elle relâcha aussi, car il était trop laid pour qu'elle y touchât. Il avait apporté la carte d'Alfred et il ramait vers les abords de l'estuaire où la Sonoita Creek, qu'il avait longée en se baladant sur les terres de la Protection de la Nature, se jetait dans le lac.

Ayant sauté le petit déjeuner, il était affamé et pressé de pique-niquer.

La rivière se divisait en nombreux bras près du lac, mais il trouva un passage assez profond pour amener la barque jusqu'à terre. Il regarda Melissa préparer le pique-nique à quatre pattes et eut droit à quelques aperçus délicieux. Il but une grande gorgée de vodka pour soulager sa douleur au pied. Il y avait une salade de fruits et une dizaine d'énormes crevettes qu'elle dit avoir obtenues grâce à Hector, le propriétaire du Las Vigas. Sunderson savait que les crevettes figuraient tout en haut de la liste des aliments interdits aux individus souffrant de la goutte, mais il se dit *Et merde !* en plongeant une queue dans une salsa verde incroyablement relevée. Les larmes qui lui envahirent les yeux firent beaucoup rire Melissa.

« Que fais-tu vraiment dans la région ? »

Cette question le prit par surprise et il comprit que tel était bien l'effet recherché, mais après avoir consacré presque toute sa vie à interroger des suspects, plus récemment désignés sous le terme de « personnes intéressantes », il était passé maître dans le jeu du chat et de la souris.

« Je rassemble des informations sur un chef de secte. Je rends visite à mon implacable mère. Pour le reste, j'ai seulement le droit de me taire. » Il comprit aussitôt qu'il aurait dû clore le sujet une fois pour toutes, mais il avait envie de la taquiner un peu. Il prit un air froid, impassible, alors qu'en réalité il se disait qu'il aurait vraiment dû emporter un Oxycontin.

« Tu n'as pas confiance en moi ! » Elle prit très au sérieux la froideur de Sunderson, se leva puis s'éloigna vers les buissons et disparut presque.

Il était adossé à un petit arbre qu'il aurait bien aimé identifier. Il pensa appeler Alfred pour faire une promenade avec lui et s'initier à cette flore mystérieuse. En attendant, il la surveillait entre ses paupières mi-closes et il se demandait ce qu'elle allait faire maintenant qu'il savait pertinemment qu'elle l'espionnait pour son frère. Il constata avec plaisir que sa froideur feinte rendait Melissa furieuse, car elle sentait sa propre mission capoter. À cet instant précis il la vit dans l'interstice entre deux buissons : elle poussa un petit cri qui sonnait faux avant de se laisser tomber dans un trou boueux. Il se leva à contrecœur, puis se rassit dès qu'il la vit marcher vers lui, le jean maculé de boue et les larmes aux yeux. Il avait toujours été stupéfait par cette volatilité émotionnelle qui permettait aux femmes de pleurer sur commande.

« Je suis dégoûtante. Il faut que je me nettoie. Ferme les yeux. »

Les yeux grands ouverts, il la regarda retirer son jean, le dos tourné. Elle s'assit pour enlever son pantalon, puis elle se mit à quatre pattes afin de rincer le jean dans l'eau limpide du lac près du bateau. Elle portait un string blanc et elle avait le cul le plus ravissant, le plus parfait qu'il eût jamais vu. Il n'eut aucun mal à la rejoindre en rampant, à baisser le string et à se mettre à lécher, en pensant par intermittence *Je suis un chien qui accepte que des inconnues le nourrissent*.

« Oh, espèce de porc, espèce de sale porc », dit-elle en riant.

À cause de son état cotonneux dû aux médicaments, il bandait seulement à demi, mais il réussit à se mettre à l'abri, là où son membre

grossit dans la chaleur moite. Son engourdisse-
ment l'aida cependant à durer davantage, tout
comme le paysage montagneux étrangement
mélodramatique. Ses violents coups de reins les
avaient poussés vers la berge herbeuse, si bien
qu'elle s'accrochait au plat-bord de la barque
pour leur éviter à tous deux de glisser dans l'eau
du lac.

« Tu es un porc immonde, dit-elle en se retournant pour le regarder.

— Non, je suis un chien qui se demande s'il
ne va pas succomber à une crise cardiaque. »

Ils remontèrent en chancelant vers la nappe
bleue qu'elle avait étendue pour le pique-nique.
Elle remit son string, puis essaya maladroite-
ment d'essorer son jean, mais il l'arrêta avant
qu'elle ne l'enfile.

« J'ai besoin d'observer ton joli cul.

— Tu n'y toucheras pas avant de m'avoir préparé un bon repas. »

Si cette injonction avait pour but de le mener
par le bout du nez et de la queue, elle y réussit
parfaitement. Tandis qu'il ramait vers la marina,
elle lui proposa de venir dîner chez elle le lendemain soir. Il accepta en repoussant l'hypothèse
de la présence de Xavier à ce dîner. Elle déclara
alors qu'elle devait maintenant rentrer chez elle,
préparer pour Josefina le flan qu'elle lui avait
promis, prendre une douche afin de se laver de
toutes ces « cochonneries », puis partir à l'hôpital
où elle devait travailler entre quatre heures de
l'après-midi et minuit.

En rentrant vers son humble logement dans le
village de Patagonia, il réfléchit à sa déprime post-
coïtale. Dans un monde nettement plus naturel, il

aurait été l'araignée mâle qui se retourne sur le dos après l'éjaculation pour offrir un repas gratuit à la femelle. Il était un peu vexé que le sexe conservât ce genre de pouvoir sur lui, vexé qu'un vieux chnoque pût être autant accro aux impératifs biologiques. Son petit chien, aujourd'hui au ciel, bondissait souvent et en vain vers la croupe élevée de la chienne colley qui habitait un peu plus loin dans la rue. Comme disait sa mère, « les voies du Seigneur sont impénétrables, mais Il accomplit des merveilles », surtout quand l'équipe locale de hockey battait les voyous d'Iron Mountain.

Il se força à passer en voiture devant le Wagon Wheel. Les deux crevettes qu'il avait réussi à manger avant le rut constituaient une réserve très insuffisante pour deux ou trois doubles whiskies. Un bon somme et un généreux en-cas le prépareraient efficacement à l'inévitable heure du cocktail. Il résista à la tentation lamentable d'un nouvel arrêt au restaurant mexicain pour savourer un énième bol de *menudo*, lui préférant l'épicerie et quelques plats surgelés, qui lui répugnaient d'habitude, mais il n'avait aucune envie de se préparer un vrai repas. Il s'offrit aussi une pinte de vodka Absolut, quand d'ordinaire il se contentait des marques les moins chères.

Soudain piqué par l'aiguillon de la mémoire, il s'installa à la table de la cuisine pour écrire quelques lignes dans son journal.

1. Melissa me rappelle Sonia quand j'avais dix-neuf ans et que j'étais un timide étudiant de deuxième année à l'université du Michigan. Leurs ressemblances vont plus loin que leur parfum de framboise ou leur joli derrière. Sonia était

une hippie diplômée d'histoire que j'ai connue à la librairie où nous avons commencé à parler de l'échec de l'armée des Russes blancs. Nous avons pris un café et sommes tombés d'accord pour nous revoir de temps à autre et parler de l'histoire russe qui la passionnait beaucoup plus que moi. Sonia était une vraie cinglée qui portait des vêtements orange et noirs parce qu'elle croyait au diable et que ses vacances préférées étaient Halloween. C'est triste à dire, mais je l'ai seulement connue en mai, juste avant la fin de l'année universitaire, après quoi elle devait passer l'été à Leningrad grâce à une bourse de voyage. Elle parlait russe couramment, car après avoir vécu à Kiev ses parents avaient quitté l'URSS durant la Seconde Guerre mondiale. Ils étaient juifs non pratiquants, ce qui expliquait sans doute pourquoi Sonia croyait mordicus au diable.

2. Un jour, au cours de ma septième année, ma mère m'a giflé très fort. Je ne me suis pas rappelé cet épisode durant des années, comme s'il s'agissait d'une petite tache sur ma rétine. (À cette époque, les instituteurs avaient encore le droit d'administrer des châtiments corporels.) J'étais en CP, j'avais du mal à apprendre à lire. J'étais assis avec maman dans un grand fauteuil pendant qu'elle me lisait à voix haute une histoire intitulée « Les bébés de l'eau », extraite du *Trésor de l'enfance*, et j'essayais de suivre le texte avec l'index. J'étais troublé, car convaincu que toute cette histoire était un gros mensonge. Je venais de pêcher la truite avec mon papa et je savais bien qu'aucun bébé humain ne pouvait vivre sous l'eau dans une rivière en nageant entre les herbes aquatiques et sans remonter à la surface pour respirer.

Tout ce temps-là, Berenice courait dans le salon en me criant, « Crétin ! » C'était un samedi après-midi pluvieux et maman sentait le vin de rhubarbe qu'un voisin faisait chaque année. Au moment où Berenice s'est approchée un peu trop près de moi, je lui ai attrapé une couette en la traitant de « Salope ! ». Alors maman a pris son élan et m'a giflé très fort. Je n'avais aucune idée du sens du mot « salope ».

3. Cette région me rappelle *The Blue Planet*, la collection de DVD que Diane m'a un jour offerte pour mon anniversaire. Presque toute la vie sous-marine m'était inconnue, car elle était sans commune mesure avec l'existence humaine. Certains de ses aspects étaient troublants, voire répugnants. Ainsi, des colonies de vers, larges de cinq centimètres et longs de quinze, vivaient à deux kilomètres de profondeur dans l'obscurité absolue. Je n'avais aucune envie d'aller les observer.

4. Une image mentale du cul de Melissa en pleine lumière, tout près de l'estuaire. Il devrait exister une tripotée d'instituts de sondages pour demander à tous les hommes de l'univers ce que signifie un cul pour eux.

5. Je pense sans cesse à une photo dans un vieux numéro de *Life* où l'on voit des singes se baigner dans une source chaude, au nord du Japon. Il neige, mais ils ont très chaud, bien qu'étant mouillés. Comment font-ils pour se sécher sans se geler les miches ? Telle est la question.

Il se déshabilla entièrement pour sa sieste en tâchant de chasser de puissantes ondes négatives hors de son esprit. Après avoir passé quarante ans à essayer de nettoyer la crasse de la culture tel un homme de ménage, il se retrouvait dans une région vraiment inconnue à traquer un type qui n'avait commis aucun crime avéré. Il avait récemment été lapidé par des filles pré-ado, pour autant qu'il ait pu le constater avant d'avoir dû se protéger les yeux. Cette agression semblait réveiller un instinct meurtrier quelque part dans son cerveau. Pour faire son travail correctement il lui avait fallu développer un noyau préexistant de colère, et puis cette colère était devenue partie intégrante de sa personnalité. Un grand nombre de gens la percevaient, parfois inconsciemment, et évitaient autant que possible d'entrer en contact avec lui. Il pensa alors à la manière dont les gens, dès qu'ils rencontrent un médecin dans un contexte social, lui glissent une question d'ordre médical, très souvent inepte. En présence de Sunderson, les plus courageux lui posaient une vague question sur l'application de la loi, car qui n'avait jamais commis aucun délit, consciemment ou malgré lui ? Dans les bars et les réunions entre amis, Sunderson se voulait rassurant et il répondait qu'à strictement parler toute la population américaine devrait être derrière les barreaux, mais qui alors s'occuperait des enfants innocents ? L'application de la loi n'était qu'un simple couvercle masquant l'égout humain. Ses interlocuteurs riaient alors, l'air légèrement gêné.

Il fit une bonne sieste de trois heures grâce à un Oxycontin et une gorgée de vodka, en rêvant de cloches d'église par un dimanche matin venteux à Munising. Le son de cloches se révéla être la sonnerie de son portable. C'était Mona.

« Ça fait cinq fois que j'appelle. T'étais où, putain ?

— Je sors d'une bonne sieste réparatrice. J'ai eu une attaque de goutte.

— Tu as sans arrêt des attaques de goutte, mon chéri.

— J'ai beaucoup de mal à apprendre de mes expériences. Quoi de neuf ?

— J'ai dîné avec Carla et ma thérapeute, et découvert des trucs zarbis. Pour commencer elles m'ont fait boire un chardonnay californien infect qui avait un goût de beurre rance. Ensuite elles ont voulu me masser avec de la lotion Apache. Tu te rends compte ?

— J'ignorais que les Apaches s'étaient reconvertis dans les cosmétiques.

— Carla m'a donné le flacon. C'est fabriqué à Boulder, Colorado. Bref, on a fumé un joint, j'étais un peu pétée, j'ai somnolé sur le canapé et – tu vas pas le croire – quand j'ai ouvert les yeux Carla prenait une photo de moi avec la jupe relevée.

— Pardon ?

— Elle était à genoux devant moi et elle me photographiait l'entrejambe au flash. "Putain, je lui ai dit, tu fais quoi là ?" Elle m'a répondu que son petit copain adorait les photos de jeunes filles à la jupe relevée. Devine qui c'est, son petit copain ?

— Facile. Le Grand Maître. Elle fait partie d'un vrai harem, j'en suis sûr.

— Carla dit que, si tu laisses pas tomber, elle va t'accuser de sodomie, tu sais, à ta fête de départ en retraite. Elle a Queenie comme témoin.

— Passionnant. » Dans l'esprit de Sunderson le manège des permutations s'emballa, mais il n'eut aucun mal à l'arrêter. « Ce serait gênant, mais ça ne marcherait pas. Il y avait plusieurs flics là-bas, et puis des amis qui bossent au bureau du procureur. Il y a aussi des photos d'elle exécutant un 69 avec Queenie. J'ai davantage de témoins qu'elle, et des meilleurs.

— Tu veux que je le lui dise ?

— Non. Bien sûr que non. Personne n'a envie d'un concours d'images pornos. Simplement, ne retourne pas chez elle.

— Tu me manques, chéri.

— Toi aussi, tu me manques. »

Il réussit seulement à manger un plat de mauvais poulet surgelé avant de se retrouver à deux doigts de vomir. Le moment était venu d'aller au supermarché pour y faire de vraies courses. Il avait prévu de passer une soirée tranquille : lire *Playing Indian* de Deloria et prendre quelques notes sur sa situation. Il avait conscience de ressentir une certaine fierté mal placée, une *hubris* douteuse le convainquait qu'il pouvait se débrouiller sur ce territoire nouveau alors que jusque-là les faits montraient plutôt le contraire. Il avait baissé la garde après avoir été libéré de quarante années d'habitudes de travail et les résultats de ce laisser-aller s'étaient avérés catastrophiques. Avant de répondre à l'appel de Mona, il avait fait un rêve confus où sa rivière à truites préférée devenait ronde, un cercle parfait au milieu des champs, des bois et des marais qu'elle traversait normalement. Vers la fin du rêve, cette rivière se faisait méandreuse, serpentine, ce qui lui rappela certaines idées défendues par Marion. Le processus du vieillissement était linéaire et manifestait tout le caractère inévitable de la gravitation, mais notre pensée et notre comportement avaient tendance à se manifester par paquets, tels des nœuds qui se nouaient et se dénouaient d'eux-mêmes. Désormais, son problème essentiel était comparable à cette parabole des Évangiles qu'on oubliait trop souvent : quand à la retraite on vide la pièce où l'on vit, il faut faire attention à ce qu'on y laisse pénétrer. Comme cinq mois le séparaient encore de la saison de pêche à la truite, il lui restait seulement son obsession du Grand Maître, ce qui ne constituait sûrement pas une chose agréable avec laquelle remplir sa vie. Il conservait l'image d'une vieille et magnifique basilique où il était entré par une petite rue de Florence, pendant que Diane faisait la sieste dans leur chambre du Brunelleschi. Il s'était assis sur un banc de cette basilique, apaisé par la beauté du lieu, par ces lignes merveilleusement simples en comparaison de la monstruosité rococo du Duomo. Une vieille dame et une adorable fillette d'une douzaine d'années arrivèrent, allumèrent des cierges, s'agenouillèrent et prièrent. La question que se posait Sunderson était la suivante : pourquoi ne pas éliminer le Grand Maître dont les pitreries ridicules diminuaient ce que chacun devait ressentir, même de loin, comme étant le caractère divin de l'existence ? Cette chose sacrée, Sunderson la percevait seulement dans la nature, loin des répugnantes collectivités humaines qui détruisaient presque toutes les bonnes choses de la vie.

Quand Berenice appela, il répondit pour ne pas se sentir coupable. Elle tenait à ce qu'il vînt dîner le lendemain soir, car leur sœur Roberta était de passage en ville. Il rétorqua qu'il était pris et ils tombèrent d'accord pour déjeuner ensemble. Il fumait cigarette sur cigarette et il remarqua avec agacement qu'il ne lui en restait que cinq, pas assez, loin de là, pour une soirée de lecture. Serait-il capable de marcher jusqu'au Wagon Wheel pour y acheter des cigarettes, sans se laisser piéger ? On verrait bien. Une pensée encore plus irritante lui traversa l'esprit : qu'allait penser sa mère si jamais il se retrouvait accusé de sodomie ? Sûrement pas des choses agréables.

Il se servit un petit verre sans se soucier des glaçons, puis appela un ancien collègue de Marquette pour lui faire part des intentions supposées de Carla. Cet ami lui expliqua que le procureur ne laisserait jamais passer des accusations aussi délirantes, mais par mesure de précaution on allait s'intéresser d'un peu plus près à cette fille. D'ailleurs, un informateur lui avait récemment confié que Carla vendait non seulement quelques grammes d'herbe par-ci par-là, mais aussi des cartouches de cigarettes de contrebande qu'un membre chippewa de la secte de Daryl-Dwight rachetait à des passeurs de la région de Sault Ste. Marie. Il s'agirait alors d'un délit fédéral et l'on menacerait Carla de « lui botter le train ». Ce petit trafic de cartouches de cigarettes permettait à Carla de gagner vingt dollars net par cartouche revendue.

En traversant les quelques rues qui le séparaient du bar, Sunderson faillit danser la gigue. Depuis sa jeunesse, la perspective de mettre en rogne sa mère, la dame de fer, avait joué le rôle d'un puissant modificateur du comportement. Près du motel, il aperçut un jeune homme au visage extasié surmonté d'un turban et au Wagon Wheel il demanda à Amanda de quoi il retournait.

Elle lui répondit que l'allumé en question appartenait à une secte végétarienne de Harshaw Creek Road. Sunderson réfléchit à l'hypothétique contenu spirituel des légumes crus, et se rappela les carottes caoutchouteuses et les infectes tiges de céleri au menu de la cantine de son école primaire.

« Peut-être que les légumes crus libèrent leurs pouvoirs secrets, suggéra-t-il en vidant d'un seul trait son premier double whisky.

— Tu parles d'une bonne blague. Ce que je sais, c'est que ces types-là sont des camés de la pureté et quand ils font une overdose, l'hélico médical de Tucson vient les chercher », fit Amanda en riant.

Par une heureuse coïncidence, une vieille Mexicaine entra dans le bar pour vendre des *tamales* frais à un dollar pièce. Sunderson en acheta six et en mangea trois sur-le-champ avec une bière Pacifico glacée. Ils étaient cent fois meilleurs que tout ce qu'il avait jamais mangé dans un bar du Grand Nord. En fait, ils étaient si bons qu'il n'avait plus envie de boire un seul verre. Il dut même se forcer pour attendre de manger les trois *tamales* restants au petit déjeuner. En rentrant chez lui à pied, il envisagea un instant de devenir un Mexicain qui connaîtrait une flopée de retraités américains loin au sud de la frontière, là où la vie était moins risquée. Juste avant d'atteindre son motel, il vit dans une ruelle obscure deux hommes qui chargeaient quelque chose dans un pick-up. Quand ils l'observèrent, il fit comme s'il ne les avait pas remarqués et continua de marcher en regardant droit devant lui.

« Tu cherches quelqu'un ? lui avait demandé Amanda avant qu'il ne quitte le bar.

— Le silence est d'or », répondit-il en faisant le mystérieux.

L'aube, tardive en novembre, le trouva en train de découper sa première mangue, au toucher si sexuel, mais comme il n'appréciait guère la texture de ce fruit, tout compte fait il ne deviendrait peut-être pas mexicain. En buvant son café, il avait lu un chapitre de l'essai de Deloria intitulé « Hobby Indians, Authenticity, and Race in Cold War America » en se rappelant un certain nombre de pow-wows auxquels il avait participé dans la Péninsule Nord alors qu'il traquait des criminels, des « personnes intéressantes » comme on disait aujourd'hui. Une fois, lors d'un grand pow-wow d'hiver à Escanaba, il avait vu le célèbre danseur *fancy* Jonathan Windy Boy et la grâce inconcevable de cet homme lui avait donné la chair de poule. Il y avait eu aussi quelques danseurs blancs, souvent maladroits.

Mettant le livre de côté, il décida de prendre des notes sur ses activités pour y voir plus clair. Toute sa carrière, il avait griffonné dans des calepins afin de préparer les insupportables rapports qu'il était contraint de rédiger pour ses supérieurs hiérarchiques. Bien qu'incapable d'écrire de la bonne prose, il savait la reconnaître. La lecture de tant de pensums de nature historique ne l'aidait certes pas. Imitant les spécialistes, il avait tendance à accumuler les précisions afin d'éliminer toute ambiguïté. « Comment croire que le coupable, aussi improbable que cela puisse paraître, est seulement entré récemment, peut-être dans le mois qui a suivi son retour de Milwaukee, en possession de munitions à caractère illégal, et surtout destinées à des armes illicites, car entièrement automatiques ? », ce genre de choses. À l'inverse, Diane écrivait magnifiquement, surtout dans son mémoire publié par l'université du Michigan et consacré aux aventures de la famille de son père dans le commerce du bois. Elle écrivait tous les jours dans son journal intime, lisait de nombreux essais et de la littérature de qualité. Bien qu'appréciant les livres de Hemingway consacrés à la pêche, il n'avait pas réussi à finir *Le soleil se lève aussi*, un roman sur une bande d'oisifs qui picolaient et assistaient aux corridas en Espagne.

Assis, il contemplait la page vide de son calepin, le stylo prêt à fondre sur son objectif, mais il n'arrivait pas à formuler la moindre phrase. Depuis son arrivée en Arizona le passage le plus intéressant de son journal était « J'ai mal partout », écrit juste avant de quitter l'hôpital. C'était la vérité. Une grosse pierre avait percuté sa raie des fesses alors qu'il se tenait accroupi par terre, si bien que même autour du trou du cul il avait un bleu énorme.

Il se promena une heure sur Harshaw et adressa un signe de tête à un groupe de jeunes femmes illuminées, disciples de la secte végétarienne. Marion avait déclaré que les végétariennes avaient meilleur goût, mais Sunderson n'avait jamais eu la moindre expérience avec une inconditionnelle des légumes.

Désireux de se débarrasser de la corvée des courses avant de déjeuner chez sa mère, il partit de bonne heure pour Green Valley. Ensuite, il le savait, il aurait besoin de boire un verre et de faire une longue sieste avant d'aller retrouver Melissa chez elle. La route passait pile devant chez Alfred, qui était dans son jardin. Sunderson s'arrêta donc pour lui dire bonjour, un mauvais choix car Alfred était furieux. Quelqu'un avait pénétré par effraction dans l'appartement de Sunderson pendant que Molly et lui étaient sortis dîner. En dehors de la serrure de la porte d'entrée, il n'y avait aucun dégât. Sunderson lui proposa cinquante dollars, que le vieil homme empocha.

« Un flic est venu, mais il n'a relevé aucune empreinte digitale comme à la télé. Bref, ce matin j'ai vu une paruline à ailes blanches.

— Veinard », dit Sunderson qui savait que la paruline était un oiseau.

Le supermarché de Green Valley constitua une expérience un peu triste. Tous les clients avaient au moins son âge. D'accord, ils semblaient en meilleure forme que les retraités de la Péninsule Nord dont le seul exercice physique consistait à enfoncer les touches de la télécommande de leur télé. Les femmes surtout étaient bronzées et alertes, tandis que les hommes passaient manifestement trop de temps sur leur voiturette de golf. Il y avait un splendide étalage de légumes, comparés à ceux qu'on trouvait dans la région de Sunderson où le plat de résistance avait toujours été la tourte à la viande. Pour Sunderson, les légumes constituaient une obligation plutôt qu'un plaisir, depuis que Diane et ses talents de cordon-bleu étaient partis. L'idée, c'était de mettre la main sur un paquet de râbles de lapin surgelés, afin de préparer l'un de ses plats préférés.

Sa mère, Roberta et Berenice étaient assises sur la véranda de devant, par bonheur sans le crétin de mari de Berenice. L'Escalade avait disparu, mais il y avait une Prius grise ornée d'un autocollant d'Obama, de toute évidence la voiture de Roberta.

« Belle voiture. Mais un peu chère », dit Sunderson en acceptant le verre de mauvais rosé californien que lui tendit Berenice.

« Ta sœur a le vent en poupe, contrairement aux obsédés sexuels alcooliques, dit sa mère d'une voix pâteuse.

— J'ai toujours rêvé d'être le poulet lambda à Perpète-les-Ouillettes, rétorqua Sunderson avec un rire nerveux.

— Et tu as perdu la meilleure épouse du monde, enchaîna sa mère.

— Oh, maman, pour l'amour du ciel ! Arrête de l'emmerder, tu es vraiment lourdingue. » Tout bébé déjà, Roberta avait le sang chaud et c'était la seule des quatre enfants que sa mère n'avait jamais réussi à mater. Sunderson avait quatre ans de plus que Roberta, elle-même née un an à peine avant Bobby, lequel était le résultat d'une erreur contraceptive. Ces deux-là avaient toujours été extrêmement soudés et doués pour se défendre contre le restant de la famille, où ils voyaient toujours des ennemis potentiels. Sunderson trouvait qu'ils faisaient presque partie d'une autre génération.

Sa mère se lança dans une nouvelle jérémiade où elle déplorait l'absence de petits-enfants.

« Et si tu changeais de disque, maman ? » suggéra Roberta, qui proposa ensuite à Sunderson d'aller se promener. Ils n'avaient pas fait cinquante mètres dans la rue qu'ils cédèrent tous deux à la mélancolie.

« Comment va ? s'enquit-elle.

— Comme ci comme ça.

— Tu t'es fait casser la gueule. Personne ne m'a encore expliqué pourquoi.

— Je ne suis pas sûr de le savoir. Mais je devrais comprendre très vite.

— Tu ne comptes pas laisser tomber, n'est-ce pas ? Pourtant, tu as un peu trop de kilomètres au compteur pour le combat au corps à corps.

— C'est pour ça que Dieu a inventé les armes à feu, essaya-t-il de blaguer lamentablement.

— Tu sais que je suis toujours en contact avec Diane. Tu sais aussi que son nouveau mari est en train de mourir. Y a-t-il une chance pour que vous vous remettiez ensemble ?

— Aucune. Ce qui n'allait pas chez moi à l'époque ne va pas mieux aujourd'hui. »

Roberta s'arrêta soudain et regarda d'un air perplexe les maisons à l'invariable stuc beige et les pelouses absurdement uniformes.

« Je préférerais partir en retraite dans le Southside de Chicago, cracha-t-elle.

— Moi aussi.

— Tu imagines comme Bobby aurait détesté cet endroit ? Lui qui avait sans arrêt le mot *bourgeois** à la bouche. Tu imagines ? Le seul homme que j'aie jamais pu aimer était mon frère. »

Sunderson eut soudain l'impression d'avoir les semelles prises dans le béton du trottoir. Roberta fit quelques pas, puis elle se retourna et secoua la tête, des larmes plein les yeux. En la regardant, il sentit ses propres larmes jaillir de manière incontrôlable. Il avança vers elle et ils s'étreignirent, son cœur battant tout à coup la chamade face à cet amour désespéré.

De retour à Patagonia, il était trop sur les nerfs pour boire un verre ou même faire la sieste. Il bifurqua sur une petite route, passa à gué Sonoita Creek, puis marcha une fois encore sur le terrain de la Protection de la Nature. Il était ému par sa sœur et par l'immense quantité d'amour qui de toute évidence se trouvait au-delà de la sexualité et de sa banale fusion des parties génitales. Il se demanda si la religion n'équivalait pas à aimer un parent imaginaire et si toutes les démarches entreprises pour entrer en contact avec ce parent étaient justifiées. Les gens voulaient faire appel à un intermédiaire comme Daryl-Dwight ou n'importe quelle sorte de prêtre, de prêcheur, de pasteur, de swami ou de gourou afin d'écourter leur quête. Par une chance douteuse, à mi-chemin de la grande boucle du sentier il rencontra une jeune femme plutôt étrange, à qui il accorda une petite trentaine d'années, et qui lisait un livre d'ornithologie. Elle avait la peau trop transparente au goût de Sunderson, comme si l'on risquait d'apercevoir le crâne sous le cuir chevelu. Il constata que le sang lui battait légèrement aux tempes. Elle montra du doigt un oiseau dans un arbre mesquite à une vingtaine de mètres. Il arborait des couleurs déconcertantes, comme si on l'avait peint selon un code préétabli.

« Trogon élégant.

— Absolument, acquiesça-t-il.

— Non, c'est son nom. C'est un mâle et il est nouveau sur ma liste.

— Félicitations. » Il mourait d'envie de repartir, mais elle lui posa la main sur le bras.

« On dirait que vous traversez une période difficile, déclara-t-elle tout en observant le trogon à travers ses jumelles.

— En plein dans le mille. » Il ne savait plus comment s'en sortir.

« Moi aussi. Voilà pourquoi j'observe les oiseaux plutôt que l'intérieur de mon cerveau. Bonne chance. »

Elle s'éloigna dans la direction opposée et pour une fois l'idée que cette femme avait un joli derrière tomba à plat. Elle détenait manifestement des informations dont il avait besoin. Son esprit commença à se focaliser sur le paysage extérieur plutôt qu'intérieur.

Il roulait dans la ruelle menant à son appartement quand il vit Kowalski, le faux flic, quitter en toute hâte l'allée au volant d'une voiture. Il s'en fichait comme de l'an quarante, à moins que ce type n'ait posé une bombe avant de partir. En fait, Kowalski avait laissé une note sur le dossier des documents envoyés récemment par Mona à propos de Daryl-Dwight : « Pourquoi ne pas aller là-bas et buter cet enculé ? »

Incapable de faire la sieste, Sunderson sentit qu'un verre serait inapproprié. Il lui semblait que ses soucis le faisaient léviter à dix centimètres au-dessus du lit. Autre conséquence désagréable, son mal du pays empira. Il repensa à cette femme à la peau translucide qu'il venait de rencontrer et rapprocha ses paroles de ce que Marion lui avait confié sur l'attention passionnée qu'il accordait à la nature plutôt qu'à lui-même. Convaincu en tant qu'être humain d'être essentiellement un personnage comique, Marion était le contraire même de l'égocentrique.

Quand arriva l'heure de se préparer pour aller dîner chez Melissa, il ralluma son téléphone portable pour consulter ses messages. Mona avait appelé, très excitée, pour dire que Carla s'était fait arrêter par les flics dans son appartement en possession d'une livre d'herbe et d'une bonne dizaine de cartouches de cigarettes de contrebande. Libérée sous caution, elle avait couvert Mona d'insultes au téléphone, car elle avait deviné l'origine de la trahison. Sunderson sourit. Au moins quelque chose avait marché. Il se sentit vaguement rajeuni sous la douche, mais il était tout sauf enthousiaste à la perspective de ce dîner. C'était typique de sa tranche d'âge : il n'avait pas encore récupéré de la partie de jambes en l'air de la veille. Il illustrait parfaitement l'image de la fontaine fatiguée qui ne déborde plus.

Melissa habitait une modeste maison en stuc dans une résidence semi-clôturée qui n'était pas gardée. Il y avait, en revanche, un type énorme assis sur sa véranda, que Sunderson reconnut comme étant l'un des deux malabars postés près de la porte du restaurant Las Vigas le soir précédent. Les paupières de cet homme étaient si lourdes qu'on aurait dit qu'il avait les yeux fermés.

« Señor Sunderson, bien sûr », dit-il sans se lever de sa chaise.

Sunderson s'installa avec Melissa dans un jardin aux fleurs exubérantes, situé derrière la maison, pour boire une margarita qu'elle avait préparée avec de minuscules citrons verts et une tequila à cinquante dollars qu'il avait vue au magasin de spiritueux. Distraite et un peu froide, elle surveillait Josefina qui, dans un coin du jardin, jouait sur un portique avec sa nounou. Il se demanda si elle regrettait d'avoir fait l'amour avec lui la veille. Lorsqu'elle l'avait accueilli à la porte et guidé à travers un salon extrêmement chic, murs couleur cuivre doré et mobilier d'époque, il avait encore pensé qu'ici, dans le Sud, les apparences étaient vraiment trompeuses.

« Que comptes-tu faire ? » Elle ne le regardait pas.

« Je ne suis certain de rien. J'envisage de m'installer à Willcox ou à Dos Cabezas pour me rapprocher de mon ennemi.

— Si tu n'as pas de pistolet, j'en ai un en trop. » Elle le regardait maintenant comme s'il était incompétent.

« Merci. J'en ai déjà un.

— Mais je vois bien que tu ne l'as pas pris. À quoi bon avoir un pistolet si on ne l'a pas sur soi ? » Elle n'arrêtait pas de consulter sa montre, puis elle le fit entrer dans la maison. Quand ils s'assirent à la table de la salle à manger, Sunderson remarqua avec déception que le dîner était prévu pour quatre personnes. Mais la minijupe verte de Melissa lui remonta le moral. Elle expliqua la recette du *ceviche*, un plat de poisson mexicain préparé avec du jus de citron vert et des piments forts. Il adora son goût, qui lui rappela les harengs marinés de son enfance.

« Tu es un homme merveilleux, mais j'ai peur que tu te fasses tuer comme mon mari », dit-elle furtivement lorsque la porte d'entrée s'ouvrit et que Xavier arriva en compagnie d'une séduisante jeune femme qui semblait féminine à quatre-vingt-dix-neuf pour cent seulement, car sa pomme d'Adam apprit à Sunderson qu'il s'agissait très probablement d'un travesti. Il allait de surprise en surprise : cela ne cesserait-il donc jamais ? Melissa se leva pour embrasser son frère, mais elle refusa de saluer la petite amie de Xavier, ou plutôt son petit ami. Débordant d'excitation, Xavier posa trois téléphones portables près de son assiette.

« J'en garde un pour Melissa, mais tous les jours j'ai deux nouveaux téléphones pour mon business. Je vous prie d'excuser mon retard, mais je dois faire l'amour tous les jours après le travail pour me rappeler que je suis humain.

— Je t'en prie, dit Melissa en rougissant.

— J'ai résolu votre énigme », poursuivit Xavier en regardant Sunderson et en servant un vin blanc que Sunderson reconnut comme le vin préféré de Diane, un meursault. « Mon problème était que je me disais à moi-même : que font deux hommes de Marquette, dans le Michigan, sur mon territoire ? L'un d'eux a presque tué l'autre. Sans doute qu'ils se bagarrent pour une histoire d'argent. Alors, j'ai appris beaucoup d'informations sur vous. Vous vous intéressez à la secte de cet homme. Je sais que vous avez une retraite annuelle de trente-deux mille dollars, ce qui n'est pas assez. Je sais que vous prenez du Norvasc contre l'hypertension et du Levoxyl pour un problème de déficience thyroïdienne et que votre femme vous a plaqué il y a trois ans. Et maintenant vous habitez Patagonia. Je croyais que vous m'espionniez par l'intermédiaire de ma sœur, mais je pense maintenant que vous êtes juste un vieillard lubrique. Votre ennemi est installé sur ce que je considère comme mes terres avec une centaine de ses disciples. Aujourd'hui je l'ai fait venir jusqu'à moi à Nogales pour une petite conversation. Il n'était pas très content. J'ai été contraint de lui annoncer que ses gens et lui devraient partir pour Noël. Pourquoi, je vous le demande, êtes-vous fasciné par ce cinglé ? »

Le rire grinçant de Xavier agaça Sunderson. Melissa le regarda sans aménité, comme pour lui dire : « Tu es en danger. Sois sincère. »

« L'histoire a toujours été mon passe-temps favori, commença lentement Sunderson. J'en suis venu à m'intéresser de près aux rapports entre la religion, l'argent et le sexe.

— Eh bien, vous êtes un crétin ou un érudit, ou encore les deux à la fois. Tout ça ne fait qu'un. On ne peut pas les dissocier, l'interrompit Xavier.

— Peut-être, mais cet ennemi se trouvait sur mon territoire, comme vous dites. Je n'aimais pas ce qu'il faisait aux gens. » Sunderson avait l'impression que des glaçons s'entrechoquaient dans son estomac.

« Je veux dire, on ne peut pas envisager le sexe, la religion et l'argent comme des choses indépendantes. Tout ça s'est mélangé jusqu'à devenir une espèce d'énorme animal indocile, et plutôt vicieux, en fait. » Xavier était aussi ravi de cette conversation que s'il participait à un débat universitaire animé.

« Mon boulot jusqu'à une date récente consistait à protéger les citoyens contre les individus aux intentions criminelles », expliqua piteusement Sunderson en cherchant à gagner du temps. Il se rappela avoir lu William Blake à la fac, et ce poète avait écrit à peu de chose près que les bordels étaient construits avec les briques de la religion.

« Vous autres n'avez protégé personne, putain. Vous avez juste bâti des petits barrages par-ci par-là. Les gens sont des enfants naturels de la bête. »

Ils restèrent quelque minutes silencieux pour manger ce que Melissa appelait *carne adovada*, soit de petits morceaux de porc cuits avec des piments forts. Sunderson commençait à transpirer et tâta sa poche pour s'assurer qu'il n'avait pas oublié son Gas-X.

« J'ignorais que vos activités de rancher s'exerçaient dans la région où s'est installé celui qui s'appelle lui-même le Grand Maître », ironisa Sunderson en sachant très bien que les cartels contrôlaient des entrées très précises pour les marchandises illicites tout le long d'une frontière de presque trois mille kilomètres.

« Vous devenez impoli, répondit Xavier avec irritation. Nous parlons entre gentlemen cultivés. Vous pouvez rester dans la région jusqu'au soir de Noël pour dîner avec votre mère et votre sœur à Green Valley. Ensuite, rentrez chez vous.

— Sinon ? » Sous le coup de la colère, le cœur de Sunderson s'emballa.

« Vous serez transformé en *menudo* pour les vautours et les corbeaux, annonça Xavier en riant.

— Absolument charmant. » Dans l'estomac de Sunderson, les glaçons s'agglomérèrent soudain en un bloc compact.

« Et ne revoyez pas ma sœur. Je ne peux pas vous laisser la baiser comme une chienne en plein air.

— Xavier ! » s'écria Melissa avant de se lever et de se diriger vers la cuisine.

Xavier sourit et pointa l'index sur Sunderson comme un pistolet. Sunderson se leva lentement et gagna la porte d'entrée en rassemblant tout son courage pour lancer un dernier regard à Melissa, laquelle baissait les yeux vers ses pieds. Sur la véranda de devant il y avait maintenant trois hommes qui, supposa Sunderson, étaient là au cas où lui-même aurait posé le moindre problème. Il n'en avait nullement l'intention.

TROISIÈME PARTIE

Chapitre 10

Sunderson fut stupéfait par sa fragilité. Il marcha. Il marcha et marcha encore, la seule activité à laquelle il pouvait se livrer pour laisser derrière lui ce qu'il était devenu. Il écrivit une seule phrase dans son calepin, obscure mais parfaitement juste : « Je suis un homme minuscule parmi les herbes hautes. »

Après avoir quitté Melissa il s'arrêta au Wagon Wheel et but sept double whiskies, son chiffre fétiche. Mais le whisky n'eut pas l'effet escompté. Amanda la barmaid n'était pas là et sa remplaçante avait une trouille bleue de lui, comme s'il était l'un des innombrables vampires qui avaient fondu sur la région grâce à la télévision. Une touriste plus qu'éméchée l'aborda.

« Vous êtes Robert Duvall ?

— Non, répondit-il durement.

— Prouvez-le. Je sais que vous êtes Robert Duvall.

— Va te faire foutre. »

Elle hurla de terreur et il sortit du bar. Cette confusion d'identité se répétait deux ou trois fois par an. Elle amusait beaucoup Diane selon qui il aurait dû apprendre à danser le tango, car Robert Duvall le dansait à merveille.

Arrivé près de son appartement, il vomit dans le jardin de derrière, et le mélange de whisky et de bile lui brûla l'intérieur des narines. C'était manifestement l'une de ces rares occasions où l'alcool se révélait incapable de faire correctement son boulot. Au lieu d'être engourdi, son cerveau divaguait. Il passa une nuit affreuse, prisonnier d'un rêve récurrent. À douze ans, il avait coupé du bois pendant toutes les vacances d'hiver afin d'avoir de l'argent pour Noël. Son papa le déposait à l'aube, mais il faisait moins vingt-cinq et il avait sauté le petit déjeuner. Il n'arrivait pas à se réchauffer, sauf les mains qu'il pressait contre le capuchon de sa tronçonneuse Stihl, dont il était très fier tout comme de sa bicyclette verte Schwinn. En milieu de matinée il tremblait toujours et il porta la tronçonneuse jusqu'à la route de la section où au bout d'une demi-heure un conducteur de chasse-neige du comté, qui était un ami de son père, le fit monter dans sa cabine. « Faut prendre un petit déjeuner copieux quand on va bosser dans les bois », lui conseilla cet homme. Ils firent halte dans un *diner* où Sunderson mangea un sandwich au rosbif chaud avec des pommes de terre et de la sauce, avant de s'endormir sur sa chaise. Dans son rêve, au lieu de sortir des bois il étreignait un bouleau pour éviter qu'à force de trembler son corps ne se décompose en morceaux de viande congelée.

Il se leva à quatre heures du matin et but du café pendant une heure avant d'appeler Marion à cinq heures, soit sept heures dans le Michigan.

« Tu as l'air à la masse.

— C'est peu de le dire.

— Sans doute parce que tu as ressenti la nécessité de bosser tous les jours pendant quarante ans, et que maintenant c'est fini.

— Ça doit être ça. Je vais me mettre au vert une semaine. Si Berenice ou Mona appelle, dis-leur que tout va bien.

— Tu es sûr ? Je pourrais te rejoindre pour Thanksgiving, histoire de discuter un peu avec toi.

— Non. Je vais simplement me balader pour faire retomber la pression, et puis après je rentrerai peut-être à la maison.

— Ça me paraît sage. Voici une réflexion concernant notre Grand Maître. J'ai lu un passage de cet historien nommé Carter qui prétend que la religion est biologique.

— Bon Dieu. Pourquoi pas ? Transmets toute mon affection à Mona.

— Sans problème. Mona et ses amis frère et sœur portent des vêtements absolument identiques. Ils font chier les autorités scolaires. » Marion éclata de rire.

Malgré plusieurs rinçages, l'odeur du whisky et du vomi restait incrustée dans ses narines. Il éteignit son portable et, sans raison particulière, le rangea au réfrigérateur. Il mit son étui d'épaule et son pistolet en se disant que ce serait marrant de flanquer une balle dans la tête de Daryl-Dwight ; pourtant, le vrai problème n'était pas le Grand Maître, mais le monde, et la seule vraie solution consistait à se flanquer une balle dans la tête.

Il se rendit à l'aéroport de Tucson pour échanger sa berline compacte contre un luxueux 4 × 4. Il se rappela de prendre un petit déjeuner, car il partait en quelque sorte dans les bois. Une serveuse métisse et corpulente chaussée de Birkenstock remarqua la carte d'Alfred dépliée sur la table et lui fournit quelques tuyaux pour camper. C'était l'écolo typique, mais agréable. Son short vert et ses jambes bronzées prouvaient qu'elle était bonne marcheuse.

« Je ne veux voir personne pendant une semaine, moi inclus.

— Vous traversez une mauvaise passe, dit-elle en riant. Essayez l'est d'Aravaipa Creek, près de Klondyke. C'est au nord de Bonita, entre les Pinaleños et les Galiuros. Prenez l'embranchement de Turkey Creek pour éviter de vous faire emmerder par ces connards de la Protection de la Nature.

— Merci et que Dieu vous bénisse. » De sa vie Sunderson n'avait jamais dit « et que Dieu vous bénisse », mais c'était l'expression favorite de Roxie quand il l'avait bien baisée sur le sèche-linge.

« Revenez me dire comment ça s'est passé », lui lança-t-elle en s'éloignant pour servir d'autres clients. Elle sentait aussi bon qu'une balle de foin, et Sunderson reprit. Il entra ensuite dans un grand magasin de sport et acheta un sac de couchage bon marché, une bâche, un réchaud, un kit d'aliments déshydratés, des sachets de café, une casserole et une gourde. Vers la sortie, il regarda un présentoir de boules de bowling, qui lui rappelèrent les paroles de Xavier sur le caractère indissociable de la religion, du sexe et de l'argent. Il avait sans doute raison. Un être humain est aussi indivisible qu'une boule de bowling, un nœud biologique comme n'importe quelle autre créature. C'était là une conception déroutante, mais une grande partie de la vie ne l'était-elle pas ?

Trois heures plus tard il avait dressé son camp en terrain plat, près de Turkey Creek, à huit cents mètres de sa voiture. La beauté des montagnes lui donnait l'impression d'être insignifiant, et c'était exactement ce qu'il cherchait. Le poids énorme de sa personnalité avait besoin de s'alléger un moment. Sa perception pleine et entière du paysage fit disparaître son moi d'ordinaire maussade. Depuis son départ de Marquette il avait été plongé dans une confusion telle qu'elle semblait impossible à supporter au quotidien et à un âge où il aurait dû y voir plus clair.

Il marcha et marcha encore. Il n'y avait de toute évidence aucune truite dans les rivières Turkey et Aravaipa, mais il comprit que c'était sans importance. L'idée cruciale, c'était l'endroit où coulaient ces rivières, souvent dans les parties les plus ignorées et négligées du paysage, y compris dans les marais, les marécages et les ravins encaissés, des paysages d'où la race humaine ne pouvait extraire aucun argent et qu'on abandonnait donc tout bonnement à eux-mêmes. Marion disait que nous avons dévoré le monde avant de le recracher et qu'en dehors des endroits isolés tout ce que nous avons laissé derrière nous est pour l'essentiel du vomi. Cette idée le ramena désagréablement à la puanteur du whisky qu'il avait toujours dans les narines, et il s'agenouilla pour aspirer par le nez un peu d'eau de la rivière, après quoi il frotta du genièvre contre sa lèvre supérieure.

Le premier jour, il eut du mal à supporter la fin d'après-midi et la soirée sans alcool. Il buvait tout simplement quotidiennement, sauf quand il avait la grippe et il était alors très fier de ne pas picoler. Comme il avait beaucoup marché, ses jambes tremblaient et un whisky aurait été agréable. Assis près de son feu de camp, il redouta la longueur des nuits en cette fin novembre, pas loin de quatorze heures sous cette latitude, mais c'était encore pire dans le Nord, près de Marquette. Marion et lui fêtaient toujours le solstice d'hiver, le 21 décembre, quand la tendance s'inversait et que les jours rallongeaient de nouveau à raison d'une minute.

Fatigué par sa marche, il dormit bien entre huit heures du soir et minuit. Son dîner, du bœuf stroganoff déshydraté, avait été infect, et son irritation due à l'oubli d'une bouteille de Tabasco et d'un bocal de condiments fut démesurée en l'absence de l'influence apaisante d'une bonne dose de whisky. Il eut l'impression d'avoir perdu toutes ses billes préférées lors d'un concours dans la cour de récréation. Mais c'était dérisoire en comparaison du malaise qui l'assaillit à minuit quand il se réveilla et alimenta le feu. L'alcool avait toujours été très efficace pour améliorer ou rendre supportable le cilice de ses souvenirs, mais maintenant qu'il n'en avait plus la moindre trace dans le corps il fut tétanisé par le petit film projeté par son esprit : le matin d'après Thanksgiving, le camion de déménagement Mayflower était arrivé pour embarquer la collection de meubles anciens de Diane et ses nombreux cartons de livres d'art. Elle était à Naples, en Floride, avec ses parents, et toutes ses affaires devaient rejoindre un bungalow proche de l'hôpital, d'où elle pourrait se rendre à pied sur son lieu de travail. Après le départ des déménageurs, il avait ouvert une bouteille d'Early Times bon marché et l'avait vidée avant le dîner quand, au lieu de manger, il avait ouvert une autre bouteille de whisky. Ce manège dura deux ou trois jours et le lundi matin, lorsqu'il ne se présenta pas au bureau et qu'il ne répondit pas au téléphone, un collègue passa chez lui et le découvrit allongé à plat ventre, dans un état comateux, sur les planches de la véranda extérieure non chauffée après une nuit où il avait fait moins douze. Une ambulance l'emmena aux urgences, où il passa deux jours et où Marion lui rendit visite.

« Tu aurais dû m'appeler, lui reprocha alors ce dernier.

— Je n'avais rien à dire. »

Ça avait été l'hiver le plus long de sa vie, mais à force de volonté il réussit à diminuer sa consommation d'alcool au point de s'évanouir presque. Vers la fin avril, au début de la saison de pêche à la truite, il remarqua que ses doigts tremblaient tant qu'il ne pouvait pas attacher une mouche au bas de ligne, et il se limita alors à deux verres après le boulot et deux autres dans la soirée. Pareil exploit n'aurait guère été possible s'il n'avait pas pêché cent soirs d'affilée et tous les week-ends. L'eau vive était le seul tranquillisant efficace lui permettant de supporter l'erreur majeure de sa vie, son divorce.

Le feu se ranima joliment quand il y eut ajouté une grosse bûche de genévrier. Il constata avec étonnement qu'un esprit entièrement sobre était capable de sonder jusqu'à ses zones les plus douloureuses. Il aurait dû se douter que Melissa espionnait pour son frère et qu'elle n'était nullement attirée par lui, le vieux loup solitaire débarqué du Grand Nord. Il conservait néanmoins le précieux souvenir de son beau corps nu et moite, à quatre pattes dans la petite clairière du fourré proche de l'estuaire situé au bout du lac. Une partie de lui-même avait deviné que c'était une espionne, mais la partie la plus forte de son esprit préféra l'ignorer, guidée par la vanité et menée par l'anneau biologique qui lui perçait le nez, jusqu'à l'inévitable chute à plat ventre. Un camé de l'amour et un obsédé du cul, quelque chose de ce genre. Quelle absurdité ! En sombrant dans le sommeil, il entendit le hurlement des coyotes dans le canyon se muer en cris excités, ce qui signifiait qu'ils allaient bientôt tuer leur proie. Il pensa que dans son cas le jeu de la sexualité touchait sans doute à sa fin, mais ça n'avait jamais été vraiment un jeu, plutôt une intrusion mortelle.

À l'aube il était transi de froid, la rosée sur son sac de couchage ayant gelé en une mince croûte. Pourquoi n'avait-il pas monté la tente, où une ou deux bougies allumées auraient suffi à le garder au chaud ? De son sac de couchage il réussit non sans mal à atteindre le tas de bois et il lança quelques branches dans les braises. L'enquêteur qu'il était se réveilla en pensant que, si l'on pouvait pincer le Grand Maître en possession de la photo de jupe relevée que sa copine Carla avait prise de Mona, on pourrait alors l'accuser de détention de matériel pornographique de nature pédophile. Ça mettrait ce connard à l'ombre pour un bail, même si c'était pousser le bouchon un peu loin que de considérer

Mona comme une enfant, sinon au regard de la loi. Il resta allongé là à ruminer ses pensées jusqu'à ce que le soleil apparût à l'est au-dessus des monts Pinaleño. Il n'avait bien sûr rien à redire à sa propre conduite quand il avait maté Mona à travers la meurtrière de sa bibliothèque. Rien n'était plus facile que de se pardonner soi-même.

Il se leva, les muscles endoloris et les articulations grinçantes, puis il fit du café et des œufs brouillés en ajoutant de l'eau à la poudre d'œufs dans la casserole. Qu'il avait mal préparé cet intermède de camping ! Pourquoi ne pas avoir emporté une bonne portion des excellentes tortillas locales ? Et puis une glacière remplie de steaks, de poulet, de côtes de porc, de bacon, d'œufs et de fromage ? Cette merde déshydratée était bonne pour les marcheurs qui avaient besoin de réduire au maximum le poids de leur sac à dos. Néanmoins, il pourrait aisément parcourir tous les jours les huit cents mètres jusqu'à sa voiture pour aller faire des courses en ville. Il avait manifestement perdu tout sens pratique dans ce lieu bizarre qu'on appelait l'Arizona. Il lui fallait désormais se débrouiller pour ramasser par terre les éléments de sa nouvelle vie, qu'il avait jusque-là simplement piétinés, et les rassembler sous une forme acceptable.

Par chance, la marche l'empêchait de gamberger. Ses cogitations récentes aboutissaient toujours au même tas de vieille merde douteuse où les erreurs passées étouffaient promptement le présent. Dès qu'il marchait, son attention, certes encore fragile mais déjà intense, englobait la totalité du paysage environnant, comme celle des marcheurs un million d'années plus tôt. Ses pensées se réduisaient à de petites intuitions oisives, par exemple, les arbres restent à la même place, ou bien, même les plus infimes ruisselets coulent vers l'aval. Ses erreurs étaient celles d'un habitant du plat pays. Quand on gravit une colline, on ne peut pas être certain que, comme dans le Michigan, on pourra redescendre de l'autre côté. Il mit deux jours à comprendre qu'il n'y avait aucun moyen d'atteindre le sommet du mamelon qui couronnait les falaises abruptes longeant l'Aravaipa Creek. Il eut du mal à l'admettre, puis il en conclut que personne n'avait jamais été là-haut sauf les oiseaux.

Ses provisions d'aliments déshydratés diminuèrent au fil des jours. Le quatrième jour, il mangea seulement deux barres de Granola et il dut resserrer d'un cran la ceinture de son pantalon. Comme sa seule paire de chaussettes épaisses était pleine de trous, il les remplaça par deux paires de minces chaussettes de ville. Il avait maintenant si mal aux pieds qu'il les faisait barboter une heure par jour dans un petit bassin glacé de la rivière. À l'aube, il contourna le modeste chalet des gardes de la réserve naturelle, car il fallait un permis pour entrer sur leurs terres et il ne voulait surtout pas réveiller quelqu'un. Il partit vers l'ouest, de plus en plus impressionné par les parois à pic du canyon, et il se demanda comment les conifères, les chênes et les mesquites arrivaient à pousser sur la roche. Ce territoire ancestral des Apaches, la tribu qui à maints égards semblait la plus éloignée des intrus blancs, n'avait absolument rien de séduisant. Nous avons fait grand cas de leur sauvagerie, même si nous avons décapité leur chef Mangas Coloradas et expédié sa tête vers l'est et le musée d'histoire naturelle du Smithsonian au nom de la science, un sacrilège qui a rendu les Apaches terriblement difficiles à soumettre. Ils tenaient en effet à entrer dans le monde des esprits avec un corps intact. L'Ouest ne fut pas colonisé par des petits saints.

Se sentant fatigué en milieu de matinée, il se força à manger l'une de ses deux pitoyables barres chocolatées soi-disant énergétiques. Ce n'est pas parce qu'on vieillit que la mort est imminente tous les jours, se dit-il. D'habitude, sa venue est précédée de signes annonciateurs. Assis au bord de la rivière il mastiquait sa barre chocolatée en pensant que les hommes ne comprendraient jamais rien. Ici, il se trouvait incapable de nommer les centaines de plantes et d'oiseaux qu'il voyait et qui avaient la générosité de l'entraîner loin du misérable monde humain, loin de sa propre vie. Il sentit brusquement que même son étude assidue de l'Histoire était superflue et parasitaire. Comme la petite sangsue, cette habitude était un parfait parasite, car elle ne tuait pas son hôte, mais se contentait de cohabiter avec lui et de s'en repaître.

Lui-même s'était nourri de l'Histoire, et cette nourriture intellectuelle lui donnait parfois la nausée. Ainsi, plusieurs mois consacrés aux Guerres indiennes furent calamiteux. Il se rappela alors que Diane adorait Mahler, un musicien qui tapait sur les nerfs de Sunderson. Les compositeurs associaient des groupes de notes de musique à leurs vastes émotions, mais, parce qu'il refusait ces tsunamis émotionnels, il avait abrégé son étude des Guerres indiennes. Il se demandait souvent si cette timidité des sentiments faisait partie de l'éthique virile du Grand Nord, autrement dit s'il fallait souscrire au proverbe local : vise bas et tu ne seras jamais déçu. Qu'il ait été le premier diplômé de l'université des deux côtés de sa famille semblait rétrospectivement dérisoire. Assis au bord de la rivière depuis un bon quart d'heure, il remarqua avec surprise les traces d'un gros félin dans le sable humide, tout près de ses pieds, manifestement un couguar. Il eut la chair de poule en pensant que cette bête l'observait peut-être à partir d'une des centaines de cachettes sur les parois du canyon ou depuis les fourrés verdoyants. Il n'emportait pas son pistolet lors de ses promenades, mais il décida alors qu'un être humain comme lui constituait sans doute une proie trop massive pour ce genre d'animal. Les nombreuses et modestes traces de sabots dans le sable humide étaient celles d'une créature semblable à un petit cochon, le *javelina*, et il avait lu que c'était la nourriture essentielle du couguar dans le Sud-Ouest. Alfred, son ancien propriétaire, avait déclaré qu'un nombre restreint de jaguars, un animal beaucoup plus féroce, avaient migré vers le nord à partir du Mexique.

Sur le long chemin du retour vers le camp, il s'engagea sur le sentier qui traversait les terres de la réserve naturelle et fut hélé par un homme et une femme jeunes qui suspendaient des vêtements devant le chalet. Pour éviter tout problème, il se mit à improviser quelques phrases dans un italien de pacotille, souvenir de son voyage en Italie avec Diane. Le jeune homme prit un air gêné et se contenta de montrer un sentier permettant de quitter les terres vers l'est. La jeune femme sourit comme si elle devinait la ruse de l'intrus. Ses jambes bronzées émergeant d'un short bleu éveillèrent la lubricité de Sunderson. Quand on n'a pas vu la moindre femme depuis cinq jours, même un laideron paraît appétissant. Tandis qu'il suivait un chemin de terre, cette femme le titilla tout comme son besoin de cigarette. Il lui en restait seulement sept et il comptait camper toute une semaine, moyennant quoi il devait encore passer deux jours au purgatoire, sans nicotine.

Le sixième jour, il eut tellement mal aux pieds qu'il resta presque tout le temps assis près de sa tente, à regarder la rivière en réfléchissant à ce qu'il allait faire. Il sortit un petit calendrier de son portefeuille et remarqua que Thanksgiving tombait le surlendemain, et qu'il devrait faire honneur à l'invitation de sa mère. Son esprit produisait sans cesse l'image du derrière nu de Melissa qui s'agitait près du lac. Il avait envie de la revoir, mais pas d'y laisser sa peau.

Il fit assez chaud ce jour-là et Sunderson s'offrit une sieste troublée par un bref rêve où le monde naturel devenait d'une netteté presque intolérable. Cette sensation se poursuivit après son réveil. Autour de lui, les oiseaux anonymes avaient des yeux de serpents, leurs lointains parents, et les frondaisons étaient blêmes. Il fuma plusieurs de ses dernières cigarettes et décida que ses hallucinations étaient dues à la faim et à la solitude. Il se prépara un frichti insipide et déshydraté nommé riz espagnol, mais réussit seulement à en manger la moitié avant d'être saisi de ses habituelles nausées. Il discerna un léger mouvement parmi les rochers à environ cinq mètres de la berge opposée. C'était un petit serpent à sonnette, long d'une cinquantaine de centimètres. Il braqua son pistolet sur le reptile, mais ne se résolut pas à appuyer sur la détente, car il ne voulait pas entendre la détonation. Ce soir, il remonterait à demi la fermeture Éclair de l'entrée de sa tente. Pour la première fois en presque six jours il ressentit le besoin pressant de lire un livre. À la nuit tombée il échafauda un plan, un plan de guerre, devant le feu rugissant. Il jouissait, du moins temporairement, de cette lucidité inédite qui apparaît lorsqu'on met fin à une habitude bien ancrée.

Chapitre 11

Avant l'aube, il resta assis en attendant avec impatience qu'il y ait assez de lumière pour lui permettre d'atteindre sa voiture. Il avait plié bagage et il contemplait sa dernière cigarette, qu'il tenait au creux de la paume. Il se sentait parfaitement sûr de ses intentions et il se demanda avec amusement quel niveau d'illumination le Grand Maître lui aurait accordé. Il se dit qu'une improbable aspiration religieuse poussait certaines personnes sinon intelligentes à renoncer à leurs économies et à leur salaire pour en faire don au Grand Maître. Croyait-il vraiment à ce qu'il prêchait ? Peut-être un jour sur deux. Sunderson se souvint qu'à treize ans lorsque son père avait fait une crise cardiaque sans gravité il avait prié à l'église luthérienne avec sa mère. L'intensité de ses prières fut alors troublée par la vue d'une fille prénommée Daisy, de l'autre côté de la travée centrale. Un ami avait entendu dire qu'elle avait taillé une pipe à un type de Shingleton en échange de deux bières et d'un joint. Vers cette époque, sa famille se mit à diminuer ses dépenses déjà modestes pour éviter à son père de travailler douze heures par jour et six jours par semaine. Et le tour est joué, pensa

Sunderson en arrosant son feu de camp : le sexe, la religion et l'argent.

Il mit une heure pour rejoindre Willcox. Il acheta des cigarettes et de l'essence, puis mangea un bol de chili pimenté au restaurant des routiers, avant de partir vers le sud pour affronter le Grand Maître, son pistolet à portée de main dans son étui d'épaule déboutonné.

À sa grande surprise, le portail était ouvert et il y avait un tas de sacs de couchage, de sacs à dos, de blocs-notes, plus quelques sacs-poubelle remplis d'ordures et de biens personnels. Il entreprit d'explorer ces affaires, que les disciples envisageaient sans doute de récupérer, car il y avait entre autres des modèles très coûteux de sacs de couchage. Il fut tenté de s'approprier un petit sac à dos bourré de papiers et de revues, mais décida qu'il serait plus sage de le prendre avant de partir. Il remarqua avec plaisir qu'un lot de revues incluait plusieurs numéros d'une saleté porno soft intitulée *Barely Eighteen*, qu'il avait déjà vue dans les magasins et les boutiques d'autoroute de la Péninsule Nord. Il avait vu des chasseurs et des pêcheurs acheter cette revue ainsi que ces vieux classiques que sont *Hustler* et *Penthouse* avant de rejoindre leur campement.

Il s'inquiéta en entendant un véhicule arriver vers lui dans le canyon et il porta aussitôt la main à son pistolet, mais c'était un ranger des Eaux et Forêts en uniforme vert au volant, et il s'arrêta brusquement devant lui.

« Je peux vous aider ? » Il était dans une fureur noire.

« Je suis sur la piste d'un criminel. » Sunderson montra de loin sa plaque périmée.

« Ces enfoirés se sont barrés à Tucson. Ils louaient quarante arpents à un rancher ici, mais ils se sont installés en dehors du terrain pour construire une structure en dur sur des terres fédérales. Ils plient bagage pour échapper aux chefs d'accusation.

— Nous envisageons des accusations très graves dans le Michigan », dit Sunderson en regardant autour de lui avec méfiance et en souhaitant que ce type s'en aille. « Il en reste combien ici ?

— Seulement deux. Quelles accusations ?

— Je n'ai pas le droit d'en parler. »

L'homme enclencha la première et s'éloigna en saluant Sunderson avec des airs de conspirateur. L'inspecteur partit à pied sur la route en espérant ne pas se faire repérer. Il prit ses jumelles bon marché, s'arrêta à l'endroit où il s'était fait lapider et remarqua les taches sombres de son sang disséminées çà et là sur les pierres. Il débordait d'énergie parce qu'il venait de manger un vrai plat. Jetant un coup d'œil derrière un gros rocher, il aperçut deux hommes qui démontaient une petite hutte en pierre, leur pick-up Ford bleu flambant neuf vomissant un rock bruyant. Avec ses jumelles il constata que l'un était un jeune homme au teint cireux qui tirait visiblement au flanc, mais il y avait aussi Clayton, un métis chippewa qu'il avait rencontré à la maison longue dans le comté d'Ontonagon. Il s'était renseigné sur Clayton : son casier judiciaire incluait quelques délits mineurs et, n'étant guère porté sur la religion, il était de toute évidence payé par le Grand Maître. Clayton était un bagarreur doté d'un torse impressionnant et de bras musclés, si bien que Sunderson s'approcha l'arme au poing. Le jeune type le repéra en premier et détala comme un lapin en gravissant la colline toute proche vers un fourré. Mais Clayton sourit en s'appuyant sur la pioche dont il se servait pour desceller les pierres des murs de la hutte.

« Salut, boss. Quel plaisir de voir quelqu'un du pays. Moi, je t'ai pas caillassé.

— Qu'est-ce qui se passe ici ? » Sunderson rangea le pistolet dans son étui, puis regarda la colline où le jeune homme s'était enfui. « C'était qui ?

— C'est le principal rabatteur de chattes du Maître. Un boulot délicat rapport à la loi. » Clayton éclata de rire. « En fait, le Maître s'appelle maintenant Daryl. Il est en pleine mutation, tu vois, il joue à l'Indien.

— J'avais pigé. T'es payé en cash ?

— Quoi ? » Clayton était nerveux.

« Tu veux pas avoir le fisc au cul. File-moi l'adresse de Daryl.

— Mais bien sûr. » Clayton fut soulagé qu'on exige si peu de lui. Les traits de son visage manifestaient un désespoir sans fond. « J'ai jamais gagné autant de pognon de ma vie, mais je me tire d'ici. Je rentre au pays. Putain, cette région est vraiment bizarre et violente. Quand je suis allé faire des courses à la menuiserie de Douglas, un Apache m'a dit qu'il allait me couper mon gros nez. Ensuite, des Mexicains balèzes se sont pointés ici pour nous ordonner de ficher le camp. On est sur un itinéraire de dealers, tu sais. J'ai vu par là-bas plein de types qui portaient des balles de marijuana et de Dieu sait quoi encore. » Il tendit la main dans la direction où le jeune homme avait fui.

« Je sais. » Sunderson renifla dans l'air une odeur douloureusement familière. Il contourna la hutte en pierre et découvrit un barbecue rempli de charbon de bois rougeoyant au-dessus duquel mijotait un ragoût de gibier.

« Dans le coin, le chevreuil est pas aussi goûteux que chez nous. T'en veux ? »

On se serait cru dans la Péninsule Nord, un jour de semaine, les deux hommes assis sur des grosses pierres, en train de savourer un bol de ragoût de gibier, en évoquant absurdement leurs loisirs préférés, surtout la pêche et la chasse, sans oublier le poisson blanc grillé au feu de bois et la truite de lac.

« Ici on est vraiment en terre étrangère », dit Sunderson en reprenant une tortilla enveloppée de papier alu et une autre portion de ragoût.

« Tu l'as dit, bouffi. C'est pour ça que je meurs d'envie de rentrer à la maison. L'autre jour je suis allé chez l'épicier, il avait jamais entendu parler du rutabaga. »

Sunderson mit le cap sur Tucson, s'arrêtant à l'aéroport pour troquer son 4 × 4 contre une voiture moins chère. Il fit halte au *diner* en espérant y trouver la serveuse qui lui avait indiqué l'endroit où il venait de camper. Elle n'était pas là et il ressentit une pointe de déception. Il lui laissa un mot de remerciement avec son numéro de portable. De retour dans sa voiture, il s'aperçut brusquement que l'adresse du Grand Maître donnée par Clayton se trouvait à une rue de l'Arizona Inn. Il ne voulait surtout pas se faire repérer dans les parages, mais il tenta sa chance et passa devant la nouvelle résidence de son ennemi juré. Dans le jardin d'une luxueuse maison,

Daryl-Dwight jouait au badminton en double avec trois jeunes filles qui n'avaient pas encore dix-huit ans, loin de là. En quittant le terrain de la secte, il avait pris le sac à dos remarqué plus tôt et avait hâte d'en examiner le contenu. Il cogita un peu sur le bain de boue sans fond de la sexualité humaine, s'avouant en son for intérieur que les flics en connaissaient sans doute les aspects les plus sordides. En revenant à Tucson, il avait perdu le fil de ses réflexions à cause du nombre ahurissant de femmes séduisantes marchant dans les rues, surtout près de l'université, après sa semaine passée dans le monde sauvage où il en avait seulement vu une au chalet de la réserve naturelle. Ce regard tout neuf sur la gent féminine lui rappela le désir flou qu'il avait éprouvé au lycée pour les femmes en général, quand l'excitation provoquée par une simple accolade avec une jeune fille lui donnait le vertige. Dans le supermarché de luxe où il fit halte avant de quitter la ville, il poussa honteusement son chariot derrière une trentenaire canon, qui surprit son manège, se retourna et fronça les sourcils, ce qui le fit rougir. Il acheta des steaks, des crevettes, des fruits et des légumes. Tout lui semblait délicieux après sa semaine de stupides privations. À la caisse, la femme qu'il venait de suivre dans les allées poussa son chariot derrière lui et il leva les mains en une mimique d'excuse. Lorsqu'elle sourit timidement, cela atténua un peu son intime conviction d'être un fichu crétin.

De retour à Patagonia, ce n'était pas encore l'heure de boire un verre. Il se prépara donc une tasse de café instantané et passa en revue les détails de son plan. Il envisagea d'appeler Lucy à New York pour tenter de la convaincre de venir à Tucson et d'infiltrer la secte en se faisant passer pour une femme très riche, ce qu'elle était de toute façon. Le problème, c'était son caractère plutôt instable. Il essaya de ne pas se demander combien de temps encore son ex-femme le poursuivrait tel un fantôme et s'il existait d'autres doubles de Diane comme Lucy. Sans doute que oui.

Il examina lentement le contenu du sac d'un des adeptes. Il y avait cinq ou six numéros de *Barely Eighteen*, qu'il feuilleta sans beaucoup d'intérêt, car ces photos ne l'excitaient guère. Un calepin à reliure en spirale, aux pages noircies par l'écriture de Dwight-Daryl, le déçut amèrement. À la première page figurait ce titre, *Je suis légion*, mais les pages suivantes étaient codées, il lui faudrait donc expédier ce calepin par FedEx à Mona, à moins qu'il le rapporte lui-même à Marquette, où il avait l'intention de rentrer sans demander son reste après Thanksgiving. Détail comique, le sac contenait plusieurs flacons de Viagra, Levitra et Cialis, destinés à raffermir le zizi du Grand Maître. Au final ce n'était pas grand-chose, mais quand il secoua les revues l'une après l'autre pour s'assurer qu'elles n'abritaient aucun secret, *bingo !* La troisième contenait un e-mail imprimé et une photo numérique entre les pages consacrées à « Candy, virée du lycée ». La photo était à couper le souffle, on y voyait Mona sur un canapé, la jupe relevée et sans culotte. Sunderson rougit et retourna le cliché sur la table. Le mail venait de Carla et disait : « Chéri, voici une photo de la salope, qui te branchera peut-être même si elle est un peu trop âgée à ton goût. Je lui ai léché la chatte pendant une heure, ça t'aurait plu de nous voir faire. Je t'aime, Carla. »

Sunderson se mit à transpirer et tendit machinalement la main vers une bouteille de whisky absente. Comment avait-il pu oublier d'acheter du whisky ou du vin ? Mona lui avait assuré qu'il ne s'était rien passé ce soir-là. L'une des deux filles mentait et il espéra que c'était Carla. En tout cas, il tenait une preuve en or, peut-être pas suffisante pour inculper cette crapule, mais bien assez pour lui causer des tas d'ennuis. Il rumina tout ça en se préparant une salade, car en l'absence de vin il ne voulait pas se griller une bonne tranche de viande. La miche de pain français était correcte et Sunderson fut à deux doigts de se sentir très vertueux même s'il avait tout bonnement oublié d'acheter du whisky. Il rangea enfin ses courses et découvrit avec amusement son téléphone portable au réfrigérateur. Il s'était dit que l'appareil ne fonctionnerait pas là-dedans, mais bien sûr il se trompait. Et merde, pensa-t-il dans son ignorance de l'électronique. Il sortit son calepin et y nota les messages de Berenice pour le dîner de Thanksgiving, de sa mère qui lui martelait qu'il était comme toujours une déception ambulante, puis un message enjoué de Marion, et trois de Mona disant qu'elle avait été cambriolée et qu'on lui avait volé son ordinateur. À sa grande surprise, il y avait aussi cinq messages de Melissa, qui l'effrayèrent à cause des menaces de Xavier l'autre soir. Il l'appela malgré tout en ressentant une démangeaison glandulaire stimulée par la mémoire.

« J'ai envie de te voir, dit-elle.

— Je n'ai aucune envie de mourir.

— Xavier est dans son appartement de New York, parce que c'est la guerre. Ses gens se planquent à Obregon. De toute manière, tuer un Américain entraînerait trop de problèmes.

— Ravi de l'apprendre. Et pourquoi donc as-tu envie de me voir ?

— Pour que tu me tiennes compagnie. Tous les autres hommes ont peur de moi.

— Le bar Wagon Wheel, maintenant », dit-il en enfonçant la touche OFF avant d'appeler Mona.

« Désolé pour ton ordinateur. Je t'en achèterai un neuf.

— J'avais tout là-dedans. J'ai l'impression d'avoir perdu mon passé.

— Là, je ne peux rien faire.

— Sans blague ? Tu sais toujours appuyer sur une chasse d'eau ? Où étais-tu, bordel ?

— J'ai campé dans la nature sans mon portable. Histoire de faire baisser la pression. J'ai trouvé cette photo de toi avec la jupe relevée dans le sac à dos du Maître. On peut le coincer pour détention de matériel pédophile.

— Moi, une enfant ? Je ferais mieux de prévenir le gars qui m'a baisée il y a une heure. » Elle éclata de rire.

« Ce n'est pas drôle, répondit-il piteusement.

— Je rigole. Pourquoi je devrais t'être fidèle ? J'ai beau t'allumer tant que je peux, tu refuses de me toucher. J'ai aucun plaisir à faire du yoga à l'aube. Tout ça c'était pour toi, mon chéri. »

Il raccrocha. Maintenant, il avait vraiment besoin d'un verre. Il appela Berenice, annonça qu'il serait présent au dîner de Thanksgiving, puis coupa avant qu'elle ne se mette à l'interroger sur sa disparition d'une semaine.

Le premier double whisky accompagné d'une Pacifico au bar le fit resplendir. Question miracle, l'alcool enfonçait largement le saint suaire de Turin, même si la foule des poivrots rassemblés dans la pièce ne semblait pas particulièrement gaie.

« T'étais passé où, mon joli ? lui demanda Amanda.

— Je faisais du camping sauvage.

— Arrête tes conneries. Une ravissante Latino prénommée Melissa te cherche partout. Et puis un certain Kowalski, bien que ce type-là ne ressemble vraiment pas à un Kowalski. Il voulait savoir si tu avais quitté la ville. Il ignore que je connais son vrai nom, en fait c'est un privé à deux balles qui vient de Rio Rico. Les divorces, c'est sa spécialité.

— Merci. » En entendant le nom de Kowalski, il se félicita d'avoir mis la photo compromettante et le mail de Carla dans la poche de sa veste sport. Il se dit qu'il avait sans doute été engagé par Dwight-Daryl. Il décida de lui botter le cul si jamais il le revoyait.

Tous les hommes présents dans le bar s'étaient tournés vers la porte tandis que Sunderson imaginait des actes violents et refusait de reconnaître les sévères handicaps dus à son âge, la manière dont l'échéance se rapprochait chaque jour, et le fait que Kowalski, étant beaucoup plus jeune, pourrait sans problème lui mettre une branlée. Où était donc passée sa force, jadis impressionnante ? Presque entièrement partie en fumée.

Il finit par se retourner et vit Melissa à la porte, impatiente d'être accueillie, arborant une perruque blonde et une veste en fourrure qui lui arrivait à la taille. Malgré cette tenue incongrue, il ressentit un pincement de lubricité. Comment concilier ces cheveux blonds et les sourcils noirs ? L'ensemble paraissait superficiel et vulgaire. Il lui fit signe d'avancer jusqu'à la table d'angle, la plus éloignée du juke-box, lequel diffusait une ballade latino. Sur la radio de sa voiture il avait évité les stations gringos au profit des latinos, en remarquant le mot *corazón* qui revenait comme un leitmotiv. Amanda lui servit un autre double whisky avec une bière et, comme prévu, Melissa demanda un verre de vin blanc.

« C'est quoi, *corazón* ? s'enquit-il.

— C'est le cœur, idiot. Je t'emmène en Espagne aux frais de Xavier.

— Je ne peux pas accepter.

— Bien sûr que si. On se retrouve à Barcelone. J'y ai passé un an quand j'avais dix-neuf ans. Xavier répète sans arrêt qu'il a perdu beaucoup d'argent durement gagné en Bourse. C'est drôle, non ?

— J'imagine. J'ai besoin que tu me rendes un service.

— Alors allons chez toi.

— Je ne veux pas que tu saches où c'est. Je ne veux pas qu'on découvre ma tête tranchée dans la cuvette des toilettes. »

Il lui demanda ensuite de passer à l'adresse du Grand Maître et de faire comme si elle s'intéressait à la secte. Fascinée, elle accepta en disant qu'elle essaierait dès le lendemain à condition qu'il garde son portable allumé. Elle ajouta que, de toute façon, Josefina et elle devaient déménager à Tucson, car Xavier trouvait que Nogales était une ville trop dangereuse pour sa sœur tant que la guerre des dealers ferait rage.

« Demain c'est Thanksgiving, fit-il remarquer.

— Moi j'ai grandi sans tes pèlerins », répondit-elle alors en riant.

Il acheta une pinte de whisky au bar, puis ils partirent en voiture au-delà du terrain de la réserve naturelle, sur la route de Salero Canyon, avant de s'arrêter sur un chemin de terre, derrière un fourré de mesquite. Il fut affreusement déçu quand elle lui annonça qu'elle avait ses règles et ne pouvait pas baiser. En lui suçant les seins dans la voiture, il eut l'impression d'être redevenu un adolescent. Elle lui tailla une pipe, puis s'arrêta.

« As-tu envie de ma porte de derrière ? » Elle riait.

« Bien sûr. » Il avait marqué un temps d'arrêt, sans bien comprendre la proposition de Melissa. Hormis quelques épisodes passionnés à la fin du lycée et en fac, il n'avait pas beaucoup d'expérience dans le domaine érotique, d'autant qu'il était resté fidèle à Diane durant les quarante années de leur mariage. Il se sentit à la fois audacieux et timide lorsqu'ils descendirent de voiture et qu'elle se pencha sur le siège avant, éteignant la lumière de l'habitacle et lui tendant un flacon de lotion sorti de son sac à main. Le clair de lune se reflétait sur les fesses appétissantes de Melissa.

« Vas-y tout doux, coco.

— Je ne crois pas que je vais tenir longtemps. » Ce fut le cas, surtout parce qu'un chien se mit à gronder violemment derrière eux. Il s'arracha aussitôt, elle hurla et rampa frénétiquement vers la portière opposée. Il se hâta de la rejoindre dans la voiture. Elle se mit à rire et il se retourna pour voir par la fenêtre un gros chien noir à moins de trois mètres. Le molosse bondit sur la voiture et se mit à grogner en fixant Sunderson. Riant toujours, Melissa fit démarrer le moteur, puis recula très vite en soulevant deux gerbes de gravillon avant de quitter le chemin de terre. Maintenant le chien poursuivait la voiture en aboyant.

« C'est le fantôme de mon père, siffla-t-elle. Quand j'avais douze ans, il a surpris Xavier en train de me faire la même chose et il l'a dérouillé presque à mort. Tu crois que c'est pour ça que Xavier est devenu gay ?

— Aucune idée. » Sunderson n'avait pas la moindre envie de réfléchir à ce qu'il venait d'entendre. Son esprit fut un moment obsédé par l'image mentale de pèlerins en train de baiser tout en portant leurs curieux chapeaux. Il dévissa le bouchon de la pinte, but une longue gorgée et faillit s'étouffer.

« Tu ne devrais pas boire autant, dit-elle. Je m'inquiète pour ta santé.

— Moi ce qui m'inquiète, c'est que ton frère me fasse descendre.

— Il ne fera jamais une chose pareille. Je lui ai demandé. Il aime bien raconter ce genre de truc. Mais enfin c'est vrai qu'il a tué mon mari avec sa main en plastique, après quoi il s'est plaint du prix que coûte une main neuve. »

Sunderson avait attendu avec impatience de dormir dans un vrai lit, mais plus tard lorsqu'il essaya de fermer l'œil, il regretta la douceur de la nuit à la belle étoile, les bruits des créatures nocturnes et jusqu'au tapis de sol inégal sous son sac de couchage bon marché. À l'aube, jamais un mauvais café instantané ne lui avait paru si bon, tandis qu'il réfléchissait à sa future promenade. Il avait ouvert les fenêtres en grand, mais l'air de la chambre sentait toujours un peu le nettoyant ménager. L'un dans l'autre, il était content de ne pas être mort et de ne pas s'être fait arracher une fesse par le gros chien noir.

Voilà vingt ans qu'il tentait en vain de chasser une image nocturne qui le hantait. En mars 1989, il s'était intéressé au cas d'une femme battue, à quelques kilomètres de Sault Ste. Marie. Chétive, pesant moins de cinquante kilos, elle avait été agressée par son mari avec une telle violence qu'il lui avait enfoncé l'os du nez dans le cerveau et qu'elle était morte sur le coup. Sur le lit à roulettes, son visage envahi par un énorme hématome évoquait une prune. Son mari répétait sans arrêt : « Je l'ai frappée une seule fois. » Quand Sunderson rentra enfin à Marquette ce soir-là, il fondit en larmes en buvant un whisky à la cuisine, et Diane sortit du lit pour le réconforter. Voilà vingt ans qu'il affrontait cette image nocturne de prune et, après avoir longtemps essayé de la chasser de sa mémoire, il y avait finalement renoncé. Mais maintenant, le visage de cette petite femme semblait normal et elle souriait. Il en fut si stupéfait qu'il alluma la lampe de chevet. Devenait-il sénile ? Rien ne clochait, sauf le verre d'alcool qu'il s'était servi et qui était resté intact sur la table de la cuisine. Il voulait être en forme le lendemain matin.

Un coq le réveilla avant l'aube et Sunderson fut ravi d'être dans un village qui accueillait volontiers les poulets. Le chant du coq avait bercé son enfance, quand il se réveillait aux aurores pour aller livrer ses journaux, un petit boulot qui lui rapportait cinq dollars par semaine. Il prépara du café et fit griller rapidement un steak et deux œufs qu'il mit sur un toast. L'ensemble lui parut extra-ordinaire. Pour la première fois depuis le début de sa retraite, un mois plus tôt, il se sentit opti-miste. Il ne s'attendait pas à ce que cette euphorie dure longtemps, mais elle lui permit de marcher d'un pas allègre presque jusqu'au sommet de Red Mountain, d'où la vue s'étendait au sud par-delà une chaîne de montagnes jusqu'à l'intérieur du Mexique. Ce panorama était trop vaste pour un habitué de la plaine et découvrir un horizon éloi-gné d'une centaine de kilomètres lui donna le ver-tige. Il redescendit si vite qu'il eut mal aux tibias. Il souffrit tout à coup d'un terrible mal du pays. Il allait rentrer chez lui dès que possible et s'adon-ner à des activités raisonnables, par exemple pel-leter la neige sur son trottoir et dans son allée.

De retour à son appartement temporaire, il remarqua qu'une mouche s'était noyée dans le verre de whisky et que son ex-femme avait laissé un message sur son portable. Il avait encore le tournis quand il la rappela.

« Ta mère s'inquiète à l'idée que tu ne viennes pas pour Thanksgiving. S'il te plaît, vas-y.

— Je pars dans une demi-heure pour honorer sa dinde desséchée au four. Comment vas-tu ?

— Je fais l'infirmière nuit et jour. Mon mari suit une chimio hyper-agressive. Et toi ?

— Je reviens d'une semaine de camping soli-taire. Tu aurais adoré cet endroit.

— Je n'arrive pas à y croire, dit-elle en riant.

« — C'est vrai. J'étais en convalescence. Sur le tard, je redeviens un gosse en campant.

— Ça a marché ?

— Couci-couça, mais le problème de l'isolement c'est qu'on en veut toujours plus. De retour à Marquette, je vais passer du temps au chalet de Marion pour réfléchir à ma traque du Grand Maître.

— Ce n'est pas un chalet, à peine une cabane. Tu vas passer tes journées à couper du bois.

— Tant mieux.

— Tu as trouvé de la compagnie ?

— Vaguement. Il y a une jeune Mexicaine, mais elle est un peu fêlée. J'ai l'impression que presque toutes les femmes le sont, sauf toi. »

Après leur conversation, il s'aperçut qu'il avait une boule douloureuse dans la gorge. Chaque instant de la vie est impitoyable et j'apprends lentement, pensa-t-il. Plutôt difficile de réparer un bateau une fois qu'il a coulé. En se préparant à partir, il regretta de ne pas avoir de bon vin à emporter, et il s'amusa de son appréhension à la perspective de ce repas avant lequel sa mère, Hulda, prononcerait une longue prière d'action de grâces. Chaque année, sa prière de Thanksgiving était un résumé de son année fiscale spirituelle évoquant davantage une succession de clous qu'on plantait qu'un poli « Merci, mon grand ».

La vision périphérique de Sunderson s'était améliorée et en sortant de la ville il devina que le type qui lisait un journal au volant d'une berline blanche garée à l'entrée d'une ruelle était Kowalski. Dans le rétroviseur, il vit la voiture lui filer le train tandis qu'il franchissait la première colline à la sortie. Il appuya sur le champignon et il avait presque semé Kowalski au moment de bifurquer dans Salero Road et d'aborder les virages serrés dans le canyon avant que les panneaux du Circle Z Ranch l'obligent à ralentir. Sa petite voiture était un veau en comparaison de son ancienne Crown Victoria, au volant de laquelle il frisait les deux cents à l'heure pour poursuivre un voleur de voiture dans la ligne droite de Seney. Sans raison particulière sinon que le portail était ouvert, ce qui n'était jamais le cas, il tourna à gauche dans Three R., une étroite route de gravillon qui filait vers le sud au milieu des montagnes. Kowalski le suivait à quatre cents mètres et il prit son *pistola*, ainsi qu'on appelait ces armes dans la région. Il s'arrêta sur la route, Kowalski se gara bientôt derrière lui et descendit de voiture en souriant. Quand il arriva à sa hauteur et s'appuya contre la portière de la petite voiture, Sunderson braqua son pistolet sur lui.

« Ton téléphone portable, s'il te plaît. »

Sunderson ouvrit violemment sa portière, qui heurta les tibias de Kowalski, lequel s'écroula comme un tombereau de merde.

« Tu m'agaces », dit Sunderson. Il remonta dans sa voiture, fit demi-tour et au passage flanqua une balle dans chacun des pneus avant de la voiture de Kowalski. Celui-ci, assis au bord de la route, les yeux clos, serrait ses jambes entre ses bras.

Avant de rejoindre l'autoroute de Green Valley, il s'arrêta au Safeway de Mariposa pour acheter deux bouteilles du champagne bon marché que sa mère adorait lors des grandes occasions. Il constata avec surprise que le magasin était ouvert, mais Melissa lui avait appris que les Latinos ne grandissaient pas dans le respect des pèlerins, et ils n'allaient quand même pas fêter des conquistadores qui avaient au mieux été des bouchers. L'enthousiasme de Melissa à l'idée d'infiltrer la secte du Grand Maître ne l'inquiétait nullement. Cette femme était une dure à cuire.

La sémillante Escalade de Bob était garée devant la maison et Sunderson se demanda s'il la lavait et l'astiquait tous les matins, une hypothèse parfaitement crédible. Ces types de la Péninsule Nord qui étaient descendus dans le sud du Michigan pour s'enrichir, revenaient souvent au pays en été et ils s'attendaient à ce que les gens du cru se pâment d'admiration devant leur voiture neuve. D'habitude ils en étaient pour leurs frais.

Hulda, Berenice et Bob étaient installés sur la véranda et l'affreux album de famille trônait sur les cuisses de sa mère. Cette femme avait été d'une beauté extraordinaire dans sa jeunesse et au bout du compte c'était devenue une vieille grincheuse.

« Mon dernier fils », annonça-t-elle. Elle l'appelait ainsi depuis trente ans, car le décès du frère de Sunderson constituait toujours pour elle une nouvelle fraîche.

« Surprise ! » lança Sunderson en brandissant les deux bouteilles de faux champagne qui lui avaient coûté dix dollars pièce.

« Du calme, monsieur le prétentieux. Allez donc vous occuper du fameux truc brun... » Elle faisait allusion au roux que Diane faisait autrefois pour donner une couleur appétissante à la sauce de la dinde. Diane lui avait appris à en préparer, mais il trouvait cette recette fastidieuse.

258

« Les Detroit Lions affrontent les Chicago Bears dans dix-huit minutes, annonça Bob.

— Je suis un fan des Lions, rétorqua Sunderson.

— Ce n'est pas très patriote. Tu devrais soutenir l'État où tu es né. » Bob était vexé. « J'aime ma sauce brun foncé. J'ai toujours adoré la sauce de dinde. Valerie va t'aider. C'est ma nièce.

— J'ai préparé une volaille de vingt-deux livres. Je l'ai mise à cuire ce matin dès l'aube. Nous allons manger de cette saleté toute la semaine. Pour moi, ce sera des bulles avec des glaçons, fiston », caqueta sa mère.

Sunderson embrassa servilement Hulda et Berenice sur le front, avant de serrer la main moite de Bob. Il entra dans la maison et découvrit avec plaisir qu'une jeune femme assez potelée avait déjà commencé le roux et mettait le couvert. Elle était très séduisante, penchée au-dessus de la table en minijupe. Elle se présenta et déclara qu'elle suivait les cours de l'école de cuisine de Santa Monica.

« Cette putain de dinde va être aussi fade qu'un vieux navet. Et ça, c'est quoi ? » Elle ouvrit le réfrigérateur et montra des tomates en gelée parsemées d'olives et de minuscules marsh-mallows.

« C'est la recette secrète que Hulda a rapportée du Grand Nord », répondit Sunderson en riant. Il remarqua que le roux était d'un brun très foncé qu'il n'avait jamais réussi à obtenir. « Joli roux », dit-il en désirant assener une petite tape sur le derrière rebondi de la jeune femme, mais il se retint au dernier moment.

« Je suis venue à Tucson passer des entretiens de boulot dans des restaurants, mais l'économie bat de l'aile. Oncle Bob m'a dit que je pourrais être directrice adjointe de son camping à Benson. J'ai été faire un tour là-bas en voiture, c'est le trou du cul du monde. Il a dit que vous étiez sur la piste de dangereux criminels.

— Il a tout à fait raison. Je risque ma vie tous les jours. » Ce n'était pas entièrement faux. Il ouvrit sa veste sport pour lui montrer son étui d'épaule dans l'espoir d'améliorer l'humeur maussade de la jeune femme, qu'elle partageait avec un grand nombre de citoyens américains.

« Oh, quelles conneries, dans cet État tout le monde se balade avec un flingue », dit-elle en haussant les sourcils tandis qu'il servait pour sa mère un grand verre de champagne *on the rocks*.

« Ce qui compte, c'est le message qu'on veut transmettre », dit-il.

Ils s'installèrent enfin à table. Il avait voulu conseiller à Valerie de ne pas découper la dinde avant la prière d'action de grâces de Hulda, car ils risquaient de manger froid. Il savait que la rhétorique ampoulée de sa mère venait de la Bible du roi Jacques et de son petit pasteur du Michigan aux yeux globuleux.

« Inclinons-nous et fermons les yeux pour prier. Notre père qui êtes aux cieux, nous vous remercions pour toute cette bonne nourriture en ce jour de joie. Alors que vous êtes au paradis avec mon mari et mon fils assis à votre droite, nous vous remercions d'être encore en vie et en bonne santé. Comme vous le savez, l'année a été dure, à cause de mon attaque qui m'a mise sur la touche un bon moment. Nous vous remercions d'avoir guéri la cheville de Berenice, qu'elle s'est foulée en trébuchant sur le tuyau d'arrosage oublié par Bob sur les marches de devant après avoir lavé sa voiture. Nous vous remercions pour la prospérité de Bob qui nous permet de garder bon pied bon œil en ces temps troublés. Nous vous remercions d'avoir remis Simon sur les rails après qu'il s'est fait tabasser par un gang de Mexicains. Seigneur, protège les frontières de notre pays. Nous prions pour que la nièce Valerie trouve du boulot et garde un corps pur en prévision de son futur mari... »

Sunderson entrouvrit les yeux et vit la stupéfaction envahir le visage de Valerie. Près d'elle, Bob composait un SMS sur son téléphone posé sur ses cuisses. Berenice regardait une mouche voler près du plafond. La torpeur envahit la salle à manger. Hulda fit une pause pour boire une gorgée de son champagne *on the rocks*. Il s'ennuyait suffisamment pour faire tomber sa fourchette par terre comme un enfant, histoire de mater les jambes de Valerie. Il se pencha donc et fut récompensé d'une vision affolante, car Valerie ouvrit soudain les cuisses en grand. Il eut un aperçu inédit du célèbre petit muffin, serré dans une culotte bleue. Quand il se redressa, il rougit car Valerie le gratifiait d'un sourire niais. Pourquoi faisait-il autant l'idiot ? « Sois fidèle à toi-même », conseillait Polonius à son fils, mais quarante-cinq ans plus tôt son professeur qui enseignait Shakespeare à l'université du Michigan avait déclaré que Polonius était un personnage parodique qui véhiculait simplement la sagesse populaire de son époque.

« Et puis Seigneur, nous sommes entre vos mains pour le meilleur comme pour le pire, poursuivit Hulda en rotant à cause des bulles, et récemment j'ai eu quelques soucis à cause de mon petit fonds de retraite qui, comme vous le savez, est géré par la Fraternité luthérienne. Ce serait vraiment formidable si vous jugiez opportun de laisser la Bourse s'envoler comme un joli ballon. »

Et ainsi de suite. Par chance, Valerie réchauffa la sauce de la dinde au micro-ondes. Sunderson partit dès qu'il lui sembla à peu près poli de le faire, après le florilège de tartes de Berenice, qui venaient apparemment d'une boulangerie car dépourvues de sa célèbre croûte au lard. Il était à peine installé au volant de sa voiture qu'il reçut un coup de fil de Melissa.

« C'était désagréable, commença-t-elle avant de marquer une pause. Il portait un peignoir rouge et nous étions seuls tous les deux dans un coin.

— Bon. Ensuite ?

— On aurait dit, tu sais, un étudiant collant de l'université d'Arizona. Quand il a voulu voir mes fesses, je lui ai dit non. Mon refus lui a coupé la chique, alors, pour toi, je lui ai très vite montré mes fesses qui aujourd'hui, par ta faute, sont douloureuses. Il est tout de suite devenu plus amical. Mon billet d'entrée dans le groupe me coûtera cinquante mille dollars, ce qui va me procurer une satisfaction spirituelle complète et un esprit transcendant, quoi que cela veuille dire. Lorsque je lui ai demandé pourquoi il avait besoin de tant d'argent, il m'a répondu que ses disciples et lui-même allaient s'installer dans le Nebraska au printemps.

— Où dans le Nebraska ? s'enquit Sunderson.

— Comment veux-tu que je le sache ? Le Nebraska c'est le Nebraska. Bref, il s'est montré très amical quand je lui ai signifié que j'étais riche et que cinquante mille dollars me semblait une somme tout à fait envisageable. Il a dit que, selon toute vraisemblance, j'avais déjà atteint le niveau vingt-trois sur les cent niveaux de spiritualité définis par lui. Puis il m'a choquée en suggérant que je lui taille une pipe. Il ne comptait pas gicler dans ma bouche, car il devait conserver son sperme pour les femmes plus jeunes qui en avaient davantage besoin. Il a ajouté que le sperme était le fluide le plus puissant du monde. J'ai réfléchi à cent à l'heure, car je ne suce pas un homme qui ne me plaît pas vraiment, alors je lui ai dit que je ne pouvais pas parce que je m'étais fait arracher une dent la veille. Et voilà tout.

— Merci. Tu as fait du bon boulot.

— Maintenant la mauvaise nouvelle. Xavier revient ce soir et il est vraiment furax qu'on se soit retrouvés au Wagon Wheel, alors sois prudent. »

Le cœur de Sunderson se glaça, et il raccrocha aussitôt. Nom de Dieu ! Il appela Mona et lui demanda de lui réserver de toute urgence une place sur un vol de retour via Minneapolis ou Chicago, le plus tôt possible. Elle dit qu'il semblait terrifié et qu'il devait sortir mille quatre cents dollars pour son nouveau Mac. En une minute, elle lui trouva une place sur le vol qui partait à l'aube pour Minneapolis, avec une escale de deux heures avant l'avion de Marquette. Il la remercia, puis elle dit qu'elle allait appeler Marion et leur préparer un bon dîner.

Incapable d'aligner deux idées, il fit halte au Wagon Wheel pour s'offrir un remontant. Il ne put s'empêcher de demander à Amanda comment Xavier avait pu apprendre que Melissa l'avait retrouvé au bar. Elle se montra évasive.

« Elle a besoin qu'on la surveille en permanence. Xavier est un bon courtier en Bourse et un frère attentif, mais il ne fait que des conneries au Mexique. Elle vient de perdre son boulot de volontaire à l'hôpital pour vol de médicaments. L'été dernier, elle s'est fait verbaliser deux fois par les flics parce qu'elle avait laissé sa gosse dans une voiture en plein cagnard. En juillet, elle s'est fait la malle avec des bikers de la Fraternité aryenne en Idaho et Xavier l'a récupérée en mauvais état. L'hiver dernier, elle a tenté de monter dans un avion avec un pistolet dans son sac et il a fallu la maîtriser. Pour éviter la prison, elle s'est retrouvée en clinique pendant un mois. Et c'est pas fini, loin de là. J'ai envisagé de te prévenir, mais je me suis dit que tu étais encore un de ces vieux crétins lubriques.

— Merci. » Il acheta une pinte et rentra chez lui en vitesse pour faire ses bagages. Kowalski avait une fois encore mis son appartement sens dessus dessous, ce qui ne lui fit ni chaud ni froid, et laissé un mot disant : « Où est mon portable ? » Sunderson l'avait balancé de la voiture à l'échangeur de Nogales en espérant qu'un gamin le trouverait et appellerait la Chine. Il s'était vaguement demandé comment Melissa avait bien pu s'intégrer à la Fraternité aryenne, mais une femme séduisante fait son chemin n'importe où.

Il finit ses bagages en un quart d'heure, puis il fila vers l'aéroport de Tucson où il comptait dormir dans sa voiture sur un parking. Il était toujours sous le choc du prix du billet de première classe réservé par Mona, mais c'étaient les seules places disponibles. Il dépensait beaucoup plus que ne lui permettait sa modeste retraite de flic, mais dès qu'il serait rentré chez lui la vie serait beaucoup moins chère. Au clair de lune, la route de montagne entre Sonoita et l'Interstate 10 qui allait à Tucson lui fit froid dans le dos. Depuis toujours il ressentait une attirance respectueuse pour la lune, mais ici dans le Sud l'astre nocturne semblait maléfique. L'Arizona faisait bien sûr partie des États-Unis, mais à certains égards cette région lui était infiniment plus étrangère que le nord de l'Italie où il avait voyagé avec Diane. En redescendant du col de Sonoita, il aperçut un groupe de migrants illégaux pelotonnés au fond d'un fossé, qui lui rappelèrent des dessins d'Irlandais durant la Grande Famine, que leur propriétaires anglais ne considéraient même pas comme des êtres humains.

Il dut renoncer à dormir sur le parking de l'aéroport. La nuit était fraîche à Tucson, il gelait presque, et pour ne pas avoir froid il devait augmenter sans arrêt le chauffage de la voiture. Il se souvint de s'être garé en hiver sur une route de campagne avec une fille quand il était au lycée. Il avait payé sa Dodge 47 cent dollars durement gagnés, mais l'intérieur était vaste et mal isolé, et le chauffage marchait mal. Il se souvint de ses mains froides sur des cuisses chaudes, une image plus agréable que celle de sa tête dans l'eau rougie d'une cuvette de WC. Il ne savait que penser de la relation entre Melissa et son frère. Elle avait affirmé que Xavier adorait Mozart, mais Goering et Goebbels aussi avaient un faible pour ce musicien. Tout était possible. Par exemple, un prêtre avait sans doute dit la messe quelques minutes après avoir abusé sexuellement d'un garçon de dix ans. Il avait aussi remarqué que Melissa ne semblait pas vraiment en vouloir à Xavier d'avoir battu son mari à mort.

À minuit il jeta l'éponge et entra dans l'un des nombreux motels autour de l'aéroport, quatre-vingt-huit dollars la chambre simple avec, en prime, la classique gravure de l'âne aux yeux tristes et à la guirlande fleurie autour du cou, et une autre où une jolie señorita puisait de l'eau dans un puits du Mexique d'antan. Marion et sa femme avaient fait plusieurs voyages dans le pays pendant les vacances de Noël pour éviter les pénibles réunions de famille, et ils adoraient le Michoacán et Oaxaca, des endroits où n'existait manifestement aucun problème de frontière. Marion avait vu des ânes aux yeux tristes, mais aucun affublé d'une guirlande de fleurs.

Il installa la cafetière en vue du petit déjeuner, s'autorisa un seul verre de whisky de sa pinte, car pour rien au monde il n'aurait raté son vol à l'aube. Il plaça son pistolet dans sa valise, mais sa légère paranoïa due à Xavier le poussa à ne pas le décharger avant le matin. Quand il était resté allongé sur son lit d'hôpital à Nogales, tel un gros tas de bleus, Melissa lui avait fait l'effet d'une vision délicieuse. Dans la bibliothèque, chez elle à Nogales, il avait remarqué plusieurs volumes de Sade dûment feuilletés, ce qu'il avait trouvé bizarre. Il alluma la télé, zappa d'une chaîne à l'autre, regarda des publicités pour la Scientologie et une nouvelle pilule révolution-naire qui vous allongeait la bite. Il pensa que la volonté de puissance affichée tant par la religion que la sexualité semblait s'enraciner dans la bio-logie, et que dans notre culture l'argent avait tou-jours constitué la seule garantie rassurante face aux incertitudes de l'avenir, l'éducation restant très loin derrière. Xavier avait raillé la maigre retraite de Sunderson, mais les riches de Marquette n'avaient jamais éveillé son envie, et encore moins les touristes friqués. Les rivières et les bois étaient gratuits ; le whisky bon marché et le picrate (le mot était de Diane) suffisaient largement. Les moments où il s'approchait au plus près du ravissement de la danse, c'était quand il longeait une rivière à pied en cherchant les trous d'eau où les truites abondaient. Pour la première fois il se sentit vraiment convaincu que sa vie de retraité serait sans doute agréable. Peut-être même qu'il retournerait dans le Sud-Ouest pour se balader et camper en hiver, mais hors de portée de Xavier et Melissa, disons sur le versant est des Chiricahuas, là où les Apaches chevauchaient jadis comme le vent. Camper ne coûtait pas cher. Juste avant son divorce, quand Diane avait touché son héritage, le montant énorme de cette somme avait gêné Sunderson. Vu le milieu où il avait grandi, ça lui semblait démesuré.

Chapitre 12

Il poussa un grand soupir de soulagement quand l'avion décolla. Assis près du hublot, il réussit à voir Nogales, le lac Patagonia puis la route de Patagonia lorsque l'appareil vira sur l'aile. Il n'y avait aucune raison évidente de voler l'Arizona du Sud aux Apaches, sinon pour y élever des vaches étiques et exploiter des mines non rentables, mais on aurait presque pu dire la même chose de la Péninsule Nord du Michigan, où l'on avait décimé toute la forêt primaire et exploité toutes les richesses du sous-sol. Face aux armées d'invasion, les Apaches comme les Ojibways avaient tout perdu, et l'économie d'après guerre avait entièrement rasé le paysage.

La première classe irradiait une suffisance indéfinissable, qu'il tenta d'ignorer. Il avait entendu dire que toutes les boissons y étaient gratuites, mais à sept heures du matin c'était un peu tôt. Il craqua malgré tout et commanda un bloody mary pour fêter, se convainquit-il, sa fuite réussie loin de Xavier et de ses sbires sanguinaires, sans parler de sa cinglée de sœur. La dame aux habits luxueux assise près de lui feuilletait le dernier numéro de *Vogue* en regardant toutes ces filles maigrichonnes aux vêtements excentriques. Diane avait été abonnée à cette revue.

« Y a rien qui me fasse bander là-dedans », lui avait-il déclaré en tournant quelques pages. Il aimait parfois irriter sa femme avec sa vulgarité.

« Ce n'est pas tout à fait le but », avait-elle répondu.

Quand sa compagne de voyage prit un air dés-approbateur en découvrant le bloody mary de Sunderson, il regretta de ne pas pouvoir péter, mais il n'était pas homme à péter sur commande. Le petit déjeuner se réduisit à une omelette de faux œufs accompagnée de deux minuscules saucisses qui n'avaient aucun goût de porc. Il remarqua que sa voisine mangeait sagement des Cheerios au kiwi, qu'il ne considérait pas comme un vrai fruit.

« Nous passons d'habitude l'hiver à Tucson, mais je dois retourner à Minneapolis voir ma sœur malade. Vous étiez en vacances ?

— Oui. À Nogales et à Patagonia. Des endroits très agréables.

— Vraiment ? On m'a dit que ces villes étaient dangereuses.

— Ridicule. Elles sont toutes les deux plus sûres que Minneapolis. La violence est seulement due aux cartels de la drogue, de l'autre côté de la frontière. Les Américains ont toujours peur de se faire dévaliser, même après s'être fait voler des milliards par le milieu de la finance.

— Mon mari est banquier », dit-elle, légère-ment vexée en abandonnant ses Cheerios pour un article sur des sacs à main à deux mille dollars pièce.

Fin de la conversation. Il sombra dans un pro-fond sommeil où il rêva de musique, surtout d'une pièce pour piano de Scriabine que Diane adorait et qui se jouait seulement avec la main gauche. Il avait étudié tellement à fond la révolution russe à la fac et ensuite, qu'il rêvait parfois de la Russie, même si l'idée d'aller visiter ce pays lui semblait une entreprise trop ambitieuse.

Malgré son état semi-comateux, il se sentit chez lui dans l'aéroport de Minneapolis, lequel était bourré de blêmes bibendums du Grand Nord, et il se dit que la plupart d'entre eux étaient des paysans scandinaves ou allemands. Tous affichaient cette tristesse qui caractérise les employés travaillant dans l'industrie du porc et des patates. Il leur arrivait sans doute parfois de glousser, mais jamais de rire. Son moral remonta encore quand il savoura un sandwich au rôti, la gourmandise préférée de son enfance, avec un bloody mary et une bière. Il réussit à se rendormir entre Minneapolis et Marquette, malgré l'avis de turbulences qui en temps normal aurait dû l'inquiéter. Mourir dans un accident d'avion lui avait toujours semblé d'une modernité inacceptable, alors que se noyer dans le lac Supérieur, comme tant de ses parents qui avaient vécu de la pêche, était une conséquence logique de leur profession.

Marquette était admirablement lugubre : un mètre de neige, une agréable température de moins douze typique du début de l'hiver, et la nuit qui tombait à quatre heures de l'après-midi. Il céda à une sentimentalité ridicule en empruntant l'allée enneigée qui menait à la véranda à l'arrière de sa maison. Il leva la tête vers les flocons de neige qui lui tombaient sur le visage. Il éprouvait une impression d'appartenance, la conviction d'être à l'endroit où il était censé être, chose que curieusement il n'avait jamais ressentie dans le Sud-Ouest. Il inhala l'air froid au fond de ses poumons et toussa en adressant un signe de la main à Mona qui agitait la sienne derrière la fenêtre brillamment éclairée de la cuisine de Sunderson. Quand il ouvrit la porte de derrière qui donnait directement dans la cuisine, l'odeur de l'épaule de porc et de la purée de rutabagas fut merveilleusement forte. Ils tombèrent dans les bras l'un de l'autre, elle s'empara de la main du sexagénaire pour la faire glisser vers ses fesses, et il la retira aussitôt. Ils s'embrassèrent et il rentra la langue quand celle de Mona s'aventura dans sa bouche.

« Mona, pour l'amour du ciel !

— Mon analyste dit que ça crève les yeux. Je veux dire, je suis amoureuse de toi. Mon papa s'est fait la malle quand j'avais sept ans, et je crois que c'est au moins en partie de ma faute. Tu es en quelque sorte mon beau-père. Si je t'excite, c'est que je tiens à toi. J'ai mis un mini-string pour que tu puisses te rincer l'œil quand je m'assiérai sur le canapé.

— C'est malsain. » Il prit conscience de la faiblesse de sa réponse en se servant un whisky généreux.

« Ne fais pas ton couillon. Ça veut dire quoi, *malsain* ? C'est sans risque, je sais que tu ne vas pas me toucher, alors où est le problème si je t'allume et que je te laisse me toucher un peu ? En Inde ou en Afrique, je serais déjà une vieille dame.

— Eh bien, les autorités civiles ont décrété que légalement tu es mineure… » Son raisonnement cala soudain. Il aurait aussi bien pu dire n'importe quelle ânerie. Mona portait un chandail noir à manches courtes et une jupette de la même couleur. Quand elle se pencha pour vérifier la cuisson du rôti de porc, il regarda par la fenêtre la nuit qui tombait. Elle avait les cuisses lisses et musclées, car elle s'entraînait au huit cents mètres pour l'équipe de son école.

« Épargne-moi ces conneries sur la légalité, chéri. » Elle s'assit et but une gorgée du whisky de Sunderson.

« Avant que Marion arrive, j'ai une question désagréable à te poser. » D'une poche de sa veste il sortit le mail de Carla et la fameuse photo, puis les tendit à Mona. « Carla dit ici qu'elle t'a léchée, mais tu m'as assuré qu'il ne s'était rien passé. Qui ment ?

— On s'en fiche. » Elle rougit très légèrement.

« Pas moi. Si tu témoignes, on peut envoyer Carla en prison pour des années.

— Aucune chance. Peut-être une nuit derrière les barreaux, mais pas plus. Tu l'as dit toi-même, quand tu parlais avec Marion du scandale sexuel impliquant un prêtre catholique : qu'un prêtre taille une pipe à un jeune homme de seize ans pesant pas loin de quatre-vingt-dix kilos, ça vaut pas dix millions de dollars. Pourquoi cet ado ne s'est-il pas tout simplement cassé ?

— Les garçons, c'est différent », trancha-t-il en s'interrompant pour jeter un coup d'œil soulagé dans son bureau. Il avait l'intention de placer un écriteau NON sur sa meurtrière. Trop c'est trop. Il retrouva apparemment un peu d'assurance. « À l'adolescence les garçons sont parfois des pervers polymorphes. Naturellement, je ne sais pas ce qu'il en est des filles. Ces trois dernières décennies, la culture a prolongé l'enfance et il est donc normal que l'âge du consentement ait été élevé à dix-huit ans. Apparemment, les jeunes sont plus actifs sexuellement que jamais, mais la loi est là pour les protéger de manière appropriée contre les innombrables prédateurs plus âgés, Dwight-Daryl par exemple.

— Carla m'a dit que, depuis ce matin, il se fait appeler le roi David, annonça-t-elle en riant.

— Nom de Dieu ! Et puis quoi encore ? » Il vida son verre de whisky et se retint de justesse au moment de s'en servir un autre.

« Je suis différente. Je suis mûre pour mon âge. Comme j'ai coopéré, il serait injuste d'envoyer Carla en prison. Les Américains sont champions du monde pour mettre les gens au trou. Oublie un peu Carla, concentre-toi sur le Grand Maître.

— Pour l'instant, peut-être. » Il se rappela qu'à quatorze ans on avait compté sur lui pour être un homme. Et, au même âge, ses sœurs donnaient déjà du fil à retordre. Il n'avait aucune idée des raisons de ce changement sociétal. Sa propre famille avait été matriarcale, sa mère dirigeant son petit monde d'une main de fer et son père se contentant de rapporter un salaire à la maison. Quant à la mère de Mona, elle brillait par son absence et sa bêtise.

« Je peux m'asseoir une minute sur tes genoux ?

— À condition de bien te tenir. »

Il sentit contre ses cuisses la chaleur du derrière de Mona. Qu'allait devenir cette orpheline ? Et en quoi pouvait-il l'aider ?

« Vous êtes en état d'arrestation ! » lança Marion, debout dans l'encadrement de la porte ouverte en veste et salopette orange. La neige de la véranda avait étouffé ses pas. Sunderson était très occupé à ne pas penser au cul bien chaud de Mona en se remémorant l'histoire du canal de Panama, son dégoût des associations universitaires et de leur tourisme mental, et puis ce fait évident que le corps humain aurait dû être conçu pour avoir besoin de pisser une seule fois par jour. Il était certain qu'il commençait à transpirer au niveau des genoux. Combien de milliers de joules une vulve générait-elle ?

« J'ai mis ma tenue de chasseur parce que j'en ai marre de mes vêtements de directeur d'école. Demain, c'est le dernier jour de la chasse au chevreuil. Ça vous dit ?

— Tu as l'air affreux, dit Mona en se levant pour réchauffer la purée de rutabagas et y rajouter un peu de crème et de beurre.

— C'est pour me protéger, ma chérie, la couleur la plus visible, pour m'éviter de me faire tirer dessus. La plupart des accidents de chasse sont liés à l'alcool.

— J'en suis. Mais je ne dis pas que je tirerai. » Sunderson se sentait morose à cause de son voyage en avion qui avait débuté à l'aube, mais une partie de sa fatigue venait sans doute de l'absence des tueurs de Xavier dans les parages.

« Entre chien et loup, j'ai vu une biche qui traînait la patte. Elle ne passera jamais l'hiver. Un bon foie de biche te fera sûrement plaisir.

— Je vais compter mes cachets contre la goutte. »

Le lendemain matin vers neuf heures, par une journée limpide et lumineuse où il faisait moins dix et la neige brillait, Sunderson fit griller le foie de biche avec trop de beurre. Il salivait en regardant Marion transporter une brassée de bûches de hêtre. La veille au soir, bien qu'ayant seulement bu deux whiskies, il se mit à somnoler après s'être resservi de rôti de porc et de purée de rutabagas, accompagnés d'une ou deux feuilles de salade. Mona et Marion venaient de partir quand le téléphone sonna : c'était le père de Queenie, le richissime homme d'affaires de Bloomfield Hills, qui avait précédemment tenté de payer Sunderson pour qu'il récupère l'argent de sa fille, volé par le Grand Maître. Queenie ne donnait plus aucun signe de vie à Tucson, et le nabab voulait qu'il aille la retrouver, une demande facile à décliner sur un ton assez agressif. Il donna à ce type le numéro de téléphone de Kowalski à Nogales. Ils étaient faits l'un pour l'autre. Mona lui avait adressé un clin d'œil en partant et il entra dans son bureau pour savourer le peep-show porno soft, mais se trouva incapable d'enlever le livre qui lui aurait permis de se rincer l'œil. Il alla directement au lit en refusant de céder à ce que la star du base-ball Satchel Paige avait appelé « l'agitation ». Il se servit un dernier verre, mais ne le but pas en pensant que, le corps de Mona étant tabou, il lui fallait dominer le vieux dégueulasse qui sommeillait en lui. Avant de partir, Marion avait une fois encore conseillé à Sunderson la lecture attentive de *Playing Indian* de Philip Deloria afin de mieux comprendre le comportement du Grand Maître, qui se faisait désormais appeler le roi David, un changement de patronyme plutôt dur à avaler, mais en tout état de cause Sunderson avait déjà commencé ce livre.

276

Il se leva à six heures du matin, prit un café, chercha les cartouches de son fusil de chasse .30-30, prépara un frichti avec les restes de porc et de rutabaga, essaya de retrouver le bouquin de Deloria et les *Études de littérature américaine classique* de D.H. Lawrence, cette dernière recherche motivée par le vague souvenir d'un rêve. En deuxième année de fac, son prof de littérature générale était un jeune crack frais émoulu de Princeton, qui avait déjà publié un livre sur Cotton Mather. Sunderson les trouva tous deux assommants. Ce jeune prof méprisait cordialement D.H. Lawrence, ce qui suffit à éveiller la curiosité de son élève, et au printemps il eut une brève passion pour les écrits de Lawrence avant de retrouver son bon sens et de reprendre avec soulagement ses études d'histoire. Il avait rêvé des pieds de son professeur, cachés dans de grosses chaussures anglaises disproportionnées par rapport au reste de son corps. Le moment était venu de resserrer les boulons, ce qui impliquait de ne pas jouer au voyeur à l'aube.

Alors qu'il roulait de bon matin sur le chemin de terre menant à sa cabane, Marion freina soudain, bondit de son vieux Toyota Land Cruiser tout cabossé, son fusil .30-06 en main, et abattit la biche qui descendait une pente entre un bosquet de petits pins blancs et des aulnes proches d'une minuscule rivière. Sunderson réussit à peine à distinguer l'animal, qui s'effondra sur place. « Pauvre fille », dit Marion tout en la vidant tandis que Sunderson lui écartait les pattes de derrière pour que le couteau ne perfore pas les intestins. Elle était en assez bonne forme, pensa-t-il en examinant son genou blessé, sans doute par un coup de feu au cours des deux semaines de la saison de chasse. Marion écorcha la biche et Sunderson enfourna des bûches dans le poêle à bois jusqu'à ce que la fonte vire au rouge. Il se dit que, grâce à lui, il faisait au moins dix degrés dans la cabane quand ils dégustèrent le foie servi dans des assiettes en fer-blanc préalablement chauffées.

« Tu as complètement chamboulé mon emploi du temps habituel en te lançant aux trousses de cet abruti, dit Marion en riant.

— Désolé.

— Non, tu n'es pas désolé. J'ai fait pas mal de recherches pendant que tu te baladais en Arizona, que tu picolais sans doute et que tu courais la gueuse, sans oublier de te faire casser la gueule au passage. Pour autant que je sache, tu constitues le premier cas avéré de lapidation en Amérique. »

Marion prêtait main-forte à son épouse Sonia qui, bien que blanche comme neige, avait été une formidable administratrice tribale avant de prendre un congé longue durée pour contribuer aux recherches précédant le procès d'envergure nationale intenté au Bureau des affaires indiennes afin que les tribus récupèrent les milliards de dollars de royalties volées. Quelques années plus tôt, Sunderson s'était occupé d'une affaire particulièrement atroce de femme battue, et à sa grande stupéfaction Marion lui avait fourni une grosse pile d'articles sur le sujet et une longue bibliographie. À cette époque Sunderson était toujours marié à Diane, laquelle avait dissimulé toute cette documentation en redoutant une autre dépression de son mari à la fin de l'hiver. Il était d'autant plus dérouté par ce genre d'affaire que son père lui avait enseigné qu'il était interdit de frapper une femme, même si elle te frappait en premier.

« À mon avis, je comprendrais beaucoup mieux le Maître, aujourd'hui le roi David, si je pouvais mettre la main sur une définition de ses cent stades du développement spirituel. » Avec un morceau de pain blanc peu goûteux Sunderson essuya le mélange de beurre fondu et de jus de viande dans son assiette.

« Non, c'est une mauvaise piste. Ces cent stades n'existent sans doute pas noir sur blanc. Il en a peut-être imaginé quelques-uns. Son pouvoir vient de cette idée qu'il est le seul à savoir. Il est le juge ultime. Il doit maintenir ses disciples dans une perpétuelle inquiétude et le désir constant de prouver leurs progrès spirituels.

— Mais bon Dieu, que leur offre-t-il en échange de leur temps et de leur argent ?

— L'extase de la foi. Voilà ce que nous cherchons dans la religion. Une chose solide sur laquelle compter, car nous ressemblons à des enfants effrayés face aux quatre-vingt-dix milliards de galaxies. Dans une culture déprimante il leur dit comment vivre, comment sortir de l'enclos très limité de leur corps pour entrer dans l'arène de la confiance spirituelle. » Marion sourit en diminuant la chaleur du poêle qui ronflait maintenant trop fort.

« Mais comment fais-tu le lien avec la sexualité ?

— C'est une accroche séduisante. Tu te rappelles ce gourou dans l'Oregon, le Baghwan machin truc ? Un temps, ses disciples ont eu droit à une absolue liberté sexuelle, et 'puis, par peur des maladies il a promulgué qu'ils devaient s'envelopper dans du plastique avant de faire l'amour. Sa dégringolade a commencé à ce moment-là et il a perdu ses trente-deux Rolls-Royce. Je crois que notre gouvernement l'a renvoyé en Inde.

— C'est un prédateur efficace, aucun doute là-dessus. Je suis un peu interloqué par son intérêt pour les très jeunes filles. » Sunderson sortit d'une poche de son blouson le mail de Carla et la photo de Mona, puis les fit glisser sur la table vers Marion, qui en resta bouche bée.

« C'est vraiment chaud. Je vais les photocopier. Cette obsession pour les jeunes filles est au moins en partie biologique, tu sais, comme Warren Jeffs et ces mormons apostats. À leur insu les hommes désirent perpétuer leur lignée génétique, et pour essayer d'être les premiers à le faire ils sont même prêts à éliminer les autres jeunes gens. Chez des mammifères aussi divers que l'antilope ou le couguar, le mâle alpha veut remporter la compétition. C'est une sacrée bagarre dans ce qu'on appelle le monde naturel. Les ours tuent les oursons engendrés par d'autres mâles afin de favoriser leur propre lignée. Chez les humains, certains beaux-pères se montrent très désagréables envers les enfants des précédentes unions.

— Quel bordel !

— Pas du tout. Nous sommes simplement comme ça. Certains chercheurs font maintenant l'hypothèse des origines biologiques de la religion. Nous sommes de parfaits parasites pour garantir l'ordre social et maintenir en vie l'hôte qui nous nourrit ; et la religion relève fondamentalement du maintien de l'ordre.

— L'Église luthérienne serait un organisme biologique ? » Sunderson éclata de rire.

« Sans doute un peu. Pense à ton propre cas. Regarde-toi. Réfléchis à la manière dont toi et moi organisons notre vie du point de vue de la sexualité, de l'argent et de la religion. Nous sommes amis depuis plus de vingt ans. Nous parlons de tout. Tu m'as dit qu'après ton divorce tu t'es senti sexuellement en manque et tu t'es mis à chercher frénétiquement une chatte où planter ton poireau. Tu m'as aussi confié que l'argent t'a toujours mis mal à l'aise et que tu as essayé de l'ignorer parce que sans trop d'effort tu gagnais cinq fois plus que ton pauvre père. Mais tu ne m'as jamais dit grand-chose sur ta foi, tout en m'interrogeant très souvent sur la mienne.

— J'y ai pas mal réfléchi à l'hôpital de Nogales quand je tâchais de me trouver des raisons pour continuer à vivre. Les médicaments m'ont bien sûr aidé, mais ils se contentent d'étouffer la douleur comme un couvercle posé sur une bouche d'égout, et tu restes conscient des élancements sous-jacents. Bref, je n'arrêtais pas de dresser la liste de mes meilleurs coins de pêche à la truite. J'en ai trouvé neuf. Et puis de mes paysages préférés, peut-être une demi-douzaine, dont deux remontent à mon enfance, sur Grand Island, sans oublier ce long ravin que tu m'as fait connaître, à l'ouest d'ici. Je passais des heures à me remémorer ces endroits et j'ai été surpris de m'en souvenir aussi bien, jusque dans les moindres détails. Le jour de ma sortie de l'hôpital, je me suis dit que ces endroits constituaient les lieux de culte de ma religion personnelle. Tout a commencé quand j'étais gamin. Dans ces lieux je ne pense jamais à rien en dehors d'où je suis, et ça dure parfois des heures. Alors je me suis rappelé que maman disait toujours que, lorsqu'on prie, on est censé penser à rien d'autre, un truc que je n'ai jamais réussi à faire dans une église, mais qui me semblait tout naturel dans ces endroits-là. J'en ai découvert un autre en campant une semaine en Arizona. »

Ils marchèrent deux heures par cette journée exceptionnellement paisible en une saison où les violentes tempêtes du nord-ouest en provenance du lac Supérieur mettaient KO les gens du cru. Ils trouvèrent un peu étrange de ne découvrir aucune trace de loup dans la neige fraîche, mais selon Marion, sur le versant est des monts Huron et dès les premiers coups de fusil de la saison de chasse au chevreuil, les loups se retranchaient très loin à l'intérieur de régions dépourvues de chemins.

De retour au chalet, Sunderson fit griller le cœur tranché de la biche, puis ils se mirent à somnoler dans leurs fauteuils respectifs après avoir échangé quelques phrases épuisantes sur l'avenir de Mona.

Chapitre 13

Après la sieste, Marion et Sunderson emmenèrent Mona dîner au Verling. Sunderson mourait d'envie de déguster une fricassée de poisson à chair blanche. « Une fricassée de poiscaille » selon l'expression locale. Les gens disaient volontiers qu'ils « se faisaient griller une petite fricassée de truites de rivière » qu'ils venaient de pêcher. Sunderson était dans un état un peu spécial : pas tout à fait réveillé de sa sieste, il rêvait toujours un peu qu'il était un dieu céleste, mais qu'il n'avait rien fait de sa divinité sinon errer dans le ciel. Il fut soulagé de redescendre sur terre pour retrouver son corps de mortel.

Mona était époustouflante en tailleur-pantalon noir, un vêtement soi-disant donné par « une amie ». Elle fulminait, car pour la première fois depuis des mois, son père l'avait appelée de Cleveland pour lui annoncer qu'il lui offrait une voiture. Elle lui avait répondu d'aller se faire foutre, avant de raccrocher. Son humeur changea quand elle sortit de son sac une page arrachée à *Vanity Fair*, une revue à laquelle sa mère était abonnée. Elle leur lut à voix haute un article disant que, lors d'une vente aux enchères des biens du grand couturier Yves Saint Laurent, une simple chaise s'était vendue vingt-quatre millions de dollars. Marion avait éclaté d'un rire si tonitruant que les convives des tables voisines s'en offusquèrent, tandis que Sunderson tombait dans une perplexité qui frisait la mélancolie, tout en se maudissant d'avoir oublié de commander son double whisky rituel, car on venait de lui servir sa « fricassée de poisson blanc » accompagnée d'un verre de bière. Il eut l'impression de perdre prise et se reprit aussitôt. Le grand rire de Marion mit Mona en joie, et elle lui demanda pourquoi il trouvait si drôle le prix de cette chaise.

« L'argent serait formidable si nous ne mourions jamais, mais vu que nous sommes mortels c'est une obsession ridicule. »

La réponse de Marion frappa Sunderson et le plongea dans un état quasi hypnotique. Il parut soudain incapable d'amener sa fourchette à sa bouche. Mona lui tapota le bras en lui montrant la porte. Carla et Queenie, vêtues de manteaux identiques en peau de mouton, faisaient leur entrée dans le restaurant en se pavanant. Elles ôtèrent leur manteau, secouèrent leurs cheveux courts qui ne remuèrent pas beaucoup, puis elles se dirigèrent vers la table pour leur dire bonsoir comme à des amis de toujours. Sunderson fut stupéfait de voir Queenie et très intrigué par sa robe indigène et le bon kilo de quincaillerie en turquoise qu'elle portait autour du cou.

« Ton papa a engagé un type à Tucson pour te retrouver.

— Je sais. J'y retourne demain. Il veut emprunter de l'argent dans mon fonds d'investissement. Avec des amis à lui, il a l'intention de racheter l'équipe des Lions pour épargner à Detroit une honte définitive. Mais je ne prêterai pas un seul dollar à cet enfoiré. »

Sunderson opina du chef en songeant aux filles à papa et à leurs paternels. Il fut soulagé quand son whisky arriva, parce que Carla le mettait mal à l'aise. Comment cette sale peste pouvait-elle paraître aussi outrageusement sexy tout en étant habillée comme un garçon ?

« On déjeune demain au Landmark Inn ? lui proposa Carla.

— Bien sûr, chérie. » Quand elles rejoignirent leur table, Sunderson descendit son whisky comme on boit de l'eau.

« Pourquoi porte-t-elle ce ridicule costume indien ? fit Mona en riant.

— J'ai connu plusieurs Américaines convaincues d'avoir été Pocahontas ou Sacajawea dans une vie antérieure. Mais elles n'ont jamais été une malheureuse squaw abattue dans une tente par la cavalerie des États-Unis. » Marion adorait ce genre de remarque ironique. Ayant très vite vidé son assiette, il fit signe à la serveuse de lui rapporter du poisson.

Sunderson fut ravi de se retrouver chez lui et de s'installer à son bureau devant une pile de livres, relativement sobre car son unique double whisky eut un mal de chien à se frayer un passage dans son estomac rempli à ras bord de poisson. Désireux de veiller tard, il se prépara une petite cafetière et contempla un moment son merveilleux logis, même si la moquette avait grandement besoin d'être changée. Après le départ de Diane il avait renoncé à s'essuyer les pieds sur le paillasson et il y avait une crasse monstrueuse sur le mur derrière le poêle et autour de l'évier de la cuisine. Et puis un bon lavage n'aurait pas fait de mal à toutes les fenêtres de la maison. À quatorze ans, un ami et lui avaient monté une petite affaire de nettoyage de vitres pour cinquante cents de l'heure, mais ça avait été un boulot horriblement ennuyeux. Il réduisit sa pile de livres à trois : *Playing Indian* de Deloria, *Études de littérature américaine classique* de D.H. Lawrence, et la Bible dans la version du roi Jacques. Il ressentit le besoin de se replonger dans le Nouveau Testament pour se rafraîchir les idées sur le christianisme, une religion qui au fil des ans avait accumulé des milliards de dollars. Au cours de leur voyage en Italie, il avait visité la place Saint-Pierre avec Diane ; il avait été très impressionné, mais il s'était aussi demandé combien ce projet avait coûté et imaginé les ouvriers du bâtiment qui rentraient chez eux après une journée de boulot éreintante pour ne trouver qu'un maigre bol de spaghettis sur la table. Il sortit son journal intime.

1. J'ai lu que dans les années quarante nous passions cinquante coups de téléphone par an. Aujourd'hui, nous en passons cinq mille. Ça me rappelle la cacophonie des corbeaux au printemps ou celle des oies sauvages qui cacardent des heures d'affilée. En fait, j'ai entendu ça sur la station de radio NPR.

2. Tous ces *lacryma Christi* en Italie. Pourquoi Jésus pleure-t-il autant ?

3. À la cabane de Marion, j'ai eu l'impression d'être tout à fait ordinaire. Il me faut simple-

ment coincer le Grand Maître, mais son groupe est si compact que je dois le prendre en flagrant délit. J'ai brièvement parlé à Roxie ; elle m'a appris que le père qui avait porté plainte avant de partir pour Flint s'est maintenant rétracté. Peut-être en échange d'un bon paquet de fric.

4. L'amertume de l'Histoire. Lors du massacre de Sand Creek, notre cavalerie a tiré très bas dans les tentes à l'aube, mais les guerriers étaient déjà partis chasser et nous avons seulement tué des femmes et des enfants.

5. Le désir enfantin de se rattacher à l'histoire du monde. Quand je picolais dans les bars, je disais souvent que j'étais né durant le Blitzkrieg de la Seconde Guerre mondiale, mais seuls quelques vieux poivrots comprenaient de quoi je parlais.

Quand le téléphone sonna, le nom de Mona s'afficha sur l'écran. Il était impensable de ne pas répondre.

« Je viens de danser nue sur *Wild Thing* et tu ne m'as même pas regardée. J'ai dansé pour te remercier du dîner. Ta période de voyeurisme est terminée ?

— Oui, c'est fini. J'ai l'intention de devenir un chrétien blanc irréprochable.

— Tu t'inquiètes de perdre ta virilité ?

— Je n'attends que ça.

— Deux choses. Mon ami Freddy a fait des recherches sur les programmes universitaires. Il est en licence. Bref, à Tufts, près de Boston, ils proposent un cours intitulé "Sexe, religion et argent". Tu devrais peut-être prendre l'avion et t'inscrire ? Je pourrais t'accompagner et dormir sur le canapé.

— Merci, mais non. Je me suis révélé inapte à vivre en dehors de Marquette.

— J'ai oublié de t'en parler au dîner, mais j'ai bavardé avec Carla au téléphone alors qu'elle était défoncée, et au printemps le Grand Maître qui est aussi le roi David compte installer ses disciples à Choteau, Montana, ou à Chadron, Nebraska, ou encore à Channing, dans le Michigan. Il insiste beaucoup sur les pouvoirs mystiques supposés des lettres "ch". Moi, j'ai des doutes.

— Bonne nuit, chérie. J'ai mes devoirs à faire. Je dois lire le Nouveau Testament. » Il pensa que le G.M. était sans doute au courant du pouvoir mystique des lettres hébraïques « chai ».

Le Nouveau Testament se révéla plutôt ardu. En lisant saint Matthieu, il se souvint que dans l'église luthérienne il était toujours coincé entre sa mère et Berenice pour qu'il ne se fasse pas la malle. Il avait toujours été un gamin à problèmes qui avait beaucoup de peine à faire le lien entre la religion et sa propre vie dans un village entouré de forêts, sur les rives du lac Supérieur. En se débattant avec l'Évangile selon Matthieu, il se mit à réfléchir à ce que Marion lui répétait souvent : on oublie trop vite que le caractère est aussi formé par le paysage de nos premières années. Si vos antennes se développent en suivant votre chien toute la journée dans les bois et que vos principaux centres d'intérêt sont la chasse et la pêche, alors vous ne risquez pas de perdre ces caractéristiques fondamentales en allant simplement à la fac, en tombant amoureux et en vous mariant, ou en devenant flic dans une région au très faible taux de criminalité. Pas étonnant qu'il n'ait pas tenu le coup à Nogales.

Il mit la Bible de côté et chercha le volume adéquat de l'*Encyclopaedia Britannica*, édition 1920, une époque où l'on écrivait mieux, où les cruautés du pacte de Varsovie et de la bombe atomique étaient encore inconnues, bref une époque idéale pour s'informer sur l'essence du christianisme. Ses paupières commencèrent aussitôt à se fermer, mais il fut sauvé de l'endormissement par le téléphone, cette fois un appel de la mère de Mona à Lansing. Un représentant de l'université du Michigan serait lundi à Marquette pour s'adresser à des élèves brillants et à leurs parents. Cela le dérangerait-il beaucoup de se rendre au lycée de Marquette à quatorze heures précises ce jour-là et de s'y présenter comme le tuteur légal de Mona ? Il accepta avec plaisir. Hélas, la mère de Mona se prénommait Gidget, à cause de la passion de sa propre mère pour le film de 1961, *Gidget Goes Hawaiian*. Sunderson eut soudain envie de défendre les prénoms d'origine biblique.

Il n'eut bientôt plus la moindre envie d'essayer de lire, il se servit un dernier verre et regarda les informations de vingt-trois heures qui le confirmèrent dans son jugement : la voiture piégée est beaucoup moins dégueu que la bombe « intelligente ». Les prévisions météo étaient agréablement sinistres, car un front d'air froid descendait de l'Alberta, créant une énorme tempête qui devait arriver du nord-ouest, traverser le lac Supérieur et ensevelir tous les habitants sous une tempête de neige précoce. Splendide... pensa-t-il. Au tréfonds d'une circonvolution salace de son cerveau, il se dit que son déjeuner du lendemain aboutirait peut-être à un épisode sexuel. Leur accouplement sur le tas de bois avait été électrique. Mais cet hypothétique épisode luxurieux se trouvait entaché par son obligation d'être à deux heures au lycée. Il rumina en se resservant un dernier verre pour faire passer l'amertume du café, prit la télécommande et trouva une chaîne satellite qui diffusait un film n'ayant remporté aucun oscar, intitulé *Ninja Cheerleaders*. Marion avait déclaré qu'un fait central de notre époque était le triomphe du processus sur le contenu. Dans ce film, des filles nubiles mais étonnamment athlétiques bondissaient très haut et dégommaient les méchants d'un coup de pied vicieux en plein visage dans une grande explosion de sang et de dents brisées. Malgré quelques merveilleux plans de derrières rebondis, il somnola, pour se réveiller deux heures plus tard devant l'un de ces films genre « Sauvons les baleines » où des hommes en ciré à bord de bateaux gonflables sillonnaient une mer agitée pour enquiquiner des mammifères marins. De retour au camp, un monsieur-je-sais-tout en pull noir à col roulé déclara que les baleines mâles de différentes générations restaient en contact avec leurs mères. En allant se coucher, Sunderson imagina une maman baleine présentant sa dernière-née à un frère âgé de quarante ans : « Sarah, voici ton frère, Léviathan. »

QUATRIÈME PARTIE

Chapitre 14

Il s'éveilla juste avant l'aube en se sentant plutôt en forme et avec le désir de remettre sa vie sur les rails. Il croyait dur comme fer que ses problèmes intimes consécutifs au départ de Diane rôdaient depuis longtemps dans son esprit et qu'il avait été trop absorbé par ses habitudes pour les voir venir. Il ressentit le besoin de dresser la liste de ces habitudes, dont bon nombre étaient liées à sa perception faussée de la nature de la vie, mais il avait hâte de se préparer pour descendre à pied sur la plage. Depuis l'enfance, il ne pouvait se passer de la beauté des grosses tempêtes, et puis n'avait-il pas grandi et vécu à l'endroit idéal pour les apprécier ? Quand il s'était levé pour uriner à cinq heures du matin, il avait entendu la tempête et, bien qu'effrayé par la puissance sans cesse croissante du lac Supérieur, il mangea en quatrième vitesse un bol d'insipides flocons d'avoine sans lait, accompagné d'une tasse de café réchauffé et sans crème, car il désirait plus que tout voir cette mer en furie. Depuis son retour au bercail il n'était pas allé chez l'épicier, car comme un crétin il avait tout bonnement oublié de le faire, du moins le pensait-il. Sunderson écouta avec attention le bulletin météo sur la station locale NPR et apprit, déçu, que ce ne serait pas une vraie tempête, même si dans la soirée on allait enregistrer des pointes de vent à soixante nœuds, qui suffiraient à soulever des vagues monstrueuses.

Il sortit et marcha contre les violentes bourrasques du nord-ouest, les yeux emplis de larmes et son bonnet bien enfoncé sur les oreilles, en se disant pour se consoler qu'au retour il aurait le vent dans le dos. Bien avant d'avoir traversé les sept rues qui le séparaient du rivage, il regretta de ne pas avoir enfilé des sous-vêtements longs. Sa bite se transformait en glaçon. Il fit des efforts considérables pour se rappeler le rêve qui, ce matin-là au réveil, l'avait empli d'une grande joie, mais il réussit seulement à voir mentalement la section intermédiaire de la rivière Escanaba, au sud de Gwinn, d'habitude un endroit terrifiant, car il y avait un jour trébuché en *waders* et le courant rapide l'avait entraîné sous l'eau. Quiconque n'est pas convaincu que la torture par l'eau soit une vraie torture, ne s'est jamais retrouvé à deux doigts de se noyer en étant ballotté par les flots et en aspirant davantage d'eau que d'air.

Tournant le dos à la plage pour s'abriter du mélange de sable et de neige qui lui fouettait le visage, et avec le grondement des vagues rugissant dans ses oreilles, il ressentit la fragilité de son âge. Il eut l'impression que le froid constituait son héritage personnel et qu'il le trahissait, un peu mélodramatique pour expliquer le simple fait qu'il avait oublié de mettre son caleçon long en laine...

Ce fut presque agréable de rebrousser chemin, car le vent du nord l'aidait à gravir la longue colline. Il s'arrêta chez l'épicier de la Quatrième Rue et s'amusa du spectacle d'une femme qui descendait de sa voiture et s'arc-boutait contre le blizzard tout en parlant au téléphone. Rien ne peut arrêter l'addiction à ce gadget, pensa-t-il. Au printemps dernier, alors qu'il recherchait un criminel sur le campus de l'université locale, il calcula que sur les centaines d'étudiants qui déambulaient dans le parc entre deux cours, quatre-vingt-dix pour cent au moins téléphonaient.

Il se mit à respirer un peu plus vite quand la femme au téléphone le suivit dans l'épicerie. Il lui tint la porte et elle passa devant lui en continuant de papoter sans le reconnaître. « Fred m'a vraiment déçue », disait-elle.

C'était Debbie Anne, sa petite amie quand tous deux étaient en seconde au lycée de Munising. Le temps ne l'avait pas ménagée et ce fut sa voix plutôt que son apparence qui permit à Sunderson de l'identifier aussitôt. Ils partaient en voiture dans la campagne, puis ils passaient sur la banquette arrière de sa Dodge 47 pour s'envoyer en l'air. Sexuellement précoce, elle avait beaucoup de succès auprès des athlètes du lycée. Elle aidait les mains tremblantes du jeune Sunderson à enfiler une capote Trojan-Enz sur sa bite, puis lui disait, « Gare donc ta bagnole dans mon garage et jette les clefs dans l'herbe », un extrait d'une blague salace. Quand ils baisaient, elle hululait et gazouillait. Il s'enfonça rapidement dans une allée du magasin et abrégea ses achats, de peur qu'elle ne le reconnaisse. Lorsqu'il s'enfuit, elle parlait toujours dans son portable en fouillant parmi les barquettes format familial de côtes de porc.

De retour chez lui, il se hâta de prendre un calepin avant que la chaleur de la maison ne le fasse somnoler. Il évita les notes qu'il avait prises sur Melissa et Xavier à Nogales et trouva une page vierge.

1. Mon boulot de nettoyeur des saletés de la société est terminé. Mon apothéose consistera à flanquer le Grand Maître en taule, mais ce ne sera peut-être pas possible.

2. Mon divorce a creusé dans ma vie un cratère long de trois années. Il faut que j'interrompe ce processus avant qu'il ne me détruise complètement, ce qu'il fait avec une grande efficacité.

3. Je dois contrôler mes habitudes. Durant la glorieuse période de mon mariage, je buvais deux verres après le travail, puis un verre de vin avec Diane au dîner, et enfin un dernier verre tout en lisant avant de me coucher. Le moindre excès par rapport à ce régime me déprime désormais. J'ai envie de me sentir aussi bien que pendant ma semaine de camping dans le canyon d'Aravaipa. Il faut que j'aille à Shingleton m'acheter une nouvelle paire de raquettes à neige. Il me semble que le Grand Maître a beau être fou à lier, c'est un sacré malin plein de ressources, et si je veux le choper avec du sang sur les mains, j'ai intérêt à m'entraîner physiquement dès aujourd'hui.

Le déjeuner avec Carla au Landmark fut déroutant. Elle arriva au restaurant accompagnée de Queenie, qui s'installa à l'autre bout de la salle entre deux hommes très élégants qui, décida Sunderson, ne pouvaient sûrement pas habiter le Michigan. Carla lui annonça de but en blanc que ces deux types étaient des amis de Queenie à Los Angeles. Après Brown University, cette dernière avait suivi les cours de l'école de cinéma de UCLA et ces deux hommes étaient des *producteurs*, un mot inconnu de Sunderson. Ces types lui firent l'effet d'une nouvelle espèce de dents cariées dans la bouche de la salle. Il était impatient de découvrir les dernières infos sur la secte, mais sa curiosité pour ces deux zigotos fut la plus forte.

« Ils sont donc venus à Marquette pour admirer le blizzard ?

— Contrairement aux autochtones, les gens efficaces ne perdent pas leur temps à regarder la chaîne météo. Queenie s'est mis en tête que la vie de Dwight ferait un film formidable. Ces types s'intéressent aussi à l'idée que, si l'on crée une nouvelle religion qui tient la route, alors on peut aussi ramasser un gros paquet de fric.

— Tu déconnes ? » Cette idée donna le vertige à Sunderson.

« Nous avons passé presque toute la nuit à faire la fête en parlant du film et de cette conception de la religion comme vache à lait. Les télévangélistes Oral Roberts, Jerry Falwell et Pat Robertson ont tous gagné des millions de dollars.

— Mais ils étaient chrétiens, protesta Sunderson.

— Peu importe. Nous partons de zéro, comme les mormons. Leur succès est planétaire. Par ailleurs, nous utilisons les techniques de recrutement des scientologues. Ce sont des petits futés. »

Sunderson regarda autour de lui pour s'assurer qu'on ne l'avait pas soudain transporté dans un asile de fous. Il venait de commander un bol de chili et il avait très envie d'une bière, laquelle était *verboten* à cause de son rendez-vous imminent au lycée. Carla semblait sur les rotules, comme si elle avait bambôché toute la nuit. Elle avait le regard trouble en sirotant son second verre de sauvignon blanc tout en picorant dans sa salade Caesar (sans anchois).

« Ça paraît complètement dingo.

— C'est parce que t'arrives pas à voir plus loin que le bout du nez de l'ancien flic que tu es. T'as pas idée de ce que le monde est devenu. Les vrais génies innovants découvrent sans arrêt des formes nouvelles en coulisses. Pense à Bill Gates il y a trente ans, bordel ! La conviction première de Dwight, c'est que le sperme est le fluide le plus puissant du monde. C'est une réalité qui a été complètement passée sous silence. Je veux dire, d'après la Bible les mecs ne sont pas censés le répandre par terre, tu sais, se branler quoi, mais c'est pas du tout ce qu'il fait.

— Pardon ? » Sunderson sentit son cou rougir, car quatre dames installées à la table voisine venaient de se tourner vers eux en entendant le mot magique, *sperme*.

« Merde alors. Le foutre, pour l'amour de Dieu ! C'est l'essence même de la vie ! dit très fort Carla.

— Bien sûr, bien sûr... » Sunderson sentit que le moment de vérité était arrivé. Il glissa la main dans une poche de sa veste sport et en sortit le mail plié et la photo de Mona à la jupe relevée qu'il avait découverts sur le terrain de la secte en Arizona.

« Où as-tu trouvé ça ? » demanda Carla en regardant longuement la photo. Elle roula en boule les deux feuilles de papier et, très pâle, les yeux levés au plafond, les laissa tomber dans sa salade Caesar.

« J'en possède vingt copies. Nous devrions peut-être continuer cette conversation en privé. » En fait, il avait oublié de faire des photocopies. Il récupéra les feuilles de papier trempées et essuya l'assaisonnement avec sa serviette, en regardant fixement Carla dont le visage exprimait maintenant une haine inflexible.

« Va te faire foutre ! » cria-t-elle avec une énergie inquiétante. Elle saisit son manteau et partit en courant vers la porte. Il se leva, décida de ne pas s'intéresser aux réactions des autres clients du restaurant, mit deux billets de vingt dollars sur la table, et la suivit. Dehors, le vent avait faibli, mais des flocons drus tombaient tout droit du ciel et il y avait une vingtaine de centimètres de neige fraîche sur le parking récemment déblayé par le chasse-neige. Il la pista facilement jusqu'au Range Rover de Queenie, qu'elle venait de faire démarrer. Il épousseta la neige poudreuse sur ses vêtements, puis monta côté passager en espérant que le chauffage marchait bien, car il avait laissé son manteau au restaurant. En position fœtale derrière le volant, Carla reniflait en lui tournant le dos, la jupe relevée jusqu'en haut des cuisses. « Et nous y revoilà », pensa-t-il froidement en reluquant ce merveilleux postérieur qu'il avait si récemment pilonné contre le tas de bois.

« Que comptes-tu faire ? demanda-t-elle d'une voix étouffée.

— Je ne sais pas. Peut-être te mettre en taule pour quelques années. Mais peut-être pas. Mona n'est pas très excitée à l'idée de témoigner.

— Ça veut dire quoi ? » Elle remonta encore les genoux, exhibant davantage sa petite culotte bleu pâle.

« Pour l'instant ça veut dire que tu dois rester en étroit contact avec moi via ton portable et ton mail. Au moindre écart de conduite de ta part, je mets mon ami le procureur au parfum. Tu es mon indic et mon esclave. D'accord ?

— Oui. Prends une carte dans mon portefeuille. »

Quand il se pencha pour récupérer le portefeuille dans le sac de Carla, il eut droit à une vue imprenable sur le cul de la donzelle, tout bien pesé le plus ravissant auquel il ait jamais eu droit. Ses sentiments étaient mitigés, mais il bandait. Le dégoût qu'il éprouvait pour elle n'était manifestement pas partagé par sa bite, laquelle se comportait comme une boussole indépendante de sa volonté.

« D'après Marion, on peut lancer une religion avec l'homme le plus petit du monde ou la femme la plus grande du monde. Elle est chinoise, elle mesure deux mètres vingt-deux.

— Que Marion aille se faire foutre, aboya-t-elle. Tu peux t'amuser avec mon cul si tu veux.

— Sans façon pour l'instant. »

Presque arrivé au lycée, il tremblait de froid et se sentait extrêmement vertueux. Il venait en effet de savourer un formidable intermède. Il se refusa à retourner au restaurant pour affronter des regards sans doute toujours désapprobateurs.

Mona et le gentleman étaient déjà installés dans un petit bureau quand une secrétaire le fit entrer.

« Salut, papa. Voici monsieur Schmidt.

— Votre fille est une vraie crack ! aboya M. Schmidt. Je suis certain que nous pouvons vous faciliter les choses du point de vue financier.

— Elle a toujours été maligne comme une fouine et jolie comme un pissenlit, dit bêtement Sunderson.

— Je suis fasciné par sa passion pour la musicologie et la botanique. Quelles universités l'intéressent ? » Mona était assise trop près de Schmidt, ce qui mettait ce dernier mal à l'aise devant son père putatif.

« J'ai étudié les sites Internet de Harvard, Tufts et Macalester. Et aussi de l'université de Puget Sound à Tacoma. Le problème c'est qu'un Kleenex chiffonné peut ressembler à une rose blanche et qu'une rose blanche peut ressembler à un Kleenex chiffonné, déclara pensivement Mona.

— Ah bon ? » Schmidt haussa les sourcils.

Sunderson s'interrogea sur la dernière digression de Mona, en se sentant complètement idiot, peut-être parce qu'il l'était bel et bien. Sa tâche la plus urgente consistait donc à se désidiotiser.

« Faites-moi une proposition que je ne pourrai pas refuser. Ann Arbor me séduit à cause de toute la musique qui se joue dans la région. J'adorerais rencontrer en personne mon héroïne Aretha Franklin. La musique apaise le fauve qui rôde en moi.

— Ah bon ? » répéta Schmidt.

Le restant de l'après-midi, Mona fit l'école buissonnière et ils retournèrent en voiture à l'hôtel pour qu'elle aille y chercher le manteau de Sunderson, puis ils se rendirent au New York Delicatessen tout proche, où il commanda une soupe au poulet et un énorme sandwich au corned-beef. « Laissez le gras, s'il vous plaît. » Ce n'était pas exactement la vraie vie, et une très longue sieste constituait toujours une excellente solution à ses problèmes. Procédant à une rapide addition, il calcula qu'il était à la retraite depuis seulement trente-quatre jours.

« Mes parents sont de tels incapables qu'on se demande pourquoi ils se sont donné la peine de m'engendrer », se plaignit Mona avant d'attaquer son sandwich à pleines dents et avec le sourire.

« Les gens ne voient pas plus loin que le bout de leur nez.

— Ce matin Diane m'a appelée. Je suis sûre que tu le sais déjà, mais son mari et elle quittent la Floride pour revenir ici, car il désire être soigné par des médecins en qui il a confiance.

— J'en ai entendu parler. Je ne suis pas certain de supporter de la revoir.

— Bien sûr que si, tu vas y arriver. Diane va devenir ma vraie mère de substitution. J'ai bien besoin d'en avoir une, tout de même.

— Moi aussi », rétorqua Sunderson en riant. Il était las de barboter dans un marigot glacé d'idéologies désespérément liées à l'argent. Contrairement à Diane, il n'avait jamais considéré Mona comme sa fille adoptive. Quand la mère de Mona était en voyage, Diane s'était montrée extrêmement attentive à elle, devenant à la fois une grande sœur et une mère.

« Je ne t'ai jamais préparé ta pizza maison d'anniversaire. Je m'en occupe ce soir.

— Disons un autre jour », objecta-t-il en se sentant déjà somnoler à cause de la soupe au poulet et de l'énorme sandwich.

Marion cuisinait lui-même son corned-beef pour retrouver cette saveur juive particulière qu'il avait découverte pendant ses études à Chicago.

« Je me sens rejetée parce que tu ne me reluques plus de ton bureau.

— Va falloir t'y faire. Comment essayer de piéger le roi David à cause de son penchant pour les jeunettes, si moi-même je te regarde danser nue ?

— Le Grand Maître choisit des gamines à un stade précis de leur développement physique pour les inséminer avec son sperme, le fluide le plus puissant du monde. Voilà ce que Carla m'a raconté. Je ne suis plus si jeune que ça. On me donne facilement dix-huit ans.

— Il paraît. » Sunderson ne prêta aucune attention aux dernières phrases de Mona, car il se demandait où le Grand Maître avait bien pu dénicher ses théories sur le pouvoir du sperme.

Après quatre heures de sieste, Sunderson se réveilla à huit heures, fit du café et renifla sa pile de livres. Pourquoi renifler des livres ? Par habitude. À la fenêtre de la cuisine, il agita la main vers la fenêtre de la cuisine de Mona, où Marion et elle maniaient le rouleau à pâtisserie pour étaler la pâte à pizza. Il était arrivé page 37 de *Playing Indian* de Deloria en ressentant sa terreur coutumière. Pour Sunderson, les Indiens étaient le squelette monstrueux enfermé dans le placard de l'Amérique. Il imaginait volontiers un grand drap blanc étendu sur tous les États-Unis, et à des centaines d'endroits le sang des Indiens faisait des taches rouges sur ce drap. À l'université du Michigan il avait été pris de nausées en écoutant un professeur expliquer le massacre de Sand Creek. Comme disaient les Russes, la conscience est parfois une maladie.

Cédant à une impulsion subite, il appela Carla et découvrit avec surprise qu'elle était à Los Angeles, apparemment défoncée.

« Nous sommes partis en jet privé juste après notre merveilleux déjeuner. Tu n'as pas mangé ton chili. Nous avons été chercher Dwight et demain nous serons à Maui pour discuter du film et de l'avenir de notre religion. Satisfait ?

— Pas tout à fait. J'ai besoin de savoir combien de fric il a piqué à ses disciples.

— Ne dis pas *piqué*. Ils ont librement consenti à cette contribution. Environ quatre millions de dollars, mais Dwight est un sacré flambeur. Je meurs d'envie d'aller à la plage. »

Chapitre 15

À minuit, assis dans la chambre à l'étage, toutes lumières éteintes, il regardait la neige tomber doucement et à la verticale sous le lampadaire en pensant à l'hiver comme à un gigantesque dieu endormi. Couché depuis un quart d'heure à peine, il avait fondu en larmes. Ces pleurs étant inacceptables, il s'était levé puis était descendu se servir le verre de whisky qu'il avait ensuite oublié sur le rebord de la fenêtre et qui reflétait étrangement les lueurs de la rue, comme si elles se noyaient dans le liquide ambré. Plusieurs fois il s'était demandé si son oreiller était hanté tout en reconnaissant volontiers le caractère grotesque de cette idée. Il s'agissait de l'oreiller de son enfance et Diane lui disait souvent, pour le taquiner, que même avec une taie neuve cet oreiller était tout mou et répugnant. Il soupçonna qu'il pleurait parce que son cerveau fondait et acquérait une espèce de lucidité qui le déroutait. Depuis le divorce cette lucidité n'avait cessé de croître, jusqu'à l'enterrement de son chien Walter qu'il avait vécu comme l'enterrement de son propre mariage.

La soirée s'était bien passée jusqu'à dix heures et demie, lorsqu'ils finirent les magnifiques pizzas de Mona et qu'elle partit danser avec des amies.

Après le départ de Mona, Marion et lui avaient sombré dans une légère mélancolie, comme si une certaine force vitale venait de les quitter. Sunderson lui parla de son déjeuner avec Carla et de cette absurde idéologie du sperme. Marion pouffa de rire, puis déclara qu'aucune religion ne pouvait fournir une explication absolument convaincante de sa propre existence. Le besoin d'extase, la nécessité de sortir de nous-mêmes étaient si grands que nous étions prêts à souscrire aux croyances les plus stupides et les plus tarabiscotées. Il ajouta que Sunderson ne saisirait pas cette idée tant qu'il ne renoncerait pas au concept de *preuve* qui avait été la pierre angulaire de sa profession de flic.

« C'est une habitude difficile à perdre, objecta Sunderson. Si seulement on pouvait traquer les dieux dans la neige ! Les Grecs et les Romains identifiaient volontiers les lieux précis où les dieux étaient censés habiter.

— Avant que j'arrête de boire, les bars étaient les sanctuaires de mes dieux. C'étaient les seuls endroits où je me sentais bien. Un samedi à Iron Mountain j'ai passé quatorze heures dans un bar à jouer à l'euchre et à regarder le foot à la télé. Au moment de fermer, le propriétaire du bar m'a dit que j'avais descendu deux pintes de whisky. Ça m'a paru trop, même si à l'époque j'avais vingt-cinq ans et si j'étais un solide gaillard. Je bossais comme voyageur de commerce pour une boîte de scooters des neiges, et je roulais disons de Superior, Wisconsin, jusqu'à Escanaba en m'arrêtant dans une bonne dizaine de relais routiers comme dans autant de chapelles lors d'un pèlerinage.

— Certains d'entre vous, les Indiens, picolent jusqu'au coma éthylique, et parfois au-delà. Un jour que je rentrais de Soo, j'ai reçu un appel sur ma radio : on venait de découvrir un Indien gelé près de Rudyard. Il n'y avait aucun indice d'un éventuel crime et l'autopsie a révélé une alcoolémie de cinq grammes, un record. Les Indiens morts ont toujours été la partie la plus désagréable de mon boulot, sans doute un reste de culpabilité, comme si j'enquêtais sur un lynchage dans le Sud.

— Il existe de nombreuses formes d'assassinats racistes à la Emmett Till. Peut-être qu'avec cent vingt ans de retard, vous allez déclarer que Wounded Knee est une affaire toujours ouverte.

— Une affaire d'assassinat n'est jamais définitivement close. »

Lorsque Marion partit et que Sunderson nettoya rapidement la cuisine, il se rappela combien son chien avait aimé la croûte de pizza. Ce souvenir contribua sans doute aux larmes qu'il versa ensuite à l'étage. Assis à la fenêtre en compagnie de son verre de whisky intact, il regarda Mona rentrer de sa soirée dansante. Si seulement elle avait dix ans de plus, mais ce n'était pas le cas. Quelle vanité... Le côté inexorable du temps le frappa de plein fouet et le sonna. Dans *The Writer's Almanac*, l'émission de NPR, il avait entendu Garrison Keillor expliquer que le célèbre écrivain allemand Goethe, alors âgé de soixante-treize ans, avait sombré dans la dépression quand une jeune fille de dix-huit ans avait refusé de l'épouser. Cette anecdote prouvait que les grands écrivains appartenaient parfois à la même variété de couillons que les anciens flics. Il se laissa ensuite dériver vers une agréable évocation d'un canyon proche d'Aravaipa Creek qu'il n'avait pas eu le temps d'explorer jusqu'au bout, le découvrant seulement le dernier jour. Il en avait longé les parois avec appréhension vers le fond et les quenouilles qu'il avait vues un peu plus tôt à travers ses jumelles. Il y avait une petite source où voletaient cinq espèces d'oiseaux qu'il ne connaissait pas. Quand il regarda vers l'ouest et l'entrée du canyon dans les montagnes qui se dressaient à plusieurs kilomètres de là, il fut enchanté. Peut-être y retournerait-il un jour pour l'explorer entièrement. Eurêka, pensa-t-il soudain en s'emparant de son verre posé sur le rebord de la fenêtre. Il n'avait jamais vu les chutes d'Au Sable, près de Grand Marais, en hiver. Il y marcherait une semaine. Pourquoi le miracle de l'Arizona ne se reproduirait-il pas ici ? Aujourd'hui il avait accompli des progrès notables dans l'affaire du Grand Maître en embauchant de force Carla comme espionne. Ces pensées agréables, bien qu'éphémères, le plongèrent dans un sommeil dénué de larmes.

Il partit à l'aube, vers sept heures et demie, en transpirant un peu après avoir déblayé un monceau de saletés au fond du garage pour en extraire ses skis de fond Bushwacker, relativement courts et larges pour pouvoir passer entre les arbres de la forêt. Il trouva un seul bâton, ce qui ne serait pas très pratique, mais ces skis constituaient seulement une solution de remplacement quand le temps était trop mauvais pour prendre les raquettes à neige. Tandis qu'il fouillait en faisant beaucoup de bruit, il se retourna et vit Mona qui l'observait depuis la porte ouverte du garage. Elle avait son sac à dos et lorsqu'ils s'étreignirent il respira l'odeur incendiaire du lilas dans ses cheveux encore humides après la douche. Il fut déçu de sentir ses couilles s'entrechoquer, car il désirait que ses pensées soient aussi pures que le manteau de neige poudreuse, et non pas issues de cette barrique de boyaux qu'est le corps humain.

« Ne t'éloigne pas au point de ne plus retrouver le chemin du retour », dit-elle en partant pour l'école d'un pas nettement plus énergique que le sien. L'allure confortable de Diane avait aussi été plus rapide que celle de Sunderson. Il se rappela l'un de ces documentaires animaliers de PBS qui montrait un énorme lion à la crinière broussailleuse qui arpentait d'un pas lent, presque paresseux, son territoire, tandis que les femelles traquaient puis coursaient toutes les bêtes comestibles de la savane. Quand arrivait la période de l'accouplement, il ne réussissait jamais à en rattraper une seule, et il devait attendre qu'elles soient prêtes et consentantes. Sunderson savait depuis toujours qu'il n'était pas fait pour le sprint, mais pour la marche lente et régulière. C'était un remorqueur, pas un clipper.

En roulant vers l'est sur la Route 28 le long du lac Supérieur, il éteignit NPR pour éviter le flot des mauvaises nouvelles du monde, puis il dépassa l'immeuble de la police tout proche de la prison avant d'admirer l'immense étendue vert foncé du lac Supérieur où la houle de la récente tempête s'apaisait. En traversant Munising, un souvenir poignant fondit sur lui : Mme Amarone, leur voisine et la meilleure amie de sa mère, était morte avant soixante ans d'un cancer du sein. Elle avait appris à la mère de Sunderson à préparer une sauce de spaghettis avec des tomates en boîte et la saucisse locale italienne nommée *cudighi*. Ils en mangeaient tous les samedis soir et c'était le plat préféré de la famille. Il préparait cette même sauce avant d'aller camper avec Diane et enduisait généreusement d'huile d'olive la boîte plastique destinée aux pâtes cuites pour qu'elles ne collent pas. En été, Diane et lui sortaient du travail le vendredi après-midi, ils partaient en voiture et au crépuscule faisaient réchauffer ce plat dans une casserole sur leur feu de camp. Une année, ils avaient campé une demi-douzaine de fois près d'un petit lac sauvage, plutôt un étang, proche de la lisière ouest des Kingston Plains, entre Melstrand et Grand Marais. Cette région n'avait rien de très frappant, mais ils avaient compté au moins cent grues des sables dans la clairière et en faisant attention on pouvait s'approcher tout près des oisillons. Un soir particulièrement chaud, ils avaient écouté le chœur rauque des grues avant de se baigner nus dans l'étang. « Nous sommes des singes ! » avait lancé Diane en riant. Ils firent l'amour sans se sécher et burent une bouteille de Barolo au dîner. Elle disait toujours que cette sauce de spaghettis l'excitait, car elle avait grandi dans une famille WASP où les seuls condiments se limitaient au sel et au poivre. Ils firent de nouveau l'amour à l'aube, quand les braillements primitifs des grues les réveillèrent.

Il se gara au parking municipal de Grand Marais et partit vers l'ouest sur ses raquettes neuves en longeant la rive du lac Supérieur sur une neige assez bien tassée, s'arrêtant pour admirer les cannelures de glace qui recouvraient les rochers au bord de l'eau ainsi que la couleur caramel clair des dunes à pic, hautes de trente étages. Il se sentit étrangement chanceux, car il n'y avait pas de vent et la brume se dissipait sur le lac, révélant une eau bleue qui avait été verdâtre à Marquette, un phénomène qu'il renonça aussitôt à essayer de comprendre. Il atteignit l'embouchure de la rivière après un peu plus d'une heure de marche et s'engagea sur le chemin qui en longeait la berge, en pataugeant dans la profonde neige poudreuse. Le monde se réduisit bientôt à des arbres noirâtres et à la neige blanche. Il se mit à faire beaucoup plus froid dans l'ombre d'un profond ravin. Il transpirait beaucoup en atteignant la cascade et il s'étonna du plaisir que le tonnerre de l'eau apporta à son esprit. Il avait toujours eu conscience du côté fruste de son sens esthétique en comparaison de celui de sa femme, mais il était parfois sensible à la beauté. Il lui avait avoué que, lorsqu'elle jouait une certaine composition de Villa-Lobos sur la chaîne stéréo, il avait chaque fois la chair de poule.

Il passa une demi-heure assis sur une souche à regarder l'eau jusqu'à ce que sa transpiration eût séché et qu'il fût glacé, en se demandant vaguement comment les Ojibways, ou les Anishinabe comme ils s'appelaient eux-mêmes, les premiers habitants de la région, les vrais autochtones, voyaient ces cascades, puis il décida que c'était forcément un endroit sacré pour eux, même si cette conception de la nature était tout à fait étrangère à notre propre culture. Quand il se leva, il découvrit avec étonnement qu'un groupe d'une dizaine de corbeaux s'étaient réunis sans bruit dans les arbres derrière lui. Quand l'un d'eux croassa, il croassa en retour. Ces échanges de croassements se poursuivirent tout le long de son trajet dans le goulet de la rivière et jusqu'au lac. Son père lui avait appris de bonne heure à parler aux corbeaux, car ils adoraient ça et ils lui tenaient compagnie lors de ses promenades en forêt. En plus d'être simplement eux-mêmes, ces oiseaux abritaient peut-être les fantômes de ses ancêtres. Cette idée le fit frissonner sur le chemin, à la fois à cause de son caractère biscornu et parce qu'à Shingleton il avait oublié de prendre son petit déjeuner. Marion avait insisté sur le fait que la religion a tendance à dépendre du paysage, et l'austérité des croyances anishinabe confirmait cette théorie. Le christianisme pourrait mieux faire passer son message en y incluant les ours, les corbeaux et d'autres animaux, du moins le pensait-il, mais le désert où cette religion était née n'incluait aucune de ces merveilleuses créatures. Sans doute Sunderson devrait-il chercher quelles religions naissaient dans les jungles.

Quand il rejoignit sa voiture, il avait les membres tout ankylosés et le souffle court et rauque. L'âge était vraiment une saloperie, pensa-t-il, en décidant de continuer à marcher tous les jours de la semaine. Pourquoi pas ? Il pourrait lire l'après-midi et le soir afin de tromper la profonde stupéfaction de la retraite. Il fit halte au Dunes Saloon pour manger un hamburger et un bol de chili. Il parla avec un gros type prénommé Mike, l'ancien propriétaire du bar, que Sunderson avait dû arrêter deux fois parce qu'il avait balancé des hommes à travers la vitrine du bar et de la quincaillerie voisine. Le juge aimait bien Mike qui s'était vu condamné à suivre un cours de « gestion de la colère » qui l'avait « fait royalement chier », *dixit* Mike. Ils évoquèrent leur passion commune pour la pêche à la truite et la chasse au coq de bruyère.

« Après la mort de mon chien j'ai laissé tomber la chasse au coq de bruyère, dit Sunderson.

— Merde alors, tu fais quoi en septembre, après la fin de la saison de pêche ? »

Bonne question, pensa Sunderson. Son chien trottait loin devant lui dans les bois et il aboyait quand il levait un coq de bruyère et le forçait à se réfugier dans un arbre. Ensuite, Sunderson abattait facilement le volatile, qui tombait à terre, et le chien entamait une petite danse joyeuse. Diane, qui ne se passionnait guère pour le gibier des bois, adorait le coq de bruyère grillé. Cette méthode n'avait rien à voir avec la version classique de la chasse au coq de bruyère, mais c'était une variante rustique et efficace de l'alliance de l'homme et du chien bien décidés à ne pas se coucher le ventre vide.

Le soleil scintillait sur le pare-brise de la voiture et il s'arrêta sur l'aire de repos de la Route 28 proche de Driggs River, dont la partie supérieure promettait une bonne pêche à la truite. Un peu plus loin sur la grand-route, un chemin aboutissait à un étang long de huit kilomètres dans la réserve naturelle de Seney, une excellente destination pour le lendemain. Il abaissa le dossier de son siège, s'endormit aussitôt et fut réveillé une heure plus tard par des coups frappés à la fenêtre.

Une voiture de police de l'État était garée près de la sienne et le caporal Berks le regardait fixement à travers la vitre.

« Je m'assurais juste que vous étiez en vie, monsieur.

— Je crois que je le suis. J'ai fait une longue promenade à pied. Comment va, Berks ?

— Très bien. Vous nous manquez au poste de police. Le nouveau vient de Mount Pleasant et il pige que dalle à la Péninsule Nord. Et vous, comment allez-vous ?

— Je passe mon temps à baiser, danser et me bagarrer. Dis au bleu de me passer un coup de fil si jamais il est vraiment paumé. »

Berks partit et Sunderson s'amusa d'avoir dit « baiser, danser et me bagarrer ». C'était une des choses que Diane n'appréciait guère dans la Péninsule Nord, ces vantardises viriles qu'elle qualifiait de « macho ». Marion, qui se rendait souvent au Mexique, la reprenait en expliquant que *macho* désignait un homme à la violence gratuite. Les habitants de la Péninsule Nord étaient souvent des rustres intelligents, des hâbleurs mal dégrossis comme leurs grands-pères bûcherons ou mineurs. Ce n'était pas une histoire de virilité, un mot autrefois gênant et seulement en vogue depuis une dizaine d'années. Dans son enfance, il ne se souvenait pas d'avoir entendu des hommes parler de virilité. Il s'agissait d'une évolution absurde et très récente.

De retour chez lui, Sunderson lut avec plaisir un message de Marion disant qu'il avait mis de côté au frigo une dizaine de kilos de viande de biche, puis une Mona rayonnante d'excitation ouvrit violemment la porte de la véranda.

« Carla a essayé de t'appeler de Hawaï. Où est ton portable ?

— Aucune idée. » Il se servit un whisky.

« Tu vas pas le croire, putain. On dirait que le roi David est bon pour passer quatre-vingt-dix jours en taule. Tu te rappelles ces deux branleurs de Los Angeles qui accompagnaient Queenie et dont tu m'as parlé ? Eh bien, dans le salon rupin d'un hôtel de Maui, Dwight, je veux dire le roi David, s'est castagné avec eux. Je veux dire, d'après Carla il leur a démoli le portrait. Il a explosé parce qu'ils essayaient de souiller sa religion. Toujours d'après Carla, il a complètement pété les plombs et il a massacré le mobilier de la réception après leur avoir mis la tête au carré.

— Les bonnes surprises ne cesseront-elles jamais ? » dit Sunderson en souriant. Lors de sa rencontre avec Dwight, il avait remarqué l'excellente forme physique du Grand Maître. En fait, il contraignait ses disciples à une heure quotidienne d'épuisante gymnastique, en plus de leur travail manuel obligatoire. Cela faisait partie des absurdités de *la voie du guerrier*, la facette indienne bidon de la secte.

« Je crois que tu vas être obligé de faire un break », dit Mona.

Chapitre 16

C'est ce qu'il fit. Il décida de marcher tous les matins et de lire un livre par jour l'après-midi et le soir. Les choses ne se passèrent bien sûr pas tout à fait ainsi, car très souvent la volonté humaine est d'une faiblesse notoire. En avance de quelques semaines sur le calendrier, il prit ses bonnes résolutions du nouvel an et se heurta aussitôt au problème classique des retraités dans le Grand Nord qui ont tendance à hiberner dans la froidure de l'hiver, en décembre, janvier et février. Une semaine après l'annonce stupéfiante de Mona sur les récentes frasques du roi David, Sunderson assis à son bureau lisait en somnolant quelques pages consacrées à la révolte du whisky en Pennsylvanie durant les années 1790 quand Carla appela.

« Dwight a pris quatre-vingt-dix jours, sanglota-t-elle.

— Ça ne me surprend pas.

— Tu sais quoi de Hawaï, putain ? » Elle hurlait de fureur.

« On punit partout les troubles à l'ordre public. » Quel soulagement d'être enfin arraché à cet ouvrage historique où les paysans se déguisaient en peaux-rouges pour protester contre les impôts frappant leur whisky local ! Et alors ? pensa-t-il.

« Eh bien, Queenie est rentrée à L.A. pour cajoler ses petits copains, et elle m'a abandonnée ici sans un sou. Le matin, je rends visite à Dwight et l'après-midi je bosse comme serveuse.

— Tu attends quoi de moi ?

— Je sais pas. J'ai besoin de parler à quelqu'un. Queenie ne répond pas à mes coups de fil, alors que toi et moi on entretient une espèce de relation.

— Sans doute. » Il s'interrogea brièvement sur la nature de leurs relations, mais il lui suffisait de repenser à leur séance de frotti-frotta sur le tas de bois pour se sentir tout émoustillé.

« J'ai cru devoir t'avertir de la vente du terrain de Chadron. Il s'agit de cent vingt arpents au nord de Crawford, près de Chadron et de Fort Robinson, là où Crazy Horse, le héros de Dwight, a été assassiné.

— Très pratique.

— Je t'emmerde. »

Quand elle eut raccroché, il se rendit à pied au New York Deli et acheta un sandwich au pain de seigle, corned-beef et saucisses (sans moutarde forte), puis il s'arrêta à la librairie Snowbound Books et acheta le livre récent d'un écrivain anglais sur la vie de Crazy Horse et aussi, suivant les conseils du propriétaire, *The Practice of the Wild*, un livre d'essais du poète Gary Snyder. La poésie figurait très bas sur la liste de ses centres d'intérêt, mais ce titre lui plut et il lui sembla devoir marquer le pas dans son étude de l'histoire, une discipline qui après tout avait tendance à dresser l'inventaire des mauvaises habitudes de la nation.

Rentrant chez lui à pied, il constata avec agacement que le dégel ramollissait la neige et la transformait en gadoue. Au milieu de la nuit, il avait senti par la fenêtre l'air tiède qui venait du sud et il était parti pour Big Bay bien avant l'aube. Il avait espéré atteindre l'un de ses coins de pêche à la truite sur les Yellow Dog Plains, mais la neige qui fondait se collait à ses raquettes et il avait du mal à avancer. Il retourna à son véhicule et essaya les skis Bushwacker, mais il avait oublié d'acheter un bâton pour remplacer celui qui manquait. Il se retrouva coincé dans une congère en train de fondre et tomba sur le côté en adressant un « Merde ! » tonitruant au monde naturel.

Sa sieste rituelle d'après déjeuner fit long feu à cause d'un problème récurrent de remontées acides et il ne ressentit pas le besoin de manger une autre bouchée de sandwich. Il avait trouvé quelques vieux vinyles de Diane, il se dit que le *Requiem* de Berlioz lui élèverait sans doute l'esprit, mais la vieille platine ne tournait pas à la bonne vitesse, et puis cette musique ne fit que raviver la mélancolie due à l'absence de son épouse. En ce milieu d'après-midi et bien que sachant qu'il avait tort, il décida de se servir un bon whisky. À la télévision, il avait vu ces désagréables publicités mettant en garde les seniors contre l'abus d'alcool. Dans une de ces pubs, un vieillard buvait une bière en pêchant dans sa barque, puis il passait au pack de six, une quantité qui n'effrayait nullement Sunderson. Il s'allongea sur le canapé, tandis que la lumière entrait à flots par la fenêtre du salon, puis, somnolant à moitié, il supplia un dieu inconnu de faire venir à Marquette un bon blizzard de décembre. Il divaguait. S'il existe quatre-vingt-dix milliards de galaxies dans l'univers, combien de religions y a-t-il ? Pourrait-il préparer un ragoût de bœuf comme Diane, mais sans sauge fraîche ? Peu après leur divorce, il avait négligé le chauffage dans leur petite serre située près du garage, et toutes les herbes avaient gelé. Mona lui avait trouvé un blog scientifique quelques jours plus tôt, qui affirmait que la religion avait une composante biologique similaire à nos perceptions esthétiques. Même d'autres mammifères comme les vaches et les orques aimaient Mozart. Lorsqu'ils étaient à Florence et que Diane avait insisté pour qu'ils passent trois heures au musée des Offices, il s'était d'abord inquiété de ne pas pouvoir fumer pendant tout ce temps, puis il avait eu la chair de poule une demi-douzaine de fois et complètement oublié l'existence des cigarettes. Il en sortit convaincu que les livres d'art étaient une arnaque en comparaison de l'admiration respectueuse qu'on ressentait devant un vrai tableau, une admiration d'habitude provoquée par le seul monde naturel. Cette expérience relevait-elle de la religion ? Sans doute.

Quelque chose comme ça, car il avait lu ce texte en diagonale. Malheureusement il s'assoupit un moment et reconquit un fragment du passé en rêvant que Diane lui hurlait au visage : « Je ne peux plus vivre avec un homme qui voit le monde à travers des lunettes pleines de merde ! » C'était arrivé la veille de son départ. Comme elle ne disait jamais aucun gros mot, cette exclamation avait retenu l'attention de Sunderson, mais un peu tard.

Il transpirait, et certes pas à cause du soleil qui entrait par la fenêtre, lequel avait déjà disparu. Il fit comme si le léger sanglot qu'il lâcha était un hoquet, puis il se servit un énorme whisky, qu'il descendit en deux ou trois gorgées. En tant qu'enquêteur, il ne croyait pas d'habitude aux souvenirs refoulés, mais pour la première fois il reconnut avoir bel et bien entendu ce cri.

Il enfila un blouson et fuit la maison, peu désireux de descendre lentement mais sûrement toute la bouteille de whisky. Ses chaussures de ville furent trempées quelques rues plus loin, il trébucha sur le rebord d'un trottoir et il faillit tomber quand la puissance de la forte dose d'alcool le frappa de plein fouet, après quoi il marcha plus lentement. Il atteignit le parc de la ville, Presque Isle, et eut droit à un splendide coucher de soleil qui calma un peu son sentiment de panique, mais pas davantage. Il remâchait maintenant une affaire qui avait précédé leur séparation et engendré une fureur noire chez Diane. Trois jeunes notables d'un petit village situé très loin à l'ouest avaient apparemment gardé trois jours en otage dans leur chalet de chasse une jeune fille de dix-huit ans. Quand les coupables étaient partis chasser, la jeune fille avait refusé de s'enfuir nue car ses vêtements avaient disparu. Elle venait d'une famille de traîne-misère et lorsque le procureur parla avec son père, il dit qu'elle avait toujours été « barge ». C'était une affaire délicate, et quand il l'évoqua devant Diane, elle exigea une inculpation express. Sunderson était moins sûr. Il interrogea les coupables, tous mariés avec des enfants en bas âge, tous bourrelés de remords et avançant le prétexte qu'ils avaient tous trop bu, une excuse beaucoup trop souvent acceptée par certains juges avec un hochement de tête signifiant « Bah, les garçons seront toujours les garçons ». Après de longues discussions, le procureur et Sunderson décidèrent de ne pas inculper les trois jeunes types, qui sinon auraient souffert toute leur vie d'une condamnation en justice. Par ailleurs, la fille, sous la pression de ses parents, essayait de retirer sa plainte. Ils auraient pu continuer les démarches judiciaires en gardant les chefs d'accusation initiaux, mais le procureur se sentait trop vulnérable dans la communauté locale et il se coucha. Quand Sunderson avait stupidement lâché « Elle s'en remettra », Diane était entrée dans une colère noire ; puis il expliqua qu'il ne pouvait continuer seul sans le procureur, ce qui était très éloigné de la vérité. Curieusement, une enquête ultérieure prouva que la jeune femme, qui avait déménagé à Duluth avec un ami, semblait aller très bien.

Il rentra chez lui épuisé et chancelant après une marche inutilement longue de presque deux heures, car il s'était trompé de chemin et dirigé vers un petit bungalow de location où ils avaient vécu au début de leur mariage, la période la plus heureuse de leur vie commune. Il eut du mal à admettre son erreur, puis il la mit sur le compte de l'âge plutôt que d'une humeur douteuse.

Quand il atteignit sa maison, une voiture inconnue était garée devant et dans l'obscurité hivernale de cette fin d'après-midi il y avait de la lumière dans la cuisine. Il traversa le jardin, puis, caché derrière un érable, il jeta un coup d'œil et vit Diane et Mona qui bavardaient à la table de la cuisine. Il resta là, peu désireux de rentrer chez lui pour affronter la situation, après quoi il comprit qu'il n'y avait aucune situation particulière à affronter. Il ramena ses cheveux en arrière, puis franchit la porte de la véranda en arborant un sourire entièrement fabriqué. Reprends-toi, pensa-t-il.

« Mon Dieu, tu as vraiment l'air en forme. Mona m'a dit que tu étais devenu accro au fitness. » Diane souriait sans retenue.

« La retraite est plus compliquée que je croyais, alors j'ai décidé de marcher quelques heures par jour. » Il regretta d'avoir laissé la bouteille de whisky ouverte sur la table. À sa grande surprise, Diane se servit un verre.

« Je me demandais si tu pourrais conduire Mona à Ann Arbor et ensuite à Kalamazoo pour visiter des universités ? Mon mari est trop malade pour que je le laisse seul.

— Bien sûr. Avec plaisir. » C'était un mensonge. Il avait une peur bleue des embouteillages.

Elles sortirent dîner toutes les deux sans l'inviter à les accompagner. Il aurait refusé, mais il fut légèrement vexé, telle une jeune fille qui n'a pas été conviée au bal de fin d'année. Avant de partir, Diane annonça que son mari et elle voulaient que Mona et lui viennent chez eux pour Noël. Il accepta dès qu'il remarqua l'enthousiasme de la jeune fille, même s'il aurait mille fois préféré rester à la maison et gober une douzaine d'œufs crus. Il soupira, eut envie d'un whisky, mais décida de tenir bon, car il voulait d'abord lire et préparer le dîner. Diane, toujours pimpante et impeccable, faisait dix ans de moins que son âge réel, soixante-cinq ans. Marion avait remarqué qu'au cours de la décennie précédente, les femmes semblaient rester plus jeunes que les hommes. Il avait envie de parler à Marion, mais il était parti à Albuquerque, Nouveau-Mexique, avec sa femme pour une réunion concernant les affaires indiennes, après quoi ils passaient les vacances de Noël à Guadalajara, au Mexique. Il ouvrit les *Études sur la littérature classique américaine* de D.H. Lawrence, mais quelque chose d'indéfinissable le travaillait. Il appela Carla.

« Tu portes quoi ? demanda-t-il en cédant à une impulsion subite.

— Une jupe de coton bleue pour le boulot. Un corsage blanc en coton à manches courtes. Il fait chaud ici. Un slip de bikini bleu pervenche. Tu veux qu'on s'envoie en l'air au téléphone ?

— Oui et non. Plutôt non.

— J'ai envie de ta grosse queue dans ma bouche, dit-elle en riant.

— Un autre jour, s'il te plaît. Nous avons tout essayé et Mona est une as de l'informatique, mais nous ne trouvons pas grand-chose sur le passé du roi David en dehors d'un épisode en France, et presque rien sur son enfance.

— C'est pas de bol. Je le connais depuis très longtemps, trois ans pour être exacte, et il m'a jamais dit grand-chose, sauf qu'il a grandi en Californie dans une succession de familles d'accueil. Il a fréquenté la fac deux trois ans quelque part dans l'Oregon, il a étudié le théâtre et l'anthropologie. Il est très calé sur les Indiens. C'est à peu près tout ce que je sais. Il est très infidèle avec ses maîtresses, mais à la longue on s'y fait. Il se bousille la santé à force de s'enfiler du Viagra et du Cialis, ça m'inquiète. Je sais qu'il a des problèmes de prostate. Pas étonnant.

— Pourquoi cible-t-il autant les très jeunes filles ?

— T'enregistres notre conversation ?

— Non. Ce serait illégal. » Sa réplique l'amusa.

« Son obsession des jeunettes est d'ordre théologique. Il se considère comme un dieu avec un *d* minuscule. Il juge crucial que la première relation sexuelle d'une jeune fille se passe avec lui, si elle veut avoir une vie puissante. En fait, dans la plupart des pays leur âge n'a rien d'illégal.

— Je vois », dit-il, alors qu'il ne voyait rien. Il avait déjà une connaissance fragmentaire de ces faits, mais sans aboutir à un tout cohérent.

« Il croit que l'époque moderne est merdique et que nous devons retourner aux saines pratiques païennes de l'Antiquité. Nous dansons beaucoup au son des tambours et nous baisons librement. Il prétend être de nombreuses personnes à la fois.

— Tu y crois ? » Il essayait de chasser de son esprit l'image des fesses de Carla qui luisaient près du tas de bois dans la lumière de la véranda.

« Certains jours oui, d'autres non. Mais je suis très amoureuse de lui et j'en bave. »

Quand il raccrocha, Sunderson s'étonna surtout de sa propre négligence. Au cours de sa longue expérience d'enquêteur, il avait eu pour habitude d'identifier les criminels, « les personnes intéressantes » ainsi qu'on les appelait désormais, et puis de foncer. Il déballa un morceau de gibier congelé, se servit un petit verre et songea brusquement qu'il s'était passionné pour cette affaire alors que sa retraite approchait, et qu'il avait sans doute désiré inconsciemment prolonger son activité professionnelle en s'attelant à une tâche intrigante. Pourquoi les disciples de la secte sacrifiaient-ils de leur plein gré leurs filles à peine pubères ? Pourquoi Abraham avait-il accepté de sacrifier son fils Isaac ? Comment la religion s'y prenait-elle pour dérégler l'esprit humain ? Les chiites et les sunnites cesseraient-ils un jour de s'entre-tuer ? Pourquoi l'Église catholique tenait-elle à fermer les yeux sur la pédérastie ?

Il fit griller des petites pommes de terre, puis sa tranche de gibier jusqu'à ce qu'elle soit rosée, toujours surpris que le roi David n'ait pas encore commis de délit avéré, même si l'histoire culturelle lui avait appris que certains des plus grands crimes n'enfreignaient pas techniquement la loi. C'étaient simplement les exactions des puissants de ce monde.

Le gibier et les pommes de terres grillées accompagnés d'un verre de whisky auraient été encore plus savoureux sans les divagations de son esprit. L'année précédente, son collègue spécialisé dans la criminalité informatique lui avait dit qu'il existait quatre millions de sites pornos pédophiles. C'était difficile à croire, mais cet homme n'avait aucune raison de mentir. La semaine suivante, pour rendre service à Marion, il s'était rendu au « carnaval des métiers » d'un collège et devant toutes les classes réunies il avait parlé des boulots liés à l'application de la loi. L'extrême diversité des élèves de sixième, cinquième et quatrième l'avait stupéfié. Certains ressemblaient à des lycéens pleins de maturité, mais beaucoup étaient encore des enfants. Durant la séance de questions-réponses qui suivit son exposé, une toute petite fille dotée d'un appareil dentaire et de lunettes aux verres épais avait couiné : « À mon avis, vous autres ne devriez pas tuer les gens. C'est pas chrétien.

— Nous le faisons seulement quand ils essaient de nous tuer, répondit-il. En quarante années passées au service de la loi, je n'ai jamais tué personne. » Il n'évoqua pas l'ivrogne sur sa véranda braquant un fusil sur lui. Sunderson pariait intérieurement que le fusil n'était pas chargé quand la très grosse épouse du poivrot bondit sur son mari par-derrière et le plaqua contre le plancher. Sunderson découvrit ensuite que l'arme était chargée.

En plantant à présent sa fourchette dans le dernier morceau de gibier presque saignant, il se souvint d'avoir parlé à cette petite fille après la fin de la réunion. Elle avait douze ans et lisait beaucoup de romans policiers, car plus tard elle voulait devenir inspectrice de police. Le lien évident avec les soucis de Sunderson, c'était qu'une fillette de cet âge constituait la proie préférée du roi David et qu'un adulte ayant des rapports de nature sexuelle avec ce genre de gamine devait être condamné à la prison à vie, car c'était une immonde raclure. Il existait sur le papier une théorie de l'application de la loi qui donnait une impression rassurante d'équilibre et d'équité, mais il suffisait de remplacer ces mots par tel ou tel visage pour commencer à souffrir de sérieux vertiges.

Il sombra dans les bras de Morphée à la table de la cuisine et dormit deux heures, la tête posée sur ses bras croisés, puis au réveil il se réchauffa un peu de café saumâtre. Il se mit à lire D.H. Lawrence citant Crèvecoeur : « Je dois vous dire qu'il y a quelque chose de très singulier dans la proximité des bois. » Et puis sur les chasseurs : « La chasse les rend féroces, maussades et peu sociables ; un chasseur ne désire pas de voisins, bien plutôt il les déteste, car il redoute la compétition... Quoi qu'on puisse en dire, l'ingestion de viande sauvage tend à modifier le tempérament... »

Le ventre plein de gibier, Sunderson s'interrogea sur la vérité de ce qu'il venait de lire, même si cette affirmation était plus vraie que fausse. Il continua de lire des pages consacrées à Fenimore Cooper et aux étranges cogitations de Lawrence sur les autochtones américains, des sornettes parfaitement désagréables et presque délirantes. N'éprouvant aucune envie d'être maintenu éveillé par ce cinglé d'Anglais, il posa son livre et fit la vaisselle, après quoi il alluma la télévision pour écouter les infos de onze heures, ravi d'apprendre que la météo prévoyait une bonne trentaine de centimètres de neige fraîche pour le lendemain. Quand le présentateur évoqua les attentats à la voiture piégée en Afghanistan, il zappa sur les chaînes satellite et tomba enfin sur *Étudiantes en folie*. Ces jeunes personnes ne ressemblaient certes pas à des étudiantes, mais avaient certainement des corps à tomber raide. Il fut très gêné quand Mona entra par la porte de devant non fermée et le surprit devant son film. Elle semblait soucieuse.

« Qu'est-ce qui ne va pas ? demanda-t-il.

— À mon avis, Diane ne voudra pas se remettre avec toi après la mort de son mari.

— Je n'ai jamais cru qu'elle le ferait.

— Elle ne veut pas s'occuper d'un autre homme. Elle a envie de beaucoup voyager.

— Elle a toujours eu envie de voyager. C'est moi qui la freinais.

— J'espérais vraiment que vous alliez vous remettre ensemble. Maman est complètement barrée, alors vous étiez presque mes vrais parents. » Mona avait les larmes aux yeux et elle se laissa tomber sur le canapé à côté de lui, souriant soudain en regardant la télévision.

« Pourquoi mater ces cochonneries quand tu peux me voir par la fenêtre ?

— Sans commentaire.

— On a de la chance. J'ai regardé le journal et ils passent *Faster, Pussycat ! Kill ! Kill !* dans dix minutes. »

Elle était assise trop près de lui sur le canapé, mais il décida de fermer les yeux. Il but deux ou trois verres et, chaque fois qu'il se rasseyait, elle se rapprochait de lui. Il ferma aussi les yeux sur le joint illégal, mais fut légèrement troublé lorsqu'il jeta un coup d'œil à Mona et aperçut un préservatif dans le sac d'où elle venait de sortir son joint. Le film *Faster, Pussycat ! Kill ! Kill !* était magnifiquement salace et trash : au fin fond du désert, trois mannequins en maillot de bain punissaient des hommes lubriques. Elles les écrasaient sous leurs voitures et leur lançaient de grosses pierres sur la tête, ce qui lui rappela désagréablement ses propres mésaventures en Arizona. Mona tripota un peu la télécommande et sur une chaîne voisine tomba sur *Le Journal d'Anne Frank*. Voilà de quoi se distraire, pensa-t-il. Il s'endormit et se réveilla à quatre heures du matin sous une couverture. Mona avait gentiment éteint la télévision. La star de *Faster, Pussycat ! Kill ! Kill !* s'appelait Tura Satana, sans doute pas son vrai nom.

Le courrier du matin contenait une carte postale d'Albuquerque et une lettre de Roberta, qu'il mit de côté avec consternation. Il comptait sur les doigts d'une seule main les lettres de Roberta. L'une, écrite une dizaine d'années plus tôt, avait été si dure qu'il avait mis plusieurs jours à s'en remettre, la phrase clef étant : « Le seul bonheur dans la vie de Bobby a été l'héroïne. » Il mangea un bol d'infectes céréales aux raisins pour se préparer au pire, puis ouvrit la lettre.

Cher Big Brother,

Je dois dire que je t'ai trouvé une mine épouvantable lors de notre dernière rencontre, mais Berenice m'a assuré que tu allais bien mieux que la semaine précédente, avant que tu ne partes camper. La question est la suivante : pourquoi un vieillard devrait-il prendre des risques parfaitement inutiles et se faire lapider presque à mort ? Pour qui te prends-tu ? Tu devrais passer un certain temps à réfléchir à cette question. D'ailleurs, tu devrais passer le restant de tes jours à pêcher et à camper, tes passions de toujours, quand tu ne lis pas. Je me rappelle certaines occasions où tu nous a emmenés camper à quelques kilomètres au sud de la ville. Une fois, tu es parti pêcher et je suis restée dans la tente pour lire *Alice détective*. Je crois que j'avais huit ans, et toi quatorze. En attendant ton retour, Bobby a fait griller tout un sachet de marshmallows, il a vomi et nous avons dû le traîner au bord d'une rivière pour laver la guimauve poisseuse, il en avait jusque dans les cheveux. Bobby et moi avons eu très peur cette nuit-là quand tu es sorti de la tente en disant que tu venais d'entendre un ours attiré par notre nourriture. Tu es revenu dans la tente en déclarant que tu l'avais chassé avec un tison enflammé. J'avais jeté un coup d'œil dehors et constaté qu'il s'agissait en fait d'un petit raton laveur, mais je n'ai rien dit parce qu'un ours, ça avait plus de panache. Comme je t'admirais à cette époque ! Tu étais vraiment un frère parfait pour Bobby.

Aujourd'hui c'est différent. J'ai vu des mariages au long cours se terminer en divorce ; l'homme ou la femme tombe alors dans un trou semblable à un puits, puis met à peu près trois ans à en ressortir, quand il ou elle en ressort. Pour Diane, sa profession n'a jamais été toute sa vie, contrairement à toi. Ton alcoolisme bien tempéré te rend émotionnellement raide et tu parais incapable de te hisser hors du trou de ton inévitable divorce. Mon cœur se serre à l'idée que tu aurais fait un prof d'histoire formidable. Tu es un homme bon, pas un dur. J'aimerais prendre ma retraite de bonne heure, revenir m'occuper de toi, mais je ne supporterais pas de vivre dans la région où j'ai passé mon enfance.

Je t'embrasse
Roberta

Cette lettre le rendit bien sûr furieux. Au bord des larmes, il s'habilla chaudement, partit marcher sous la neige qui tombait dru et resta absent quatre heures. Quand il atteignit Presque Isle en quarante-cinq minutes environ, sa colère avait disparu, car il était désormais capable de reconnaître en son for intérieur que sa sœur avait raison sur tous les points qu'elle évoquait. L'idée oiseuse de se jeter du haut d'une falaise dans le lac Supérieur l'amusa plutôt qu'elle ne l'inquiéta. Malgré tout, il avait du pain sur la planche.

Deux jours plus tard, ils partirent pour Kalamazoo et Ann Arbor. Diane et Mona avaient organisé ce périple jusque dans les moindres détails, y compris les hôtels et les rendez-vous. Diane avait agacé Sunderson en leur louant une belle voiture chez Hertz, convaincue que le blazer âgé de douze ans de son ex-mari et sa voiture affichant cent dix mille kilomètres au compteur ne constituaient pas vraiment des atouts majeurs. Elle avait loué cette voiture sans le prévenir, en disant que c'était « une surprise ». Fonctionnaire issu d'une famille relativement modeste, il avait pris le parti d'ignorer tous les problèmes financiers, et quand Diane avait tenté de l'intéresser à l'argent de son propre héritage, il lui avait opposé une fin de non-recevoir. Toute somme supérieure à mille dollars allumait une lumière rouge dans sa cervelle, et c'était précisément ce que cette voiture de location allait coûter pour leur voyage de quatre jours. Sunderson se sentait dans la peau d'un de ces chauffeurs de limousine à qui il parlait à l'aéroport de Detroit au début de sa carrière quand il était en faction pour guetter un tueur de la mafia supposé arriver de New York. Ces chauffeurs attendaient « les grosses perruques », un sobriquet faisant allusion aux dix-septième et dix-huitième siècles, quand l'importance d'un homme se mesurait à la taille de sa coiffure.

Ils partirent une heure avant l'aube, Mona étant davantage excitée par une découverte effectuée sur Internet que par les universités : elle avait recommencé toutes les recherches à partir de zéro. Au lieu d'utiliser Atkins, le nom de la défunte mère du Peace Corps, elle avait essayé le nom français du père, Peyrand, tout en enquêtant sur l'info de Carla : vingt-cinq ans plus tôt, Dwight aurait suivi des cours en fac dans l'Oregon. Bingo. Pendant deux ans, en 1983 et 1984, il avait été inscrit à Reed College. Mona réussit ensuite à entrer en contact avec un professeur d'anthropologie à la retraite qui se souvenait de Dwight avec amusement et dégoût. Bien que brillant, Dwight avait été un étudiant arrogant et prétentieux. Il arborait une coiffure mohawk, une mince bande de cheveux au milieu du crâne, portait des tenues d'arts martiaux et se faisait accompagner d'une cohorte de groupies, garçons et filles réunis. L'ingéniosité de Mona déprima Sunderson. Au poste de police, Roxie et lui avaient bien sûr entamé leurs recherches avec le mauvais nom, les mauvaises hypothèses de départ. Cette petite voisine de seize ans était une bien meilleure enquêtrice.

Elle pianotait sur son ordinateur portable et écoutait des CD de John Cage (ce qui faillit le rendre cinglé), des Pink Floyd et de Los Lobos, ces derniers morceaux contenant des rythmes qui lui donnèrent bêtement la nostalgie de son séjour sur la frontière. Sa bourde consistant à ne procéder à aucune recherche à partir du nom du père de Dwight lui rappela le terme de « faute directe » au tennis. Il demanda à Mona de relire le mail du professeur et réfléchit à la dernière phrase concernant la disparition estivale de Dwight, quand il avait rendu visite aux Indiens haidas des îles de la Reine Charlotte, au large de la Colombie-Britannique, pour effectuer un travail de recherche. Grâce à ses conversations avec Marion, Sunderson se rappela quelques détails relatifs aux Haidas. Ils croyaient que le loup et l'orque formaient une seule et même créature qui prenait des formes diverses sur terre et en mer. Sunderson se dit qu'il devait orienter ses recherches vers les métamorphoses chez les autochtones, car c'était là un motif récurrent.

Après cinq heures de voyage, lorsqu'ils firent halte dans une station-service proche de Cadillac, il exigea tout à trac que Mona troque sa minijupe contre un pantalon. Une heure plus tôt, elle s'était recroquevillée sur son siège pour dormir, et il avait vu sa petite culotte bleue ainsi qu'une touffe de poils pubiens, et il était arrivé trop vite derrière un semi-remorque. Qu'avait-il donc avec les petites culottes bleues ? Celles de Diane avaient toujours été blanches.

Mona sortit du magasin de la station-service en riant et en agitant vers lui le dernier numéro de *Rolling Stone*. Elle lut une citation de la fille qui faisait la une, une starlette ridicule nommée Megan Fox : « Les hommes ont peur des vagins puissants et assurés. » Bon Dieu, se demanda Sunderson, que pouvait bien signifier ce charabia ? Les parents de la starlette avaient-ils lu cette déclaration ? Avaient-ils eu honte de leur fille ? Il ne connaissait pas grand-chose aux émotions parentales, mais il y avait tout de même Mona, quasiment sa belle-fille, laquelle était bien sûr capable de lancer ce genre d'inanité.

« Imagine que tu as un vagin aussi puissant qu'Arnold Schwarzenegger dans la fleur de l'âge ! dit Mona en riant. Tu pourrais y engloutir n'importe quel naïf ! »

Ils ne s'attardèrent pas dans la ville de Kalamazoo, leur première étape. Quand il déclara que cette fac lui semblait *moche*, elle lui rétorqua qu'il regardait celle de Western Michigan. Ils roulèrent jusqu'en haut d'une colline, où ils trouvèrent le Kalamazoo College, mais Mona dit alors « Trop petit », avant d'exiger qu'ils continuent jusqu'à Ann Arbor.

« Mais tu as rendez-vous demain matin.

— Je vais leur envoyer un mail. » Elle ouvrit son ordinateur sur ses cuisses. « Je ne peux pas vous voir demain, parce que mon père vient de mourir. Ça va ?

— Magnifique, chérie. »

Ils allèrent donc à Ann Arbor, où ils arrivèrent à la tombée de la nuit et se rendirent aussitôt au Campus Inn grâce aux talents de Mona qui consultait Mappy sur son ordinateur. Il était éreinté après avoir passé dix heures au volant et ils commandèrent un dîner médiocre dans sa chambre qui communiquait avec celle de Mona, sans oublier une bouteille de vin blanc. Il prit sa pinte de whisky dans sa valise et se servit un verre, en reluquant une seule fois par la porte de communication : Mona enfilait un jean avant de sortir se balader. Il perçut un certain remue-ménage sous la ceinture de son pantalon, puis baissa les yeux vers le restant de son club sandwich. Cette absurde lubricité ne cessera donc jamais ? pensa-t-il.

Trois heures plus tard, à minuit, elle n'était toujours pas revenue et il était à deux doigts de verser des larmes de frustration. Elle n'avait pas répondu à ses appels téléphoniques, mais il s'aperçut alors qu'elle avait laissé son portable sur la table basse de sa chambre. À force de marcher de long en large il avait parcouru deux bons kilomètres sans se rendre compte qu'il se comportait comme n'importe quel père attendant le retour de sa fille dissipée. Sa mauvaise humeur avait commencé juste après le départ de Mona, quand Diane avait appelé pour dire qu'Otto, le vieil ami de Sunderson, venait de mourir d'une crise cardiaque. Il eut du mal à accepter cette nouvelle. Tous les étés depuis qu'ils avaient dix ans à Munising, Otto et lui pêchaient la truite ensemble plusieurs fois par an. Il était propriétaire d'une modeste entreprise de bâtiment spécialisée dans la construction de bungalows d'été pour les vacanciers habitant le sud du Michigan, et avait failli mettre la clef sous la porte à cause de la récente débâcle économique. Il pouvait vider une caisse de bière en une soirée et était accro à la saucisse sous toutes ses formes. Durant une journée de pêche, il dévorait un paquet entier de hot dogs crus. Il mettait une bonne livre de jambon dans ses sandwichs et il était devenu une sorte de célébrité locale à cause de ses talents pour faire rôtir un cochon entier, dont il engloutissait la peau grillée par bouchées gigantesques. Diane et ses amies désignaient le problème d'Otto par l'euphémisme de « désordre alimentaire ».

La nouvelle du décès d'Otto provoqua chez Sunderson une peur temporaire de la mort, qu'il chassa au profit d'une autre inquiétude : que faisait donc Mona la nuit dans les rues d'Ann Arbor ? Quand elle rentrerait, il avait l'intention de verrouiller la porte de communication entre leurs chambres pour éviter toute possibilité d'imbroglio sexuel, un coup d'œil lubrique ou quelque chose de plus grave. En terminale au lycée, alors qu'il était en pleine confusion et au bord de la dépression, son père lui avait donné le conseil suivant : « Il faut que tu décompresses et que tu trouves ce que tu veux dans la vie. » Ce souvenir lui remonta curieusement le moral et il prit son calepin dans son sac de voyage.

1. Sur la carte d'Ann Arbor, je remarque avec plaisir un parc le long du fleuve, où je peux marcher le matin. À la télé, la météo dit qu'il va faire chaud pour la saison.

2. Dans les mails échangés avec Carla, Mona a découvert que, parmi les disciples de Dwight, figurent dix-sept couples ayant des filles de onze, douze ou treize ans. Historiquement, les sectes adoptent souvent une licence sexuelle illégale. C'était sans doute vrai dans l'affaire de Waco et dans les récentes activités du groupe de mormons apostats sur la frontière entre l'Arizona et l'Utah.

3. Au fond, ce qui me met vraiment en rogne, c'est que Dwight se serve de rituels indiens bidon pour baiser des jeunes filles. Vu ma connaissance des souffrances endurées par les Indiens d'Amérique depuis cinq siècles, c'est absolument monstrueux. Voilà seulement dix ans que je supporte de lire des textes sur ces souffrances, mais il suffit de parler avec Marion pour en avoir une idée.

4. Selon Carla, toutes les femmes de la secte dansaient nues autour du feu de joie pendant que les hommes frappaient leurs tambours, après quoi Dwight en choisissait une ou deux parmi les plus jeunes pour sa « bénédiction privée ». Cette cérémonie a lieu tous les soirs.

5. Comment les parents concernés peuvent-ils autoriser une chose pareille, sinon à cause des tromperies de la religion ? Toujours selon Carla, en Arizona, Dwight a menacé une mère avec son serpent à sonnette apprivoisé. Elle tentait de cacher sa fille qui s'était sentie « mal à l'aise » à cause de la grosse bite de Dwight.

6. Tout ça ressemble à un mauvais rêve, mais c'est la réalité. Il faut que j'y mette un terme. L'ironie de la chose, c'est que je n'aurais pas accès à toutes ces informations sans la connexion délictueuse Carla-Mona et la conviction de Carla que je peux la mettre en prison.

7. Je viens de feuilleter *The Practice of the Wild* de Gary Snyder et d'y lire : « La marche est l'équilibre exact entre l'esprit et l'humilité. » Je ne suis pas sûr de bien piger ce qu'il veut dire, mais au cours d'une marche de deux ou trois heures la première demi-heure est saturée de banalités mentales sans intérêt, puis on émerge soudain dans le paysage et l'on est simplement un bipède humanoïde qui avance dans les collines et les forêts enneigées, ou le long des plages gelées du lac Supérieur. On n'essaie même pas de comprendre cet immense plan d'eau, car on n'est pas censé le faire.

8. Il est onze heures et Mona n'est toujours pas rentrée. Ça me fait du bien de l'écrire. Pourquoi ? L'écriture rend les choses concrètes. D.H. Lawrence est vraiment irritant quand il parle des Indiens, mais je ne dois pas oublier que ces pages furent publiées en 1923, il y a près de quatre-vingt-dix ans. Pour lui, le démon de notre continent provenait du fantôme inapaisé du « Peau-Rouge », ce malaise intérieur qui mène à la folie. Que faire de ce fatras ?

9. Il faut que je lise encore un peu pour me remémorer la nature du christianisme. Cette religion a sans aucun doute contribué à l'extermination d'environ cinq cents tribus.

10. Retour à Dwight : il se sert de l'*indianité* pour satisfaire ses désirs sexuels pathologiques.

Cela est impardonnable et mérite la mort, même si la sienne est improbable.

De son petit bureau il rejoignit à pas lents un fauteuil confortable où Mona le réveilla à minuit. Le présentateur télé Keith Olbermann l'avait galvanisé, mais pas assez pour l'empêcher de s'endormir. Il avait renversé son verre de whisky sur son entrejambe et l'on aurait juré qu'il venait de pisser dans son pantalon. Son oncle Bertie, le pêcheur professionnel, disait volontiers que le jour où tu ne gerbes pas et ne chies pas dans ton froc est un sacré bon jour. Sunderson n'était donc pas trop mal loti.

« Je me suis inquiété pour toi, marmonna-t-il.

— J'ai juste fait un tour et bu un verre de vin ou deux avec des étudiants. J'adore cette ville. »

Sunderson décida de ne pas réveiller le chien qui dort et donc de ne pas entamer un interrogatoire en bonne et due forme. Comme elle restait debout devant lui, ses yeux se focalisèrent sur le nombril protubérant de Mona, parfaitement visible entre le chandail et le jean. Il ressentit le besoin urgent de lécher ce mystère. Elle le hissa hors du fauteuil et le guida jusqu'au lit, puis elle l'aida à ôter tous ses vêtements sauf son short.

« Casse-toi », dit-il en la suivant jusqu'à la porte pour fermer à clef.

Sur le trajet du retour, un jour et demi plus tard, il était heureux parce que Mona était heureuse, et peut-être même ne l'avait-il jamais connue aussi heureuse. En prévision des sept heures de route jusqu'à Marquette, il avait rempli une glacière de la bouffe de luxe qu'il venait d'acheter trois cents dollars au Zingerman's Delicatessen, une boutique où Diane commandait et se faisait livrer par FedEx des gourmandises destinées aux grandes occasions. Un dégel soudain avait provoqué cette orgie d'achats. Treize degrés en décembre ! Après ces courses, il avait commandé ce qui devait être le meilleur sandwich de sa longue vie, une splendide tranche de poitrine de bœuf sur du pain de seigle avec des rondelles du radis noir le plus fort du monde, si bien que des larmes de douleur et de ravissement coulèrent à flot. C'était bientôt la pleine lune, et une fois à Marquette il avait l'intention de faire une balade de deux bonnes heures vers Presque Isle.

En chemin, il décrivit à Mona une affaire affreusement difficile qu'il avait fini par résoudre l'année précédente. Dans une petite école de l'est de la Péninsule Nord, douze mille dollars avaient disparu. Les seuls coupables possibles étaient le directeur de l'école et sa secrétaire, une quinquagénaire épouse de pasteur, une femme délicate et intelligente, bien qu'un peu boulotte. Après un certain nombre de questions sur les accès aux ordinateurs et aux fichiers comptables, il conclut qu'ils étaient tous deux innocents. Lors de ce qu'il décida être sa dernière visite, il parla au gardien de l'école, qui semblait un peu demeuré et avait un problème d'élocution à cause d'un palais fendu. Ils fumèrent une cigarette sur le parking et bavardèrent. Personne ne remarque les gardiens dans leur uniforme vert. Pour Sunderson, ce type essayait de se faire passer pour plus idiot qu'il n'était, mais le mot « ubiquité » lui avait échappé alors qu'il parlait des élèves et de leur usage effréné de la drogue. Sunderson se dit qu'il avait libre accès à l'ordinateur du bureau une fois tout le monde rentré chez lui. De retour dans l'école, il passa au peigne fin les archives des anciens élèves et remarqua que le gardien et la secrétaire, l'épouse du pasteur, avaient été camarades de classe. Jouant son va-tout alors qu'il prenait un café avec elle, il lui demanda de but en blanc : « Pourquoi baisez-vous avec Bob le gardien ? » Bingo ! Elle s'effondra complètement, avoua que Bob et elle comptaient s'enfuir grâce à l'argent qu'ils avaient mis sur un compte bancaire de Soo. Ils voulaient rejoindre Milwaukee, où Bob avait un boulot qui l'attendait dans la célèbre usine à saucisses Usinger. Pourquoi un habitant sur deux de la Péninsule Nord semblait-il s'appeler Bob ?

Mona fut prise de fou rire. « La grenouille de bénitier la plus évaporée de ma classe est une artiste de la pipe. Elle m'a confié qu'en le faisant elle avait l'impression de diriger tout un orchestre. »

Cette comparaison laissa Sunderson pantois, mais il ne chercha pas à la comprendre. Une fois arrivés à Marquette, Mona leur prépara des sandwichs à la mortadelle et au provolone, puis il partit faire sa marche. La lune qui se levait dessinait une splendide avenue de lumière sur les eaux calmes du lac Supérieur et accordait à la neige poudreuse fraîchement tombée sur la plage une blancheur presque diurne. Marchant vite, il fut bientôt en sueur, s'arrêtant seulement pour parler avec le professeur Eathorne, qu'il avait croisé dans divers bars. Eathorne lançait une balle pour son labrador jaune qui était capable de la localiser même dissimulée dans la neige fraîche. Leur langage se situe dans leur museau, pensa Sunderson. Où se localise le mien ? Peut-être devrait-il se trouver un labrador jaune pour lutter contre la solitude. Les chiens ont besoin de beaucoup de caresses, ce qui aurait sans doute été une meilleure manière d'aborder son mariage. Eathorne enseignait la géographie humaine, une discipline qui entre autres choses s'intéressait aux raisons qui poussaient les gens à vivre là où ils étaient, une question fondamentale de l'histoire humaine. Cette rencontre imprévue fut une bouffée d'oxygène pour Sunderson. La curiosité humaine sondait tant de territoires fascinants ! Il se dit qu'il pourrait suivre quelques cours à l'université afin d'élargir son esprit au-delà des confins limités de l'histoire.

Le dîner de Noël le rendit jaloux du mari de Diane. Mais comment être jaloux d'un homme à l'agonie ? Ils habitaient tout en haut d'un versant pentu qui dominait le port. Cet homme était doux et manifestement mélancolique ; lorsque Sunderson et lui entrèrent dans son bureau, leur conversation mit un moment à trouver un rythme décontracté. Assez tristement, son fils avait plaqué ses études de médecine pour entrer dans l'industrie du cinéma à Los Angeles, tandis que sa fille était une heureuse biologiste marine à Scripps, au sud de San Francisco. Aucun des deux n'étant marié, il n'y avait pas de petits-enfants. Sunderson sirota son whisky au lieu de l'engloutir d'un trait, une tentation toujours présente, et admira quelques magnifiques gravures d'oiseaux et d'animaux, dont un pécari. L'homme expliqua qu'il s'agissait des premiers folios d'Audubon. Sunderson déclara qu'il avait vu un certain nombre de pécaris sur la frontière mexicaine.

« Diane m'a appris que vous étiez là-bas pour traquer un gourou diabolique qui s'en prend aux toutes jeunes filles, dit-il, une âpreté soudaine dans la voix.

— Je ne suis pas sur cette affaire depuis longtemps, deux ou trois mois, et je doute de réussir. Mon problème consiste à convaincre l'un de ses disciples, un parent, de témoigner contre lui.

— À l'époque où ma fille était encore enfant, un banquier de la ville a manifesté pour elle un intérêt discret mais malsain. J'ai bien sûr remonté les bretelles de ce type et il a fondu en larmes. Il se croyait vraiment amoureux d'une gamine de douze ans. Ensuite, un de mes amis, un ancien camarade d'université, qui exerçait à Omaha, a été arrêté et poursuivi pour ce même syndrome de Lolita. Il se manifeste souvent chez un homme qui n'a pas eu beaucoup de contacts avec les filles de son âge entre, disons, onze et quatorze ans. La pathologie se situe dans l'incapacité à contrôler ses pulsions.

— Le problème, c'est bien sûr le tissu cicatriciel permanent qui résulte de la blessure. » Sunderson fut incapable de reconnaître qu'il n'avait jamais lu *Lolita* bien que Marion lui eût conseillé de le faire. Il ne sut comment réagir en voyant le mari de Diane grimacer plusieurs fois.

Au dîner, Diane fut parfaite comme toujours. Sunderson mangea trop, ébloui par la qualité du rosbif que Diane avait fait venir de Chicago. Le vin de Bourgogne était le meilleur qu'il eût jamais bu, et le brave médecin demanda à Diane d'en ouvrir une seconde bouteille, ce dont Sunderson lui fut reconnaissant. Il fut aussi reconnaissant à Mona de distraire et d'égayer le malade. Assise à sa droite, elle le fit rire jusqu'au dessert, quand il s'endormit tout à coup. Les yeux de Diane s'emplirent alors de larmes.

CINQUIÈME PARTIE

Chapitre 17

En janvier le froid le terrassa. Toute une
semaine, le thermomètre indiqua près de moins
vingt dans la journée et moins trente la nuit.
Pour marcher il devait mettre un masque qui lui
irritait la peau et il n'osait plus s'aventurer trop
loin dans les bois. Il emportait une boussole et
des allumettes dans un petit tube en aluminium.
En cas de panne, il y avait toujours des bougies
dans sa voiture. Celle-ci finit bel et bien par
s'arrêter sur une route de campagne, au sud de
Trenary, en toussant comme une vieille asthma-
tique. Deux bougies plus le soleil de l'après-midi
permirent à la cabine de conserver une température au-dessus de zéro. Il somnola, heureux de
savoir qu'il allait survivre à cet incident, se rappelant que son téléphone portable était resté sur
la table basse du salon. Il avait allumé les feux
de détresse et étouffé le cliquètement agaçant du
moteur en mettant la station de radio NPR qui
diffusait un morceau assez ennuyeux de Haydn,
lequel lui permit de réfléchir aux derniers déve-
loppements de l'affaire. Mona lui avait montré
un mail du roi David, transmis par Carla. « Ma
chère Carla me dit que tu lui extorques des informations. Tu devrais faire gaffe, petit. Tu n'es plus

flic. » Sunderson répondit : « Quand on est en prison, il n'est guère prudent de menacer quiconque. Je n'aurais qu'à transmettre votre message aux fonctionnaires de Maui pour qu'ils augmentent la durée de votre peine. Mais je désire vous voir sortir de prison, pour pouvoir m'occuper de vous. » À Carla, il dit : « Je te conseille de te reprendre. Il me suffit de passer un coup de fil au procureur afin d'entamer une procédure d'extradition pour abus sexuels sur mineure. » Il voulut que Mona ajoute, « Mona est maintenant d'accord pour témoigner », mais elle refusa. Elle remuait une soupe aux travers de bœuf et aux lentilles sur la cuisinière de Sunderson, et dit : « Carla m'a fait boire et fumer des joints avant de me bouffer la chatte. Je ne peux pas déclarer une chose pareille. Je suis une grande fille, pas une de ces petites gamines que le roi David aime baiser. »

Un bûcheron remorqua Sunderson jusqu'à un bar de Trenary et lui montra un trou dans son moteur d'où l'huile fuyait. « T'as coulé une bielle, dit le bûcheron. Ta caisse est bonne pour la casse, mon vieux. »

Pour le prix d'un hamburger et d'une bière, il céda son véhicule au bûcheron qui comptait en récupérer les pièces détachées. Marion passa le chercher dans l'heure. Sunderson prit ses affaires dans la malheureuse épave.

« Tu ne fais pas de déclaration avant de la quitter ?

— Adieu, chérie », dit-il en tapotant le capot. Le plus dur, ce fut quand il trouva l'ours en peluche de son défunt chien sous la banquette arrière.

Lorsqu'ils arrivèrent chez lui, Mona faisait griller un poulet et elle avait aussi préparé une casserole de haricots de Lima au maïs, l'un des plats préférés de Sunderson.

« Je suis très gentille pour que tu ne files pas à l'anglaise comme mon papa. »

Marion et lui échangèrent un regard gêné, à cause de la franchise de la jeune fille. Elle portait des boucles d'oreille en turquoise que Marion lui avait rapportées de son séjour à Albuquerque.

« Carla a envoyé un mail pour dire que la grand-mère de Queenie vient de mourir et que cette crapule va encore hériter un joli paquet de fric. La secte s'installe pour de bon dans le Nebraska en avril. »

Sunderson poussa un soupir au-dessus de son whisky en songeant qu'il avait le temps de se mettre en ordre de bataille, quoi que cela veuille dire. Il marcherait, lirait, hibernerait par intermittence pendant trois mois, et puis, nom de Dieu, il allait boucler cette affaire.

Le lendemain matin il acheta une Subaru grise d'occasion, qui comptait seulement cent mille kilomètres au compteur, puis il passa à la librairie Snowbound Books pour y prendre un exemplaire de *Lolita*. À la demande de Diane, il déjeuna avec elle et ce fut assez douloureux. Elle parla longuement des taux de globules blancs de son mari ainsi que d'autres détails médicaux, et toucha à peine à son assiette, alors que lui-même, bien sûr, mangeait comme quatre. Il avait perdu près de huit kilos en presque trois mois depuis sa mise à la retraite, et sur la balance il se demandait s'il souffrait d'une maladie mortelle, mais il avait fini par se convaincre que c'était dû à sa pratique quasi quotidienne de la marche. À la fin du déjeuner, elle pleurait à chaudes larmes et lui-même n'en était pas loin. Sur le trottoir elle le serra dans ses bras pour lui dire au revoir et ce premier contact physique depuis plus de trois ans lui donna des frissons. La vie était parfois cruelle.

Il fila marcher dans la région de Skandia. Clément, le thermomètre avait grimpé jusqu'à moins douze et Sunderson effectua une boucle de trois heures sur la piste damée des scooters des neiges, où il avança facilement sans raquettes. Quand sa voiture fut de nouveau en vue après le merveilleux épuisement dépourvu de toute pensée, il n'était pas encore prêt à rentrer chez lui et il s'arrêta pour faire un petit feu avec des branches de pin, histoire de se tenir compagnie. Il repensa à cette époque de l'après-11 septembre quand il avait assisté à deux conférences au Canada sur le maintien de l'ordre et la coopération accrue entre les deux nations pour lutter contre le terrorisme. Une attaque de ce genre était hautement improbable dans la Péninsule Nord, mais le gouvernement américain payait la facture et son chef lui donna l'ordre de s'y rendre. La première eut lieu à Toronto et la plupart des réunions furent à la fois ridicules et pathétiques, mais la ville était merveilleuse. Il rencontra Bob Kolb, un inspecteur de Toronto aujourd'hui à la retraite, et ils parlèrent des heures dans des bars et des restaurants, évoquant la pêche à la truite ainsi que la chasse au coq de bruyère et à la bécasse. Il y eut une autre conférence quelques mois plus tard à Calgary, où les mêmes âneries tinrent le haut du pavé, si bien qu'un jour Kolb et lui séchèrent deux réunions pour aller au zoo. Curieusement, Sunderson n'avait jamais mis les pieds dans un zoo et cet événement marqua le début de ce qu'il qualifia ensuite de vie spirituelle. Peu après leur entrée, ils avisèrent un groupe de girafes et Sunderson observa longtemps et avec attention une très jeune girafe, à peine sevrée, en sentant son corps tout entier parcouru d'une stupéfiante chair de poule. Assez simplement, cet animal lui parut irréel. Comment pouvait-il exister ? Il en avait bien sûr déjà vu dans des revues ou à la télévision, mais cela ne comptait pas. Comment cette créature avait-elle été inventée ? Il avait suivi plusieurs cours de sciences à la fac et il était un fervent adepte de l'évolution, mais il soupçonna qu'un *esprit* devait être derrière ce sublime animal, peut-être ce que les Indiens nommaient le Grand Esprit.

Cette expérience eut des répercussions qui se prolongèrent jusqu'à sa vie présente. Une truite n'était pas davantage une simple truite qu'un corbeau n'était un simple corbeau. Cette attention spirituelle n'était pas toujours au rendez-vous, mais assez souvent malgré tout. Marion y était mieux entraîné, et quand Sunderson séjourna dans le chalet isolé de Marion, il apprit beaucoup de son ami. Un jour, ils trouvèrent une paruline à croupion jaune morte que Sunderson garda et mit au congélateur dans un sac plastique pour se rappeler l'ineffable. Un torrent ou une rivière modifiait aussi la structure de son esprit et le simple fait de regarder l'eau vive lui excitait les neurones comme dans son enfance, quand *merveille* ne désignait rien de particulier sinon un événement quotidien.

En se penchant devant le feu, il remarqua qu'il avait le dos et les fesses couverts d'une sueur glacée. Lorsque son boulot le déroutait trop, il relisait souvent une lettre envoyée par Kolb des années plus tôt, qu'il conservait maintenant dans son portefeuille, protégée par une minuscule enveloppe plastique. Kolb réagissait à une remarque de Sunderson sur la simplicité du travail dans la Péninsule Nord en comparaison d'une ville immense comme Toronto. « Comme on pouvait s'y attendre, les chaînes de télé, les journaux et, j'imagine, la plupart des écrivains, se mettent le doigt dans l'œil jusqu'au coude. Le crime n'a aucun intérêt, il est affreusement prévisible. Rien n'a changé depuis que Caïn a tué Abel. La cupidité, la jalousie, l'instabilité mentale et les problèmes économiques en sont depuis toujours les principaux ingrédients. La religion n'est pas en reste. Aujourd'hui, l'abus de drogue et le désespoir moral épaississent encore la sauce. Le seul intérêt réside dans les circonstances, et non dans l'acte lui-même, et ne concerne pas forcément non plus les gens directement impliqués. Les témoins racontent rarement la même histoire. Pour n'importe quel inspecteur, indépendamment de la géographie, une enquête de police implique des heures d'insupportable ennui, parfois entrecoupés d'instants d'excitation tels qu'on en chie dans son froc. Ces derniers permettent aux junkies de l'adrénaline de rester dans la course. »

Sunderson regarda le feu mourir. Il frissonna et eut hâte de goûter à la soupe que Mona avait prévu de préparer avec des travers de porc et du cou de gibier, de l'orge et le légume préféré de l'ancien inspecteur, le rutabaga. Sunderson ne comprenait pas que, s'il avait été un bon enquêteur, c'était parce qu'il passait aussi inaperçu qu'une racine comestible. Contrairement aux héros romantiques, aux écrivains, aux peintres ou aux athlètes célèbres, il ne se mettait jamais à l'écart des autres êtres humains. Il avait le regard chaleureux et s'exprimait lentement avec l'accent râpeux de sa région. « Hé, si on allait se boire une mousse ? » Désarmés, les gens se confiaient à lui. Il avait toujours associé son boulot à une conscience absolue de son environnement.

Chapitre 18

L'hiver passa vite. Il vécut une longue période de liberté, l'aspect le plus positif de la retraite. Cette liberté, il ne l'avait plus jamais connue intimement depuis l'âge de douze ans, quand il s'était mis à travailler. Il examinait des cartes au petit déjeuner et, lorsqu'il aboutissait à une destination précise, la seule décision significative qu'il lui restait à prendre, c'était s'il partirait avec ses skis de fond ou ses raquettes, quand il n'y avait aucune piste de scooter des neiges assez bien damée pour y marcher sans accessoires. Un soir où il ne parvint pas à bander, ce qui lui posait rarement problème, il connut une désagréable déconvenue avec Roxie. Le truc des vibrations du sèche-linge bien chaud resta sans résultat et Roxie mastiquait un chewing-gum à la menthe dont il n'avait jamais aimé l'odeur. Elle pleura et devint vulgaire : « Je te branche plus. »

Et puis ce roman, *Lolita*, était presque illisible. Humbert Humbert, le héros, un pervers doublé d'un idiot, draguait une gamine de treize ans et tentait de dissimuler son forfait sous des couches de réflexion et de rhétorique. Marion rectifia ce jugement.

« La baise est la baise, mais ce qui fait tout l'intérêt de la chose c'est l'arrière-fond esthétique. Sa lubricité criminelle s'explique par une bonne dizaine de raisons, complètement imbriquées les unes dans les autres. Rappelle-toi ce que tu as dit après avoir dîné avec ce type du cartel de la drogue à Nogales et discuté de sexe, de religion et d'argent : tout ça est aussi imbriqué et impénétrable que la structure d'une boule de bowling. Le désir est ainsi, et ses variantes sont aussi subtiles qu'infinies. »

Sunderson rétropédala mentalement en se rappelant avoir fait l'amour à une étudiante délurée qu'il avait rencontrée à un cours barbant mais obligatoire de sociologie. Il avait acheté des sandwichs et un pack de bière, puis ils étaient partis se balader en voiture. En ce début juin, ils firent l'amour dans un champ de blé qui leur montait aux genoux, à côté d'une rivière proche de Fowlerville. C'était l'idée de la fille et ils ne couchèrent plus jamais ensemble, mais ce coup unique fut mémorable. Quand ils eurent fini leur petite affaire, on aurait dit qu'un chevreuil venait de dormir dans le champ.

Playing Indian de Deloria en vint à l'obséder au point qu'il dut un moment laisser ce livre de côté. Et puis Mona lui prenait du temps. Sa mère avait effectué un horrible séjour de trois jours chez elle et son père avait fait livrer par le concessionnaire local une petite Honda que Mona avait laissée dans l'allée jusqu'à ce qu'elle soit recouverte d'un mètre de neige. Elle sortait depuis peu avec un étudiant de première année de l'université du Nord-Michigan, un physicien de taille moyenne mais brillant, originaire de

Newberry. Sunderson fut gêné de se sentir jaloux en apprenant qu'ils couchaient ensemble. Il profita d'un bref dégel pour griller des steaks pour Mona et lui, puis il évoqua une affaire qui avait eu lieu à Detroit, où un garçon à peine majeur avait fait l'amour à une fille d'un peu moins de dix-huit ans et s'était vu accusé de viol.

« Je vous emmerde, putains d'hypocrites ! Vous aimeriez mettre Roméo et Juliette en taule ! » explosa-t-elle.

La calmer un tant soit peu prit une bonne demi-heure. Elle mangea avec les mains et mastiqua furieusement sa viande. Il se dit que les jeunes détestaient les ironies de l'âge adulte et qu'un abrégé de toutes nos lois touchant à la sexualité serait sans doute plus gros que l'annuaire téléphonique de Chicago. Les efforts que nous faisons pour éviter de nous entre-tuer ou de nous blesser se retournent souvent contre nous. Les périodes d'accouplement des chiens et du bétail semblaient plus raisonnables, car elles dépendaient d'une horloge biologique qui donnait seulement le feu vert une ou deux fois par an. Les humains subissaient la malédiction de la frénésie sexuelle des souris.

Chapitre 19

Sunderson tint un journal laconique de ces mois glacés, « une recension hivernale » selon l'expression locale, en attendant le moment où il pourrait rejoindre l'Arizona au volant de sa voiture, en avril, et assister au déménagement de la secte, de Tucson jusqu'au Nebraska.

Il se fit une frayeur près de Grand Marais alors qu'il parcourait à pied les quelques kilomètres de plage qui le séparaient des dunes et de la cascade d'Au Sable. Par cet après-midi ensoleillé, il aurait dû se douter qu'il ne prendrait peut-être pas de vitesse l'énorme masse noire nuageuse qui arrivait du nord-ouest vers la ville. Il n'y parvint pas et le vent de cinquante nœuds ainsi que la neige drue lui firent très peur. Par chance, il entendait la corne de brume du port qui dominait parfois le hurlement du vent, et il y avait des blocs de glace le long du rivage ; quand ces amas glacés lui interdirent de poursuivre son chemin, il les longea sur la droite. Enfin, il pleura de joie lorsqu'il atteignit le parc municipal et qu'il aperçut les lumières du bar. Comme il était hors de question de rentrer chez lui en voiture, il prit une chambre dans un motel et se dirigea vers le bar en se demandant ce qu'il aimait tant dans ce paysage désolé, en dehors de ses forêts et de ses clairières, des rivières, des torrents, des marais, des innombrables étangs de castors et du terrain, aux rares collines ondoyantes, mais le plus souvent aussi plat que les grandes plaines de l'Ouest. Les magnats du bois l'avaient entièrement dévasté, laissant seulement intacts quelques lambeaux de terre, puis ils avaient exploité sans pitié les arbres de deuxième, troisième et quatrième générations pour les usines de pâte à papier, et avaient épuisé le sol en extrayant tout le fer et le cuivre. C'étaient peut-être les quelques centaines de kilomètres quasiment préservés le long du lac Supérieur qui sauvaient la région, voire la rive méridionale du lac Michigan, plus agréable, beaucoup moins austère que les bords du lac Supérieur, si bien que les gens qui vivaient deux cents kilomètres plus au sud étaient aimables et moins bougons. Il pensa aussi que son amour pour cette région venait de la faune qui s'obstinait à y vivre, ses truites bien-aimées ainsi que les milliers d'ours, de cerfs et de chevreuils, de loutres, de castors, de loups et d'autres animaux, l'amour de Sunderson incluant même le porc-épic lent et laid, sans oublier les millions d'oiseaux et de fleurs sauvages. C'était vraiment formidable d'habiter un endroit presque entièrement inconnu du reste du monde.

Chapitre 20

L'idée de partir pour l'Arizona le 1ᵉʳ avril, un samedi, ne fut pas pour lui déplaire. Il avait espéré lever le camp à l'aube, mais Mona, venue lui préparer une omelette au fromage et des patates frites, devint collante, un petit mot très laid, mais juste. Elle portait son pyjama, une robe de chambre et des chaussons en forme de lapins. Elle reniflait un peu au-dessus de la cuisinière et il maudit les parents qui abandonnaient leurs enfants. Chaque génération apprend à la suivante à mal se comporter, et ainsi de suite, à l'infini. Tout ce gâchis lui rappela *La Maison d'Âpre-Vent* de Dickens, un roman qu'il avait lu en fac ; chaque fois qu'il s'y plongeait, il avait le sentiment d'être piégé dans le fauteuil du dentiste. Ce n'était guère étonnant, car Sunderson avait grandi en éprouvant une empathie peu commune pour les pauvres. Sa mère préparait sans arrêt des montagnes de victuailles afin d'aider les familles dans le besoin et son père leur livrait des stères de bûches pour qu'ils n'aient pas froid.

Comme il avait le cœur serré en prenant son petit déjeuner, il examina les cartes topographiques de la région de Chadron et de Crawford dans le Nebraska, achetées par Mona et surlignées en rose pour indiquer les cent soixante arpents de la secte au nord de Crawford. Mona faisait semblant de lire un livre sur le génome humain, mais pendant la demi-heure du petit déjeuner il remarqua qu'elle ne tourna pas une seule page. Ils s'étaient étreints sur le seuil de la maison, les bras de Sunderson enlaçant la taille de la jeune fille sous sa robe de chambre ouverte au-dessus du pyjama en flanelle. Il fut surpris quand le corps de Mona parut bourdonner.

« Reviens-moi vivant. Ne va pas mourir là-bas » fut tout ce qu'elle dit et il était déjà loin de la ville quand la boule qu'il avait dans la gorge commença à disparaître. Pourquoi n'avait-elle pas l'âge raisonnable de quarante-cinq ans ? Le temps lui-même perdait la tête sur cette terre surpeuplée.

Le petit dîner d'adieu de la veille au soir avait été déroutant. Sonia, l'épouse de Marion, avait apporté le même plat mexicain, *carne adovada*, que celui préparé par Melissa à Nogales, et Sunderson fut assez cinglé pour se demander si cette coïncidence était de bon ou de mauvais augure. Sonia était perpétuellement en rogne à cause de son travail consistant à défendre les droits des Indiens, mais ce soir-là elle concentra sa fureur sur Dwight et la secte. Quand Marion mentionna brièvement le massacre de Jim Jones en Amérique du Sud, elle bondit de sa chaise tel un missile intercontinental hors de son silo pour fustiger la perversité d'une religion capable de pousser neuf cents personnes à se suicider au cyanure. Marion et Sunderson se liguèrent pour tenter de la raisonner en insistant sur le fait que

Dwight alias le roi David n'avait jamais eu beaucoup de succès, réussissant à peine à réunir plus de cent disciples. Ils firent chou blanc, mais, grâce à une confidence de son ami, Sunderson savait qu'un oncle avait abusé de Sonia lorsqu'elle était enfant. Elle but son vin à grandes lampées et cria que, Dwight devant s'installer en pays lakota, elle espérait vivement qu'ils « scalperaient cet enfoiré ».

Mona, étrangement calme durant toute cette sortie, essayait de maîtriser sa mélancolie due au départ de Sunderson et, lorsqu'ils s'embrassèrent chastement pour se dire bonsoir, elle ne tenta pas de se coller à lui mais le dévisagea si sombrement qu'après son départ il doubla la dose de son dernier verre. Cet excédent de whisky eut un effet négatif lorsqu'il se coucha, car il visualisa sans arrêt d'anciennes photos des cadavres boursouflés de Jonestown, la chair déliquescente explosant sous les vêtements.

Plusieurs tempêtes de neige et des pluies verglaçantes le retardèrent et l'empêchèrent d'atteindre la région de Chadron avant la fin de l'après-midi du deuxième jour de voyage, car il voulait effectuer une reconnaissance des environs avant de rejoindre Tucson en vue du départ annoncé de la secte une semaine plus tard. En cas de changement de dernière minute, il ne voulait pas se retrouver à attendre au mauvais endroit. Il avait roulé vers le sud à partir de Murdo, Dakota du Sud, jusqu'à Valentine, Nebraska, puis bifurqué vers l'ouest et Chadron, très impressionné par la houle océanique des Sandhills, par la légère teinte verdâtre des premières pousses d'herbe printanière, et, quand il urina au bord d'une petite route, par l'appel incomparable de la sturnelle dans un air qui avait désormais atteint la température critique de sept degrés, le minimum humainement acceptable pour la pêche à la truite.

Jouissant du confort mental de la conduite solitaire, il sentait qu'il avait atteint un équilibre suffisant pour sa mission. Il se débrouillerait pour faire enfermer cet enfoiré délirant dans une prison dont les gardiens, espérait-il, perdraient la clef. Pourtant, il se sentait parfois harcelé par un manque de confiance en soi dû au fait qu'il allait évoluer en territoire étranger, un handicap qui lui avait déjà valu un échec cuisant dans la région de Nogales. Lors de leur voyage en Italie, il avait été jaloux des compétences de Diane. Elle avait rafraîchi son italien appris à l'université, étudié les cartes et l'histoire locale, elle connaissait à l'avance le contenu de dizaines de musées et le menu d'autant de restaurants, toutes ces informations réunies grâce à ses amies, aux guides touristiques et à Internet. Avant l'aube, abruti par l'habituel décalage horaire, il s'était installé dans un café florentin du dix-huitième siècle à la beauté époustouflante pour réfléchir à l'affaire qui avait mobilisé son attention la veille de leur départ en vacances. Vers l'ouest, dans la région de Sagola, un mineur à la retraite avait battu sa vieille femme et failli la tuer. Normalement, le bureau du shérif local se serait occupé seul de l'affaire, mais ce passage à tabac avait été si violent qu'on pouvait presque l'assimiler à une tentative de meurtre. Le problème du boulot de Sunderson, c'était qu'il le hantait nuit et jour. Comment pouvait-il réellement être dans un café de Florence quand il n'arrêtait pas de revoir mentalement le genou de cette vieille femme qui ressemblait à une boule de bowling d'un violet éclatant ? Entre ses lèvres boursouflées elle avait bredouillé : « Je ne veux pas que mon Frank ait le moindre ennui avec la loi. » Combien de fois avait-il entendu des victimes défendre ainsi les coupables ? La majorité de la population n'avait aucune idée du nombre ahurissant d'agressions domestiques. Le grand prix revenait à un poivrot qui avait baisé sa petite fille de deux ans.

Il tenait à explorer le futur site de la secte au nord de Crawford, à une vingtaine de kilomètres de Chadron, mais il déposa d'abord ses affaires à l'hôtel agréable que Mona lui avait trouvé à Chadron. Un fax de l'adolescente l'y attendait, qui avait sans doute été lu par l'employé de la réception, mais il s'en fichait. « S'il te plaît, garde ton portable branché et chargé. J'ai besoin d'entendre tous les jours ta merveilleuse voix semblable au grincement d'une pelle à charbon contre le ciment. J'ai eu la chance de pouvoir créer un *chat* avec un groupe de gens traumatisés après avoir été arnaqués par des sectes américaines. L'une de ces personnes est une riche dame de Petoskey qui avait temporairement rejoint le groupe de Dwight. Nous avons échangé des mails. Elle a laissé tomber parce que son logement dans la maison longue d'Ontonagon était trop minable. Elle désirait aussi un truc plus "oriental", car son jardinier était un Indien guère porté sur la spiritualité. En guise de tarif d'initiation, Dwight voulait toucher dix pour cent de tous ses biens, ce qui dans le cas de cette femme représentait une sacrée somme. Elle avoua être "une aventurière spirituelle" de longue date et avoir une grande expérience des sectes. Elle aimait aussi la sexualité primitive. En tout cas, Dwight exige des membres les plus pauvres un minimum de vingt mille dollars. Je me suis demandé pourquoi Carla ne nous en a jamais parlé, mais elle affirme que, si un membre de la secte trahit le secret, Dwight jure que ce traître se réincarnera en amibe enfouie dans une crotte de chien. Dwight lui-même a reçu ses enseignements divins alors qu'il vivait avec les Indiens haidas sur les îles de la Reine Charlotte, au large de la Colombie-Britannique. Quand j'ai demandé à cette dame pourquoi les gens acceptaient de donner des sommes aussi considérables, elle m'a répondu que les Américains ne croient pas à la valeur d'une chose si le prix n'en est pas élevé. Le salut spirituel et l'avenir radieux se paient rubis sur l'ongle. Dwight désirait vraiment palper le fric de cette femme et il a déclaré qu'elle se trouvait au dix-septième stade sur une échelle de cent. Tout le monde devant avoir une créature spirituellement apparentée, celle de cette femme était la grue des sables. La plupart des membres les plus pauvres se retrouvent cousins du porc-épic, dont ils doivent imiter les qualités, ou du castor, afin de travailler d'arrache-pied. Malin, non ? Je t'embrasse, Mona. »

En roulant vers Crawford, Sunderson se dit que Mona aimait vraiment le mettre mal à l'aise, surtout depuis qu'il ne la reluquait plus. Plus inquiétant, tout ce que Dwight proposait était disponible gratuitement à quiconque prenait la peine de lire quelques bouquins d'ethnographie, ou, mieux, certains textes d'anthropologie plus accessibles, ou encore décidait de rendre visite aux tribus indiennes d'aujourd'hui durant un pow-wow. Piger l'essentiel du message était à la portée de n'importe qui, mais une vie n'était pas de trop pour l'intérioriser, et encore fallait-il posséder cette qualité mystérieuse qu'on appelle la foi.

Lorsqu'il atteignit la petite route qui filait vers le nord et la région du terrain de la secte, ses réflexions calèrent complètement : n'avait-il pas l'avantage d'avoir grandi avec une connaissance des Indiens que les autres Américains auraient jugée stupéfiante ? Son cher ami George, un Anishinabe, avec qui il avait très souvent marché et pêché à douze ans, entretenait un rapport particulier avec les corbeaux. Les deux copains quittaient Munising à vélo pour rejoindre une rivière proche de Melstrand. Une bonne dizaine d'oiseaux les accompagnaient alors, et à en croire George ils venaient du sud de la ville où il habitait une caravane avec son père bûcheron et sa sœur folle. Formidable imitateur, George parlait aux corbeaux et ces volatiles lui répondaient avec une loquacité désinvolte. À la fin de cet été-là, quand il se fit renverser par une voiture alors qu'il roulait à vélo sur la Route 28, toute une bande de corbeaux assistèrent à l'enterrement, menée par un grand mâle barbu que George avait souvent nourri à la main. À ce souvenir, Sunderson comprit soudain qu'une des raisons de sa fureur présente, c'était que Dwight blasphémait l'esprit de son défunt ami.

Il roula quelques kilomètres vers le sud, mais s'arrêta au bout de la chaussée goudronnée, devant un chemin boueux et plein d'ornières. Arriva alors en face de lui un pick-up couvert de boue, conduit par un type qui lui fit signe de faire demi-tour en criant par sa vitre ouverte : « Vous allez pas y arriver ! » Lorsque Sunderson eut fait demi-tour, il aperçut au loin deux cow-boys à cheval qui menaient un troupeau de bêtes vers l'ouest, la réponse évidente à son problème, même si de sa vie il n'était jamais monté à cheval. Que ça lui plaise ou non, il lui faudrait se déguiser en vacher pour passer inaperçu.

Dans une taverne de Crawford, grâce aux bons offices d'un barman sympathique, il négocia avec un très grand métis lakota pour qu'il l'emmène sur le terrain de la secte. Il s'appelait Adam et mangeait un hamburger avec sa fille qui semblait avoir onze ans et se nommait Étoile du Matin, même si son surnom était Petunia. Il buvait du café, ce qui était bon signe. Quand Sunderson lui indiqua l'emplacement du terrain, Adam répondit que ce dernier venait d'être acheté par des « barjots » religieux, en partie pour créer un camp d'ados. Oui, c'est ça, pensa Sunderson, les ados sont la cible de la secte. Il dévisagea Adam et reconnut en lui un ancien alcoolique, qui partageait avec Marion une certaine hésitation inquiète.

Sunderson savoura une bonne côte de bœuf bien grasse à Chadron, dormit comme une souche, et dès l'aube fut de retour au bout de la route goudronnée. Adam l'attendait en roulant une cigarette près de deux chevaux sellés. Sunderson se sentit très gauche à cheval et reconnut que c'était pour lui une première. Adam lui répondit seulement : « Ne lutte pas, installe-toi confortablement. » Suivit un périple de cinquante kilomètres à travers la campagne et ce soir-là Sunderson appliqua du liniment sur son cul à vif en se remémorant cette journée d'infamie. Il était assez fier de n'être tombé qu'une seule fois, alors qu'ils descendaient un talus très pentu et qu'il avait glissé en avant le long du cou de sa monture jusqu'à un ruisseau boueux. Adam l'avait remis en selle comme s'il avait soulevé un oreiller. Sunderson, qui avait perdu dix kilos, n'en pesait plus que quatre-vingt-dix, mais ce n'était pas là un mince exploit.

Arrivé sur le terrain de la secte, où se dressaient en tout et pour tout une ferme abandonnée, une cabane, une hutte en parpaings et un corral en mauvais état, Adam lui confia qu'un de ses amis de Pine Ridge avait reçu la commande de trente-trois grands tipis. Il avait rencontré la femme qui venait d'acheter ce terrain et qui avait eu la gentillesse d'offrir une jolie paire de boucles d'oreille à Étoile du Matin. Il espérait se faire embaucher dans l'équipe qui monterait les tipis et retaperait la ferme. Il était aussi question de construire un chalet en rondins.

Adam sortit de son sac de selle un peu de salami d'orignal et des beignets, puis ils s'assirent contre la vieille bicoque pour se protéger du vent qui forcissait. Sunderson demanda à Adam de ne pas parler de sa visite, ajoutant qu'il était inspecteur à la retraite et qu'il recherchait une personne disparue. Adam répondit qu'il se doutait bien que Sunderson était flic. Puis il déclara qu'il avait plaqué son boulot d'abattage et d'équarrissage des bisons dans le Dakota du Sud, car il ne voulait pas qu'Étoile du Matin grandît dans la région de Rapid City. Il avait arrêté de picoler deux ans plus tôt, mais comme sa femme buvait toujours il avait pris ses cliques et ses claques pour amener sa fille à Crawford, près de l'endroit où son père avait jadis dressé des chevaux sur un grand ranch. Sunderson dit qu'il était en route pour Tucson, qu'il suivrait la secte jusque-là et qu'il espérait qu'Adam lui louerait un cheval pour qu'il puisse jouer au cow-boy tout en recherchant la personne disparue.

« T'auras sans doute besoin d'une autre leçon », rétorqua Adam en montrant le cheval de Sunderson dont le licou mal attaché pendait à terre.

« Pardon, dit Sunderson en se sentant rougir de honte.

— Ton pardon c'est de la merde si t'es obligé de faire vingt-cinq kilomètres à pied », rétorqua Adam avant de marcher jusqu'à la hutte en parpaings, d'en ouvrir la porte et de hululer dans l'obscurité. Poussé par la curiosité, le cheval s'approcha pour voir de quoi il retournait, et Adam l'attrapa par les rênes.

Trois heures plus tard, de retour à leurs véhicules en milieu d'après-midi, Sunderson glissa en descendant de cheval et percuta lourdement le sol tandis que son pied droit restait coincé dans l'étrier. Adam souleva le maladroit et lui libéra le pied. « T'es pas encore un cow-boy », dit-il.

Après une longue nuit d'insomnie où il tenta de trouver une position confortable pour son cul étonnamment douloureux, Sunderson plia bagage avant l'aube, plutôt flagada après avoir pris six ibuprofènes et bu une demi-pinte de whisky pour s'endormir. Ses préjugés remontant à l'enfance contre les cow-boys et les chevaux étaient plus vifs que jamais, mais il se dit que dans cette région le cheval était depuis des siècles le seul moyen de transport viable. Il lui faudrait entrer dans un magasin Goodwill et acheter des fringues de cow-boy de seconde main. Il savait que, s'il restait à bonne distance, ni Dwight ni Queenie ni Carla ne le reconnaîtraient.

Après un steak, des œufs et des patates frites, il quitta la ville, démoralisé par le lien évident entre la religion et la mort. « Jésus est mort pour nos péchés », martelait jadis le pasteur luthérien. À Jonestown plus de neuf cents personnes s'étaient suicidées, mais pour qui au juste ? Un dieu inconnu ? Pourquoi les sunnites et les chiites adoraient-ils se transformer en chair à pâté ? Pour Sunderson le but de la vie était, assez simplement, de vivre. Il n'avait jamais eu le moindre désir de se comporter en athée fanatique et de priver autrui de l'espoir d'un quelconque paradis. Sa maman, par exemple, semblait parfaitement certaine de rejoindre son défunt mari au Ciel. Seule la beauté du paysage du Nebraska l'empêcha d'étouffer sous ses détritus mentaux. Il avait maintes fois remarqué que certains aspects esthétiques du paysage réussissaient à faire taire les élucubrations de son esprit. Les deux derniers mois de l'été avant le divorce, quand Diane avait déménagé dans le cottage d'une amie à Au Train, il était parti pêcher tous les jours après le travail, certes pas dans l'espoir d'attraper le moindre poisson, mais pour apaiser les tourments causés par le départ de sa femme. Une rivière est plus puissante que le désespoir.

Il s'arrêta sur le bas-côté de la route et prit sa carte topographique pour identifier Craw Butte, que les premiers rayons du soleil nimbaient d'une lumière transcendante dont la lisière descendait de manière presque imperceptible à mesure que le soleil montait dans le ciel. Il pensa que Diane avait mis dans le mille en déclarant qu'il voyait le monde à travers des verres de lunettes souillés de merde, mais ces verres semblaient maintenant de plus en plus propres.

En roulant sans presque s'arrêter, il atteignit Tucson le second jour en fin d'après-midi. Il retrouva son ancienne chambre de l'Arizona Inn, dans l'angle nord-ouest de la propriété de l'hôtel, et observa à la jumelle la maison louée par Dwight. Un énorme Chevrolet Suburban noir flambant neuf était garé devant, le genre de véhicule qu'affectionnaient les gros bonnets de la drogue. Mais pas le moindre signe d'activité. Il mourut d'envie d'aller voir de plus près, mais il était crucial de ne pas se faire repérer. Souffrant d'une solitude soudaine, il appela Mona. Elle lui confia que son insupportable mère était de passage pour quelques jours et qu'elle envisageait de vendre la maison, même si le marché de l'immobilier était au plus bas. Très inquiète, Mona avait alors appelé Diane, qui lui avait proposé de venir habiter avec elle.

« Tu me manques, dit-il.

— Pas autant que *toi* tu me manques », répondit-elle alors.

Il se rendit en voiture au *diner* où il avait rencontré cette serveuse boulotte qui lui avait conseillé d'aller camper dans le canyon d'Aravaipa. Elle sembla ravie de le revoir, mais elle était très occupée, de sorte qu'il mangea lentement et bientôt il ne resta plus que quelques clients dans la salle. Elle était un peu trop massive à son goût, mais Sunderson était originaire de la Péninsule Nord, une région où le climat affreusement froid poussait les hommes à privilégier les femmes corpulentes. Elle finit par s'asseoir à sa table et ils évoquèrent la formidable semaine de camping de Sunderson avant qu'il ne lui pose une question.

« Vous aimeriez gagner un peu d'argent ?

— Mignon comme vous êtes, vous n'avez sûrement pas à payer pour trouver chaussure à votre pied », le taquina-t-elle.

Il se lança alors dans une longue explication, car le sujet était trop compliqué pour se contenter d'un simple résumé. Il lui proposa deux cents dollars et elle accepta d'aller frapper à la porte de Dwight le lendemain matin pour rejoindre la secte. Il y avait le problème de la somme exigée pour la première initiation, mais peut-être pourrait-on en retarder le paiement. Elle s'appelait Charlene et elle lui proposa d'utiliser un chèque du compte clos de son ancien mari, ce qui, objecta-t-il aussitôt, était parfaitement illégal.

« D'après ce que vous m'avez dit de cet allumé, il y a peu de chances pour qu'il porte plainte. »

Sunderson accepta, puis fut pris d'une poignante bouffée de désir pour elle. Elle s'en aperçut et dit qu'elle était déjà en retard pour aller chercher son fils chez la baby-sitter. Il allait à la halte-garderie tous les matins et elle passerait à la chambre de Sunderson après avoir rendu visite au roi David, un surnom qu'elle adorait. Quand elle l'étreignit brièvement sur le parking, la chaleur de son corps lui redonna un peu d'espoir, mais une inquiétude indéfinissable le tenaillait et il se rendit en voiture à Randolph Park où il marcha une heure dans la lumière déclinante de cette journée de début d'avril. Il était trempé de sueur lorsqu'il s'arrêta pour regarder des dizaines d'éleveurs de bétail taper dans des balles de golf sous la lumière artificielle, condamnés à effectuer des parcours calamiteux car presque tous étaient nuls. Ces golfeurs lui rappelèrent ses propres tentatives lamentables pour apprendre à jouer au tennis vingt ans plus tôt. Les gestes semblaient faciles à la télévision, mais ce n'était pas le cas en réalité. Au bout de trois leçons il se dit que le sport était une activité qu'il fallait commencer très jeune, et il donna sa raquette neuve à un gamin dans la rue.

Incapable de tenir en place dans sa chambre, il ne réussit pas à continuer *Playing Indian* de Deloria, mais il avait déjà lu ce livre deux fois et ce soir le sujet le bouleversait complètement. Mona avait fourré un roman policier de Donna Leon dans son sac de voyage et il le prit. Très longtemps il était resté réfractaire aux polars à cause de sa profession, mais après tout il était à la retraite et il prenait au sérieux la recommandation de Mona. Il s'immergea bientôt dans l'esprit du commissaire Guido Brunetti et une atmosphère que Diane et lui avaient adorée durant leurs trois jours à Venise. Il lisait depuis une heure et venait de finir son dernier verre en décidant de dormir de bonne heure quand une idée le frappa de plein fouet. Pourquoi ne pas jeter aux orties toute son éthique du maintien de l'ordre et demander à Mona de fabriquer de toutes pièces une fausse lettre émanant du bureau du procureur et déclarant à Carla qu'elle sera poursuivie à cause de sa conduite avec la jeune fille, à moins qu'elle ne fournisse la preuve des abus sexuels perpétrés par Dwight sur des mineures ? Il montrerait cette lettre aux flics du Nebraska, qui s'occuperaient alors du gourou. Pourquoi jouer franc jeu avec cette ordure ? Il y avait bien sûr une chance infime de se faire pincer pour faux et usage de faux, mais cette éventualité serait quasiment réduite à néant s'il postait de Chadron une copie de cette lettre. Cette idée l'amusa tant qu'il s'endormit en pensant au cul plantureux de Charlene.

Il fut réveillé à six heures du matin par un rêve désagréable lié à Jésus. Tout commençait dans la galerie des Offices à Florence, où il avait perdu Diane et ne parvenait pas à la retrouver. L'un des innombrables tableaux figurant le Christ en larmes se mit alors à lui parler en une langue inconnue, peut-être l'araméen, pour tenter de lui dire où se trouvait Diane. Tantôt Jésus souriait, tantôt il pleurait, et il reconnut le Jésus du Bess's, le vieil hôtel de Grand Marais, où le tableau du Jésus de Salomon était recouvert d'un étrange panneau de verre qui montrait un sourire ou des larmes selon le point de vue adopté. Tout en mangeant une double portion de saucisses de porc accompagnées de flocons d'avoine en guise de pénitence, Sunderson songea qu'il était branché sur Jésus à cause de toutes les messes et de l'école du dimanche de son enfance. Il doutait aujourd'hui de pouvoir entrer dans une église sans ressentir une certaine ironie, mais c'était un homme moderne à la croisée des chemins qui essayait d'aller dans les quatre directions à la fois.

Il prit une chaise de jardin dans son patio et l'installa contre la grille en fer forgé donnant sur la rue, afin de pouvoir espionner la maison de Dwight. Quand arriva un employé de l'hôtel vêtu d'une chemise blanche amidonnée, il fit semblant de regarder les oiseaux, car toute la région grouillait d'ornithologues amateurs. En fait, il observait un minuscule oiseau couleur olive qu'il savait être une fauvette, puis il fit pivoter ses jumelles vers la maison louée par Dwight où il vit Charlene gravir les marches de la véranda à l'heure prévue, neuf heures. Elle ressortit de la maison une demi-heure plus tard et, quand elle se gara devant l'hôtel, il siffla et agita la main au-dessus de la grille. Elle semblait soucieuse et un peu en rogne.

« Il a essayé de m'obliger à lui tailler une pipe.

— Tu l'as fait ?

— Je t'emmerde. Non. Je lui ai dit que je m'étais fait arracher une dent hier, c'est la meilleure excuse que je connaisse. Il m'a traitée de menteuse, mais a accepté d'attendre. Bref, pour neuf mille dollars je suis maintenant membre à part entière. Tout le monde campe près de Bonita, sauf deux femmes, Carla et Queenie. Ils comptent partir à l'aube dans trois jours. Les hommes disent toujours qu'ils vont partir à l'aube, mais ils le font rarement.

— C'est où, Bonita ? » Ce nom parut familier à Sunderson. Il se demanda combien de fois il avait déjà entendu ce vieux truc de la dent arrachée la veille.

« Au nord de Willcox. Y a pas grand-chose là-bas en dehors d'une prison d'État. Le roi David affirme y avoir passé quelques mois dans une famille d'accueil. Tu as traversé Bonita en allant à Klondyke et Aravaipa où tu as campé. »

Ils allèrent dans sa chambre, où elle sembla très gênée. Ce fut une déception pour Sunderson qui espérait faire l'amour. Charlene sortit une photo de son sac.

« Je ne peux pas faire l'amour avec toi, parce que tu es le portrait craché de mon oncle Harvey qui vit dans le Missouri. » Elle lui tendit la photo. Il y avait une nette ressemblance, qui faillit le faire pouffer de rire. Il envisagea de rétorquer : « Tu n'as qu'à garder les yeux fermés », mais il comprit aussitôt que toute supplique serait vouée à l'échec.

Il quitta l'Arizona Inn, surtout parce que Carla et Queenie avaient dit à Charlene qu'elles y déjeunaient souvent, et la perspective de s'y faire découvrir était cauchemardesque. Il fit halte dans un magasin de camping, acheta une glacière, une cafetière, un sac de couchage léger et bon marché, puis il se rendit chez un traiteur italien appelé Roma, dont Charlene lui avait parlé et où il acheta du pain, du café, du salami, de la mortadelle et du provolone. La météo avait annoncé pour les prochains jours un temps sec et chaud.

Tandis qu'il roulait vers l'est et Willcox, le cours de ses pensées fut interrompu par une remarque qu'il s'était faite au cours de ses centaines d'interrogatoires. Les gens semblaient penser plus ou moins qu'il existait en eux une autre personne à côté de leur moi le plus évident. C'était l'attitude « Vous comprenez même pas la moitié de ce qui se passe ». Marion lui avait appris que les enfants se donnaient souvent un nom secret. Il se demanda si ce phénomène était lié à l'*altérité* recherchée dans la religion ou au simple ennui dû à l'état des choses. Il se rappela avoir lu à la fac que les bouddhistes zen essayaient de trouver leur *vraie personnalité*, mais tout ce que vous étiez ne constituait-il pas votre vraie personnalité ? À moins que nous n'ayons une essence située au cœur d'une religion privée ? Ce genre de réflexion lui donnant la migraine, il fut ravi d'aller camper à Aravaipa, un canyon très éloigné de la secte.

Il choisit d'établir son camp à un autre endroit que la fois précédente, un endroit un peu plus isolé. Il lâcha un juron en entendant une grosse pierre racler le dessous de sa voiture et il descendit pour jeter un coup d'œil et s'assurer que le carter d'huile n'était pas perforé. Il rassembla une énorme quantité de bois en choisissant d'installer son feu de camp contre la paroi du canyon pour qu'elle renvoie la chaleur vers son sac de couchage. Il fut alors distrait par le souvenir d'un article écrit par Jonathan White, un spécialiste du terrorisme. Parmi de nombreuses brillantes idées, White expliquait qu'à de rares exceptions près, les sectes intériorisent leur violence tandis que les groupes terroristes l'extériorisent. S'il fallait résumer Dwight en deux mots, c'était un voyou malfaisant. Sunderson se contrefichait des raisons expliquant la personnalité de ce salopard. Sa mission consistait seulement à mettre un terme aux activités de ce type nuisible.

Il fit une promenade en fin d'après-midi, stupéfait par l'arrivée du printemps, les plantes poussant dans les crevasses des parois du canyon, les chênes et les mesquites qui semblaient jaillir hors de la roche, les herbes et les fleurs le long de la rivière méandreuse dont le bruit était celui de toutes les eaux vives qui l'avaient apaisé depuis l'enfance. Dans la nature, il avait toujours réussi à oublier temporairement ses propres échecs et ses limites. Ce fut près d'une rivière qu'il pria pour qu'une autre jambe pousse sur le moignon de son frère. Ce fut près d'une rivière qu'il décida de ne pas tirer une balle dans la tête du professeur qui l'avait giflé si violemment que des jours durant il eut mal au visage. Ce fut près d'une rivière qu'il enterra son chien et qu'il trouva comment subtiliser un chiot d'une litière dont le propriétaire réclamait dix dollars que Sunderson n'avait pas. Et beaucoup plus tard, ce fut sur la berge de la partie est de la Fox qu'il accepta complètement les raisons du départ de Diane et qu'il en vint à la conclusion qu'elle aurait dû s'en aller des années plus tôt.

Le lendemain après-midi de bonne heure, après une splendide matinée passée à explorer à pied de nouveaux territoires et à se baigner dans l'eau fraîche de la rivière, il entendit avec inquiétude et non sans colère un véhicule qui montait lentement vers lui sur le chemin de terre. C'était Charlene et son fils de quatre ans, Teddy, dans sa vieille Isuzu déglinguée.

« J'ai décidé que tu étais un solitaire qui avait besoin de ma compagnie », dit-elle en descendant de voiture avec un sourire.

Il commença à construire un barrage sur la rivière avec le petit Teddy, toujours un projet fascinant, puis Charlene et lui allèrent derrière un fourré et un gros rocher, tandis que Charlene jetait de fréquents coups d'œil pour s'assurer que son fils avait toujours les pieds dans la rivière. « J'y arrive tout simplement pas. Tu es vraiment le portrait tout craché de Harvey.

« — Je renonce, dit-il en riant.

— Merci, Harvey. Moi qui t'ai toujours pris pour un vieux con, je découvre que tu es vraiment gentil. »

Par chance, elle avait apporté un peu de poulet grillé froid, car au dîner et au petit déjeuner il avait mangé des sandwichs italiens. Elle avait remarqué que la secte commençait à rassembler ses affaires et à nettoyer le site pour partir le lendemain matin plutôt que deux jours plus tard. Il lui répondit qu'il irait vérifier, mais que ça ne l'inquiétait pas. Il valait mieux se tenir à proximité de Dwight que de l'attendre dans le Nebraska. Elle dit qu'elle faisait partie des cinquante mille jeunes gens qui étudiaient l'écologie, mais qu'un boulot de gardienne de parc lui conviendrait très bien. Ils regardèrent Teddy s'activer sur son barrage tout en mangeant un pilon de poulet. Elle fit remarquer que les garçons aimaient bien construire des barrages, car c'était pour eux une manière de contrôler les choses. En tant que pêcheur de truites, il détestait les barrages et tomba donc d'accord avec ce point de vue féministe. Il fut déçu lorsqu'à l'heure du dîner elle dut partir travailler. Il les invita, Teddy et elle, à lui rendre visite dans la Péninsule Nord durant l'été, puis ajouta qu'il leur enverrait des billets d'avion. Bien sûr, elle viendrait et elle l'embrassa pour lui dire au revoir. Teddy hurla et pleura lorsque sa mère l'arracha à son barrage.

Il somnola une heure au soleil, adossé à la paroi du canyon. Il fit un cauchemar où il étouffait, enfermé dans le sauna de son ami Pavo, à Eben Junction, mais quand il réussit enfin à ouvrir la porte et qu'il remplit ses poumons d'air froid, il n'était pas l'homme qu'il voyait debout dans la neige en train d'essuyer la sueur sur son corps. Comment était-ce possible ? À son réveil, le soleil lui chauffait très fort le visage et il se rappela vaguement Carla lui apprenant que Dwight n'aimait pas les cabanes de sudation, car il était claustrophobe et puis les gens sentaient *fort*, après quoi elle déclara que toutes les disciples devaient prendre deux douches par jour, ce qui expliquait la présence d'un gros bâtiment de douches près de la maison longue.

Il se releva, s'étira, puis repartit dans son rêve. Il était sans l'ombre d'un doute dans le corps de cet homme qui sortait du sauna en courant, mais ce n'était pas lui. Cette sensation était très troublante. Sommes-nous aussi un autre ? Avons-nous des doubles oniriques ? Une des raisons qui poussent les gens vers la religion, c'est leur désir d'*altérité*, du moins l'avait-il lu. Marion avait évoqué certaines traditions, mais ce genre de truc flanquait une trouille bleue à Sunderson, comme s'il était un gamin marchant la nuit près d'un cimetière. Il essaya de redescendre sur terre en se concentrant sur le journal auquel Marion était abonné, l'*Indian Country Today*, dirigé par un certain Giago, qui dans le labyrinthe inextricable des problèmes indiens repérait très vite les appropriations idiotes des coutumes indiennes par certains Blancs. Sunderson soupçonna alors que, derrière toutes ces mascarades et ce folklore bidon, le principal attrait de la secte était une liberté sexuelle soi-disant absolue, surtout pour Dwight.

En fin d'après-midi, il plia bagage tout à trac, s'assura que les braises de son feu de camp étaient éteintes, puis chargea ses affaires dans la voiture. Lors de son premier séjour et à l'occasion d'une brève promenade dans l'étroit canyon, il avait passé la tête dans un petit canyon latéral, guère plus large qu'une crevasse, et vu un minuscule pétroglyphe anasazi haut d'une quinzaine de centimètres, figurant une chèvre qui semblait se cabrer ou danser. La découverte de cet animal l'avait beaucoup perturbé. Il ne saurait jamais pourquoi les Anasazis avaient dessiné cette chèvre, l'un des surnoms dont Diane l'avait jadis affublé. Des années plus tôt, alors qu'ils campaient, ils avaient dansé comme des fous autour du feu de camp en écoutant les Grateful Dead sur la stéréo de la voiture. Quand les chèvres se sentent particulièrement bien, on sait qu'elles se mettent à danser.

Il roula lentement vers le site occupé par la secte pour éviter de soulever un panache de poussière trop visible, puis il se gara derrière un fourré de mesquites, prit sa vieille paire de jumelles Bausch & Lomb, et gravit la colline. La nuit tombait, mais il avait une vue parfaite du vaste campement et des Suburban noires garées l'une à côté de l'autre. Posant la main derrière son dos pour faire pivoter son cul et avoir une meilleure vue, il s'enfonça dans la paume une autre épine de cholla. Décidément, dans ce pays il fallait toujours avoir une pince à épiler sur soi. Il remarqua qu'au soleil couchant les fleurs d'ocotillo et sa préférée, la primevère, se refermaient. Reprenant ses jumelles il constata qu'il venait de rater l'arrivée de Dwight, Carla et Queenie. Il compta quatre-vingt-sept personnes en train de s'incliner devant le Grand Maître, les jeunes filles au premier rang. Carla, en short, se pencha pour prendre quelque chose sur la banquette arrière. Quel cul splendide, pensa-t-il alors. Dwight rejoignit à pied la tente de la cuisine à l'auvent ouvert et huma le contenu des marmites. Contrairement à la plupart des sectes qui adoptaient toutes sortes de stricts interdits alimentaires, lui avait dit Carla, Dwight était un fanatique de la viande et des patates. Dwight tapota le crâne de la cuisinière boulotte, qui s'agenouilla devant lui, entrouvrit le peignoir de son dieu vivant et lui embrassa le zizi. Merde alors ! C'était le truc le plus barjot qu'il eût jamais vu au cours de sa longue existence.

Il était tellement hors de lui qu'il roula toute la nuit, onze heures de route sans s'arrêter, pour finir par s'écrouler sur une aire de repos de l'Interstate 40, entre Santa Rosa et Tucumcari, Nouveau-Mexique, où il dormit profondément et bava un peu tandis que le soleil printanier cognait contre la fenêtre. Après s'être lavé et préparé une Thermos de café à une station-service, il appela Mona. Il avait passé une partie de la nuit à réfléchir aux problèmes éthiques soulevés par l'envoi d'une fausse lettre du procureur aux autorités du Nebraska. Les chances de se faire prendre n'étaient pas nulles, mais surtout il mettait Mona dans le coup. L'autre jour, quand il lui en avait parlé au téléphone, elle avait impulsivement accepté, mais au cours de la nuit il s'était mis à douter. La police du Michigan était universellement respectée pour sa droiture, et lui-même avait toujours appliqué la loi à la lettre. Il avait beau désirer coincer Dwight à tout prix, commettre un délit pour arriver à ses fins serait une croix à porter pour le restant de ses jours, car il avait une mémoire d'éléphant et il ne se pardonnait jamais rien.

« Salut, chéri.

— J'ai repensé à cette fausse lettre du procureur qu'on devait bidouiller ensemble. Oublions tout ça.

— J'ai deviné à ta voix que tu n'en avais pas vraiment envie. Hemingway a dit que le bien c'est ce qui paraît bien ensuite.

— J'ai jamais aimé Hemingway. » Il toussa à cause des cigarettes et faillit s'étouffer.

« Moi non plus, mais il dit vrai. Ce qu'il m'arrive de super en ce moment, c'est que je répudie mes parents pour négligence aggravée, et que Diane m'adopte.

— Tu me fais marcher ?

— Non, nous en avons parlé des heures. Elle a engagé un avocat pour bosser sur mon cas. C'est un peu tard, mais quand même j'ai besoin d'une vraie mère. T'en penses quoi ?

— C'est merveilleux. »

Il se retrouva longtemps sur un nuage, puis entreprit de dresser mentalement la liste de ce qu'il devait maintenant faire.

1. Acheter des vieux vêtements de cow-boy à Chadron.

2. M'installer à Crawford pour être plus près du lieu de l'action.

3. Louer un cheval à Adam.

4. Apprendre à le seller.

5. Planquer la bagnole immatriculée dans le Michigan. Louer un vieux pick-up.

Le lendemain en fin d'après-midi il atteignit le terrain de la secte au nord de Crawford, où il constata avec plaisir qu'Adam faisait partie d'une équipe de quinze hommes qui aménageaient le site et construisaient les derniers grands tipis. Il y en avait trente en tout, sur une clairière plate située devant la vieille ferme et le corral. Il remarqua même la présence d'un certain nombre de toilettes mobiles et d'un camion d'eau. Il dit bonjour à Étoile du Matin, la fille d'Adam, qui regardait la scène avec d'autres enfants et les épouses des ouvriers dans une atmosphère presque festive. Les gens blaguaient beaucoup sur l'arrivée de la secte. Étoile du Matin lui dit timidement qu'il pouvait l'appeler par son surnom, Petunia.

« Ces gens sont cinglés ? » lui demanda Petunia avec un sourire. Grande pour son âge, elle était brune, jolie et dotée d'une voix mélodieuse.

« J'ai peur qu'il soient un peu dérangés.

— Papa a dit que tu étais peut-être un flic déguisé.

— Je ne crois pas », répondit-il.

Adam arriva en souriant et déclara que le chef de la secte le gardait une semaine de plus à un salaire confortable. Il montra un type en costume gris qui, au loin, regardait la ferme déglinguée en compagnie d'un contremaître. Soudain sur ses gardes, Sunderson demanda à Adam si Petunia et lui pouvaient le retrouver à Chadron pour dîner.

De retour dans la voiture, il sentit qu'il devait se montrer prudent, car ce type en costume était peut-être un des avocats de Detroit de Queenie, à qui un véhicule immatriculé dans le Michigan mettrait la puce à l'oreille. À Chadron il trouva un mont-de-piété qui vendait aussi des vieux vêtements et il s'équipa pour vingt dollars, une dépense assez modeste afin de devenir un autre homme. Le chapeau de cow-boy était informe et taché de sueur, un peu grand mais tout à fait crédible quand il se regarda dans le rétroviseur de la voiture. Au bout du rouleau, il prit une chambre dans son motel habituel de Chadron. Il trouverait un logement à Crawford dès le lendemain matin.

Quand il entra dans le restaurant avec son nouveau costume, il repéra Adam et Petunia installés dans un coin de la salle, mais ni l'un ni l'autre ne le reconnurent avant qu'il ne soit tout près de leur table. Alors ils éclatèrent de rire.

« Encore un vieux cow-boy à deux balles », dit Adam.

Tous trois commandèrent une bonne côte de bœuf et Sunderson constata avec surprise que Petunia se jetait littéralement sur son morceau de viande, et elle finit son assiette la première.

« Elle pousse comme une mauvaise herbe, maugréa Adam.

— Comme une fleur, rectifia Petunia avant de se lever pour rejoindre des camarades d'école installées à une autre table.

— Elle essaie de s'adapter à un monde essentiellement blanc. Elle est la star de l'équipe de basket de sa classe de cinquième, dit Adam.

— Est-ce que je pourrais te louer ce cheval que j'ai monté la dernière fois, et peut-être même que tu pourrais me trouver un vieux pick-up pour que je passe inaperçu ?

— J'ai les deux à la maison. Ce motel, à la sortie de Crawford, possède un enclos pour les chevaux de roulotte. J'ai pigé que tu recherches pas une personne disparue.

— Non, je suis sur la piste d'un salaud. C'est le Grand Maître de la secte et il a plusieurs noms. Si jamais Petunia se balade dans le coin, tiens-la à l'œil. Ce type est un malade des jeunes filles. J'en ai la preuve.

— Je lui arracherais les boyaux comme aux bisons que je dépeçais, dit Adam dont les traits se durcirent et le regard s'embruma.

— Ce n'est pas moi qui t'en blâmerais. »

Sunderson arriva chez Adam à six heures du matin. Les premières lueurs du jour éclairaient le ciel à l'est et le sommet de Crow Butte s'embrasait. Il trouva toute cette région des Sandhills aussi belle que n'importe quelle campagne américaine, mais d'une beauté subtile. Il venait de passer une nuit chaotique après avoir bu un seul « dernier verre » pour l'aider à s'endormir. Il savait depuis belle lurette que, lorsqu'on était sous pression, il fallait lever le pied et moins picoler, malgré le désir quotidien d'émousser un peu les sens, voire de les anesthésier complètement. Réveillé à trois heures du matin, il se mit à réfléchir aux conclusions de *Playing Indian* de Deloria, mais c'était un livre d'érudit et certes pas une diatribe chauffée à blanc. Tout se passait comme si ces gens qui jouaient aux Indiens disaient : « Regardez-nous. Nous sommes humains, nous sommes comme vous. D'accord, nous avons volé les terres de plus de cinq cents tribus et massacré quelques milliers d'entre vous, et puis au cours d'un holocauste long de deux siècles, dix millions d'Indiens sont morts de faim ou à cause de nos maladies. Mais comme vous, nous revêtons vos tenues et nous dansons. »

Sauf que c'était faux, pensa Sunderson au cours de ses divagations nocturnes à travers le marécage mental de notre histoire. Sunderson se rappela alors Disraeli déclarant en tant que juif : « Quand vos ancêtres se contorsionnaient dans leurs peaux animales, les miens allaient au temple en chantant. » Nous avons été Attila et les Huns sans un seul Hun, seulement Andrew Jackson et de nombreux généraux Crook et Custer. Avec nos bonnes intentions mollassonnes dignes d'un pot de fin d'année offert par l'association des parents d'élèves d'une école primaire, et une vague inquiétude à fleur de peau, nous avons toujours été certains de bien agir, mais c'était aussi insupportable qu'au Vietnam quand nous avons compris que nous ne faisions pas davantage ce qu'il fallait que lors des massacres de Sand Creek et de Wounded Knee. Notre attitude générale a toujours été : « Prends ton flingue et tire sur tout ce qui bouge. »

Adam possédait un vieux pick-up Chevy en état de marche datant des années soixante, garé près de la caravane qui leur tenait lieu de maison. Il y fixa une remorque déglinguée pouvant accueillir un seul cheval, puis y fit monter la bête sellée nommée Beau-Frère.

« Ôte-lui la selle quand tu le fais descendre pour la nuit. Y a deux bottes de foin dans la remorque. »

Petunia, que Sunderson préférait appeler Étoile du Matin, les appela pour le petit déjeuner : saucisses de bison et patates frites. Il découvrit avec surprise que la fillette avait magnifiquement décoré l'intérieur de la caravane. Il y avait des guirlandes d'herbes et des navets sauvages séchés que la mère d'Adam avait ramassés dans la campagne proche de Pine Ridge. Selon Adam, on pouvait les intégrer à un ragoût de gibier avec du maïs séché.

Sunderson transporta son barda dans le vieux pick-up Chevy, puis gara sa propre voiture derrière la caravane d'Adam. L'Indien le suivit jusqu'au motel pour s'assurer qu'il ne se perdait pas en route, puis il déposa Étoile du Matin à l'école et revint sortir le cheval. « Cet animal aime pas trop monter dans la remorque », avait déclaré Adam, ce qui signifiait qu'en faire descendre Beau-Frère constituait parfois une épreuve non dénuée de violence.

« Bonne chance », dit Adam en agitant la main et en regardant Sunderson dans le blanc des yeux comme s'il avait des doutes.

Sunderson lui-même se sentit soudain submergé par le Grand Doute, il dit à Adam qu'il avait décidé d'attendre un jour de plus pour s'assurer que son plan tenait la route. Adam se contenta d'un hochement de tête, mais Sunderson sentit que l'autre soupçonnait que ce plan n'était pas d'une solidité à toute épreuve.

Sur le chemin du retour vers Crawford, il eut l'intuition qu'après des mois de piétinement les choses s'accéléraient soudain. Il appela le shérif de Sioux County et eut droit à une oreille attentive dès qu'il se présenta comme enquêteur de la police du Michigan, omettant d'ajouter « à la retraite ». Les deux hommes échangèrent quelques généralités sur la secte, puis Sunderson déclara qu'il était en vacances et qu'il recherchait la fille d'un ami, une adepte de la secte, avant d'ajouter qu'à sa connaissance le Grand Maître avait un faible pour les adolescentes. Le shérif répondit qu'il était au fait de certaines rumeurs mais que jusqu'ici il n'avait reçu aucune plainte. Ils agiraient rapidement dès que Sunderson disposerait d'une preuve flagrante. Cet échange téléphonique était très banal parmi les professionnels du maintien de l'ordre, mais Sunderson pensait qu'il aurait peut-être besoin de renforts. Il n'avait aucune envie de se faire à nouveau lapider. Pas seulement à cause de la douleur, mais surtout de la longue convalescence.

Il décida de gravir Crow Butte et de camper pour la nuit dans l'espoir d'avoir les idées plus claires. Il prépara son matériel et son sac de couchage léger en comptant sur une nuit tiède. À regret il laissa derrière lui la bouteille de whisky. Par chance, le cheval descendit facilement dans l'enclos et Sunderson lui donna une demi-botte de foin. Il fit halte dans une épicerie, où il acheta un petit steak, un fromage et quelques biscuits salés.

Il s'approcha en pick-up le plus près possible du pied de la butte, et dépassa sur un chemin de terre un panneau ENTRÉE INTERDITE, PROPRIÉTÉ PRIVÉE en se disant que le cas échéant il pourrait toujours montrer sa plaque périmée. Histoire de se tenir à l'écart des ennuis, il lui faudrait la rendre après son retour à Marquette.

Au bout de deux heures d'une marche épuisante sur le versant pentu, il fit une halte et se dit tout à trac qu'il avait oublié le sel pour le steak et, plus grave, une gourde remplie d'eau. Il allait devoir se passer des deux, mais fut incapable de s'en vouloir, à cause du paysage sublime et du souvenir comique d'un dîner galant en compagnie d'une brillante institutrice, deux ans plus tôt. Ils étaient allés dans un joli petit restaurant d'Au Train aménagé dans un chalet en rondins, mais la compagnie de cette charmante jeune femme lui donna l'impression d'essayer de manger du poisson frit ou un épi de maïs sans sel. Il y avait le souvenir terrifiant des milliers d'hommes qui étaient morts à cause du sel sur les anciennes routes commerciales. L'histoire humaine était empreinte d'une telle folie qu'il imagina aisément un homme en étranglant un autre pour un sac de sel d'une livre dans une oasis du désert de Gobi. Un médecin lui avait jadis conseillé de supprimer le sel toute une semaine pour faire baisser sa tension, et ça avait été une expérience calamiteuse ainsi que le moment de changer de médecin. Vers la fin de cette semaine sans sel, par une torride nuit estivale il avait sucé les seins d'une imposante barmaid de Newbury après ses heures de service et atteint l'extase en lapant la sueur sur la peau de cette fille.

Il mit presque six heures à parvenir au sommet, la faute à des arrêts fréquents destinés à calmer ses battements de cœur désordonnés. Et puis cette ascension était beaucoup plus difficile qu'elle ne le semblait de loin, quand on distinguait mal les à-pics, les ravins et les goulets. Il eut soudain la bouche sèche, mais son effort excluait de se soucier de la déshydratation. En tant qu'habitant du plat pays septentrional aux denses forêts, il n'avait pas la moindre expérience de l'escalade et il avait beau pouvoir marcher des heures, l'angle abrupt de cette grimpette eut raison de ses forces. Durant une petite pause, il songea que la descente du lendemain matin serait encore plus difficile à cause de l'attraction exercée par la gravité sur son anatomie. Il se dit

aussi qu'enfant ou jeune homme il aurait effectué cette ascension sans problème, mais il en
avait perdu le désir depuis quarante ans et voilà
que ça le reprenait aux portes de la vieillesse,
quand son esprit cédait parfois à d'infantiles
absurdités. Il se rappela soudain Roberta et lui
sur une colline boisée et pentue hissant Bobby
dans son chariot rouge après qu'il fut rentré de
l'hôpital. Leur cheminement saccadé dérangea
alors un nid de guêpes et chacun des trois enfants
fut douloureusement piqué deux ou trois fois.
Bobby hurla comme un bébé et Roberta cria
« Putain de Dieu ! », ce qui les effraya tous. Après
une autre heure passée à traîner le chariot rouge,
ils se retrouvèrent au bout de la jetée où accos-
taient les bateaux qui transportaient du bois. Des
marins venaient d'y décharger de nombreux
troncs d'arbre et un gros Suédois qui était le
capitaine du bateau et un ami de leur père les
invita à faire la traversée jusqu'à Grand Island
pour aller chercher une nouvelle cargaison.
Grand Island se trouvait seulement à quelques
centaines de mètres, mais pour les trois enfants
cette modeste traversée ressembla à une croisière
océanique. Quand ils rentrèrent chez eux pour
dîner, Bobby beugla à la table que malgré les
guêpes, ça avait été le plus beau jour de sa vie.

Poursuivant son ascension, Sunderson se
retrouva en larmes et il demanda à son frère
mort depuis longtemps : « C'est comment là-bas,
si tu peux me répondre ? » Il était à peu près
certain de perdre la raison, mais tout aussi certain qu'il avait raison de la perdre. Les hommes
pleurent souvent en silence, mais rarement en
faisant du bruit. Il s'arrêta de marcher pour

essayer de penser à une autre occasion où il avait pleuré, mais dès qu'il s'en remémora une, il freina des quatre fers. Avant que ça commence, tu crois que tu vas exploser et puis tu te mets à pleurer comme le jour de la mort de papa quand tu t'es enfui en larmes dans les bois.

Le temps était disloqué, idée bizarre mais inévitable. Dans d'autres circonstances, Diane aurait sans doute pu tirer Bobby de son coma dû à l'héroïne, mais toutes ses dernières années il refusait de rentrer à la maison et ne voulait voir personne en dehors de Roberta. À force d'enquêter sur l'héroïne, Sunderson avait sombré dans la dépression, il en sniffa même une ligne, pour aboutir à l'unique conclusion que cette drogue convenait parfaitement à ceux qui ne voulaient plus rien ressentir. La page blanche. Zéro. Les émotions se réduisaient à la cessation de toute émotion. La vie, une écriture blanche sur du papier blanc. Une idée l'intriguait néanmoins : la vie devenait alors une succession de photographies et pour une fois toutes ses horreurs se tenaient à une distance rassurante, parfaitement immobiles et au repos. Mais ensuite, certaines parties des photos se remettaient à bouger, tu avais encore besoin d'héroïne et tu finissais par éliminer définitivement la réalité.

Tout en haut se trouvait un monticule surmonté d'une plate-forme où il s'écroula et dormit une heure avant de se réveiller tout courbaturé mais l'esprit clair, avec l'agaçante sensation de ne plus rien voir en dehors du ciel. Ce fut une étrange expérience, car le réveil s'accompagne toujours de la vision d'objets périphériques, comme un bord d'oreiller, une table de nuit, une porte, un mur. Il n'était pas mort, car les nuages bougeaient et très loin au sud un énorme front orageux se déplaçait vers le nord-ouest, et il espéra que la tempête l'épargnerait. Il n'avait aucune idée de l'heure, car il avait laissé son téléphone portable dans la chambre avec sa pinte de whisky. Il sourit à l'idée que sa présente expérience était une vague parodie de ce que Marion avait décrit comme une « vision de pouvoir » anishinabe ou chippewa : on passait trois jours et trois nuits sur une colline, sans nourriture ni eau ni abri, en attendant une vision. L'éventuelle grandeur d'une telle expérience lui était entièrement étrangère. Il avait toujours refusé la définition scabreuse de la vie comme un processus où chaque jour on se contentait de moins que la veille, lui préférant l'idée que la vie est parfois bonne, parfois mauvaise. Il versa une larme en pensant que Diane aurait adoré être là.

Il lui fallut s'asseoir car ses jambes tremblaient d'épuisement ; et même assis, il fut pris de spasmes et de crampes. « Comment aurait-elle pu sauver Bobby, alors qu'elle n'a même pas pu me sauver ? » Telle était la question qui le torturait. Vers le milieu de leur mariage, Diane avait tenté de le convaincre de plaquer son emploi pour entamer un doctorat d'histoire. Sa meilleure amie de l'époque étant l'épouse du directeur des écoles de la région, il n'aurait pas eu trop de mal à trouver un poste de professeur de lycée. Le problème, qu'il eut lui-même beaucoup de mal à identifier, c'était qu'après vingt ans de boulot de flic sur le terrain il était devenu une espèce de junkie de l'adrénaline. Une salle de cours puant la poussière de craie, l'odeur fade du riz espagnol arrivant de la cantine voisine et les éventuelles émanations d'ozone montant des cerveaux paresseux des élèves, voilà de biens dérisoires substituts pour un Lone Ranger habitué à poursuivre un criminel au volant d'une Crown Victoria au moteur surgonflé sur un chemin forestier en soulevant d'immenses gerbes de boue, ou à photographier le fils d'un politicien véreux en train d'acheter de la cocaïne devant un bar. Ce n'était pas le genre de chose qu'on pouvait expliquer à Diane, tout bonnement parce qu'elle était cent pour cent adulte. Sa vie était réglée comme du papier à musique, selon l'expression consacrée, et c'était une fonctionnaire dévouée.

En se tournant de droite et de gauche, il eut une vision parfaite des quatre points cardinaux : à l'est vers Chadron et son lointain domicile, loin au sud vers le front orageux qui menaçait, à l'ouest vers Fort Robinson et l'assassinat de Crazy Horse, enfin au nord vers le lieu où l'on avait chassé et parqué les Lakotas pour la troisième fois en peu de temps, simplement parce qu'on désirait leurs terres. Il parvint à localiser au loin le point minuscule de la caravane d'Adam et il eut cette pensée à peine réconfortante qu'on ne peut jamais anéantir un peuple *si l'on n'en anéantit pas tous les membres jusqu'au dernier*. La lecture de *Playing Indian* de Deloria était seulement tolérable parce qu'il s'agissait d'une étude froidement clinique de nos absurdes imitations des coutumes de ces peuples que nous avions vainement tenté de transformer en fantômes.

Il avait étudié les histoires variées des diverses tribus indiennes avant de suivre un cours de mythologie et d'histoire grecques, si bien qu'il considérait souvent à tort les Grecs à la lumière des Indiens d'Amérique. Deux groupes humains ne pouvaient être aussi différents que les Grecs et les Hopis, et un étudiant de vingt ans risquait de perdre la raison en essayant de les réconcilier mentalement. Son professeur préféré lui conseilla alors de faire machine arrière et il lui donna une monographie au ton très mesuré décrivant comment, une année, le gouvernement des États-Unis ne donna pas aux Lakotas leurs rations alimentaires. Certains Indiens mangèrent leurs chevaux et survécurent, mais d'autres refusèrent et moururent de faim. Ce professeur défendait l'idée suivante : avant de tirer de vastes conclusions, il faut être capable d'en tirer des modestes, et justes de surcroît. Sunderson restait hésitant, car il avait remarqué la réticence gênée des universitaires face à des écrivains brillants et ambitieux comme Bernard DeVoto, à qui ils préféraient leurs propres conclusions en demi-teinte sur la ruée vers l'Ouest.

Il constata avec plaisir que ses jambes ne tremblaient plus, et il repensa à toutes les variantes de sa propre *hubris*. Son oncle Albert, le frère aîné et cinglé de son père, survécut à peine à la Seconde Guerre mondiale, il perdit une dizaine d'amis en Normandie et se retrouva lui-même assez esquinté pour toucher une modeste pension d'invalidité. Il vécut des années avec son épouse ojibway à Mooseknee, très au nord, dans la baie d'Hudson, mais elle se noya en pêchant et Albert revint alors près de sa ville natale, au nord de Shingleton et à l'est de Munising. Il était vraiment bizarre, il marchait dans les bois, psalmodiait des absurdités et pêchait. Ce fut lui qui initia Sunderson à ce qui allait devenir la passion d'une vie : la pêche à la truite, un poisson aussi beau qu'il était bon à manger.

Le dimanche, Sunderson et son père arrivaient chez Albert avec une marmite pleine, ou bien Albert venait les voir au volant de son vieux Ford Model A tout encroûté de merde d'hirondelle, car sa vieille guimbarde avait passé vingt ans dans une grange proche de Trenary. Albert venait chercher Sunderson à l'aube, puis ils partaient pour la journée et exploraient des rivières avec une sacoche pleine de sandwichs. Toute la suite découlait d'une ritournelle qu'Albert chantonnait sans cesse sur un ton moqueur : « Simplement pour rendre le monde meilleur ! » À sept ans, Sunderson prit les paroles de ce doux dingue au pied de la lettre, sans jamais remettre en question ses propres capacités. Bien sûr qu'il était capable de monter jusqu'au sommet de Crow Butte à soixante-cinq ans. Bien sûr qu'il allait rendre le monde meilleur. Bien sûr, il lui fallait anéantir le Grand Maître pour sauver des innocents, adultes comme enfants. Les pires criminels étaient ceux qui profitaient de la faiblesse des autres, par cupidité, lubricité ou délire religieux. Que bon nombre des membres de la secte soient diplômés de l'université le laissait pantois. Qu'un être humain puisse décrocher un A en biologie à l'université du Michigan et rester parfaitement aveugle à sa propre biologie intime le dépassait. Dwight exploitait les benêts tout simplement parce que c'étaient des benêts.

Et la retraite dans tout ça ? Pourquoi ne pas laisser son esprit se reposer ? Pourquoi ne pas aller faire un tour vers L'Anse ou Iron Mountain, et laisser derrière soi les scènes de crimes, les siens comme ceux des autres ? Au moins, Mona allait faire partie de sa propre famille étendue et perdre son identité d'être sexué. Elle était la seule personne de sa connaissance à manifester un minimum de sang-froid. On a beau prendre le problème dans n'importe quel sens, on se met malgré tout à bander devant la personne taboue, et la paix vole en éclats. Dans le cas de Mona, la perspective nouvelle d'un éventuel inceste renforcerait désormais l'interdit. Mais il était hors de question d'arrêter de picoler. Son cerveau de flic avait besoin de sa dose d'adrénaline quotidienne.

Entre chien et loup, il fit griller son steak sur un petit feu de branches de pin, une chose qu'on ne faisait jamais chez lui car la viande risquait alors de sentir la résine. Son papa disait toujours, « Un biscuit salé est un festin pour l'homme qui a faim », mais il eut un mal de chien à mastiquer le fromage et les biscuits salés, car ses glandes salivaires étaient aux abonnés absents. Quand il toussa encore et encore, une bande de corbeaux qui traînaient dans les parages depuis son arrivée lui firent de bruyants reproches. Il rencontra moins de difficultés avec le steak, car la viande, bien que coriace, non salée et parfumée au pin, était saignante. Après ce repas et l'une des cigarettes les plus agréables de toute sa vie, il emporta ses restes trente mètres plus bas, remonta sur son perchoir, puis regarda les corbeaux se bagarrer pour cette maigre pitance. C'étaient des survivants.

Curieusement, au lieu de réfléchir une fois encore à l'affaire du Grand Maître, il ne pensa à rien, pas même à Diane ni à sa longue existence. Son esprit était seulement rempli par la grandeur de l'endroit où il se trouvait comme s'il pêchait la truite en plein ciel. Le fatras de ses cogitations habituelles ne faisait tout bonnement pas le poids face à la lune montante, aux trois quarts pleine, et à l'immense orage qui se déchaînait loin au sud.

Il essaya de s'endormir trop tôt, sans succès, en se sentant prêt à payer mille dollars quelques cachets d'aspirine. Il se releva, tourna en rond et tenta d'étirer ses muscles endoloris. Sans cesse lui revenait en tête l'image du temps qui sortait par la porte mais ne revenait jamais. D'où lui venait-elle donc, cette énorme porte en bois ? Cette image s'imposait parce qu'elle était vraie. Ce n'était pas une abstraction. Ses neurones concrétisaient son inquiétude en une forme visible. C'était cette berceuse où tous les chevaux du roi et tous ses serviteurs ne réussissaient pas à remettre Humpty Dumpty sur pied. Humpty Dumpty, c'était leur mariage. Le visage de Diane flottait à une vingtaine de kilomètres au sud, tout près de l'orage bien réel et du coup de tonnerre imminent du décès de son nouveau mari. Vingt ans plus tôt ils rendaient visite aux parents de Diane près de Ludington, et allaient dîner puis danser dans un restaurant au bord du lac Michigan. Ils dansèrent au moins une heure devant un orchestre un peu ringard qui jouait du Glenn Miller, mais ils adorèrent ça. Diane refusant de faire l'amour sous le toit de ses parents, ils prirent une chambre dans un motel après avoir quitté le restaurant. Ce fut une nuit sublime, et à ce seul souvenir il crut que tout son être allait fondre en larmes. C'était lui qui avait mis un terme à la danse de leur mariage. Et maintenant, l'unique rôle qu'il pouvait jouer face à Diane et Mona était celui, assez effacé, du parfait gentleman. Après une seule bière, ce cinglé d'oncle Albert se mettait à gémir et à décrire des cercles minuscules, et après une bonne cuite il fallut l'enfermer à l'hôpital des anciens combattants, où il passa les trois dernières années de sa vie. Quand Sunderson était enfant, tous les gens des environs admiraient les bonnes manières de son père, et l'heure était venue pour le fils d'imiter son géniteur.

Il s'efforça de tenir son esprit à l'écart des problèmes brûlants et se concentra sur un article faxé par Mona où il était question de millions de gros papillons de nuit qui migraient du Nebraska vers le Wyoming et le Montana et voyageaient à une altitude de près de trois mille mètres avant de se poser. Les grizzlys arrivaient alors par dizaines et dévoraient chaque jour jusqu'à quarante-cinq kilos de ces papillons riches en protéines. Les yeux rivés sur l'énorme orage qui se déplaçait de l'est vers le sud-ouest, il se demanda comment une telle chose était possible. Il s'agissait sans doute là d'un mystère qui méritait davantage d'être étudié que l'incompréhensible énigme des femmes battues.

Il distingua bientôt Mona à l'intérieur de l'orage et il se rappela que, la première fois où il l'avait vue nue sur le lit, sa propre lubricité avait ressemblé à une crampe d'estomac. Bon Dieu, que signifiait une telle attitude ? Il se réjouit en voyant un grand éclair et l'image de Mona disparut, une expérience qui appartenait de toute évidence à la démonologie, comme si la plus terrifiante maison hantée était la biologie.

À l'aube, malgré ses courbatures, il n'avait jamais dormi aussi bien de sa vie. Il quitta le sommet de Crow Butte, puis entama une lente et périlleuse descente.

Chapitre 21

Sunderson se dit ensuite qu'il venait de vivre les trois plus longues journées de son existence. Hormis la violence implicite du présent, elles lui rappelèrent les migraines infernales et le mal du pays dont il avait souffert à la fin du printemps à l'université, quand il fallait rendre les devoirs écrits et passer les examens avant d'effectuer le long trajet en voiture vers le nord et de rentrer à la maison. C'était l'époque de l'année où il avait sans cesse une boule dans la gorge.

Le premier jour, son idée d'utiliser un cheval pour passer inaperçu se révéla catastrophique. Près de deux heures après être monté en selle, alors qu'il contournait une flaque boueuse, l'animal s'embourba un peu, s'affola, se cabra et jeta son cavalier à terre. Il regarda impuissant sa monture galoper vers l'endroit d'où ils venaient, puis il marcha vers le terrain de la secte, distant d'environ cinq kilomètres. Il pleuvait, ce qui eut au moins l'avantage de faire disparaître la boue collée à ses vêtements. En approchant du but, il aperçut avec plaisir un grand feu de joie derrière la maison. Les ouvriers y brûlaient des saletés tandis que tous les membres de la secte restaient à l'abri de la pluie sous leurs tipis. Il se sécha devant le feu rugissant.

Adam ne manifesta aucune inquiétude pour le cheval et dit que, mieux que n'importe quel être humain, Beau-Frère connaissait le chemin le plus court jusqu'à l'écurie. Sunderson eut beaucoup de chance : le matin même Queenie et Carla s'étaient envolées pour Denver en charter avec le type en costume, plus une grande liste de fournitures à acheter pour aménager les nouveaux logements de la secte. Sunderson fut embauché par le contremaître au tarif de dix dollars de l'heure. Il devait nettoyer la boue séchée sur la demi-douzaine de quads flambant neufs, ces véhicules tout-terrain dont le vacarme infernal est la malédiction des promeneurs au plus profond de la nature sauvage. Il garda un œil rivé sur le lointain tipi de Dwight en se disant que le gourou était le seul qui avait une petite chance de le reconnaître, minime à cause du déguisement et du changement de contexte. Sa tenue vestimentaire le rendait aussi invisible qu'un technicien de surface en uniforme vert dans une zone urbaine. Personne ne remarque les techniciens de surface. C'était quand même un comble, pensa-t-il, de nettoyer les engins qu'il détestait le plus après les scooters des neiges. Ce soir-là, il incarna parfaitement le vieux chnoque harassé, il mangea un hamburger au bar et dormit douze heures d'affilée.

Le lendemain matin, un samedi, la vie apparut sous son meilleur jour. Le ciel était dégagé, il faisait grand soleil et à dix heures assez chaud pour sortir sans manteau. Sunderson reçut pour mission de réparer la partie écroulée du corral et on lui donna un marteau, des clous et un pied-de-biche. Dwight avait décidé que, pour rester en harmonie avec la campagne environnante, la secte devait posséder des chevaux, et il avait chargé Adam d'acheter une dizaine de chevaux de course pas trop difficiles à monter et de donner des leçons aux débutants. Du corral, il regarda Adam et Petunia qui, à une centaine de mètres, enseignaient l'art équestre à une majorité de jeunes. Il remarqua qu'il y avait nettement plus de filles que de garçons et il se demanda comment ces cours étaient organisés. Dwight, en peignoir mauve, assistait à la leçon d'équitation et Sunderson remarqua qu'il se tenait tout près d'Étoile du Matin.

À midi, il y eut un pique-nique auquel les ouvriers étaient conviés, mais Sunderson resta dans le corral et Adam lui apporta un sandwich.

« C'est un type plutôt sympa, dit Adam.

— J'ai été inspecteur presque quarante ans. Faut que tu me fasses confiance.

— C'est vrai. Je me suis déjà fait bananer par plein de Blancs. »

Sunderson s'assit dans le pick-up pour manger son sandwich et surveiller les environs. Quand Adam s'éloigna à vive allure pour guider un cavalier et sa monture, il vit Dwight saisir la main d'Étoile du Matin, et son pouls s'accéléra violemment, mais elle monta alors dans une voiture avec une amie et toutes deux partirent à une réunion de girl-scouts.

Il dîna avec Adam et Étoile du Matin dans la caravane. Elle était surexcitée, car la secte l'embauchait à un bon salaire pour enseigner l'équitation avec son père le week-end. Dwight lui avait confié que son sobriquet était le roi David, ce qu'elle trouvait très rigolo.

« C'est un homme merveilleux », dit-elle.

Dimanche aussi il fit très beau, mais un vent violent soufflait du sud. Les ouvriers avaient pris un jour de repos et Sunderson se pelotonna près d'une fenêtre à l'étage de la vieille maison avec deux mauvais sandwichs à la mortadelle et une Thermos de café. Petunia apprenait à trois filles d'une douzaine d'années comment seller leur cheval, et il s'étonna de la facilité avec laquelle elle lança la selle sur le dos de l'animal. C'était vraiment une fille solide. Il était soulagé pour elle que le roi David ne se soit pas encore manifesté, mais aussi dégoûté que la situation n'évolue pas comme il sentait qu'elle devait inéluctablement le faire.

Il était presque midi quand Queenie et Carla arrivèrent dans une Suburban chargée à ras bord des fournitures débarquées de l'avion. Un seul disciple se portant volontaire, Adam dut prêter main-forte, décharger les paquets, puis les emporter jusqu'à la tente de la cuisine et divers tipis. Le sang de Sunderson ne fit qu'un tour lorsqu'il vit le roi David emmener Étoile du Matin dans son tipi alors qu'Adam ressortait de la tente la plus éloignée. Quelques minutes plus tard il entendit un cri, puis Étoile du Matin seulement vêtue d'un slip sortit en courant du tipi tandis que Dwight s'arrêtait près de l'auvent ouvert de la tente. Il semblait ahuri jusqu'à ce qu'il voie Adam courir vers lui, un couteau à la main. Dwight sauta sur un quad et démarra à toute vitesse. Adam enfourcha aussitôt son cheval et se lança à la poursuite du Grand Maître :

il resta pourtant loin derrière car sur route le quad pouvait rouler à quatre-vingts kilomètres-heure, mais Dwight commit alors une erreur fatale en quittant la route pour rouler à travers la campagne vers Crow Butte.

« Nom de Dieu ! » s'écria Sunderson en rejoignant une fenêtre de derrière pour regarder les deux silhouettes s'éloigner. Il descendit les marches quatre à quatre et par chance l'un des véhicules tout-terrain qu'il venait de nettoyer était toujours garé près du corral. Il pesta quelques minutes pour trouver comment fonctionnait cet engin, puis démarra. Il constata que Dwight avait encore une avance considérable, un bon kilomètre et demi, mais cet écart diminuait à vue d'œil. La seule raison pour laquelle il ne voulait pas qu'Adam tranche la gorge de Dwight, c'était qu'il irait alors en prison et laisserait Étoile du Matin sans père.

Dwight ralentit bientôt pour gravir les contreforts de Crow Butte, et encore plus quand la pente s'accentua. Sunderson le vit se retourner vers Adam qui gagnait beaucoup de terrain, puis appuyer à fond sur le champignon du puissant quad, lequel monta la pente abrupte jusqu'à ce qu'elle devienne presque verticale ; l'engin bascula alors en arrière et décrivit un long arc de cercle tandis que Dwight s'accrochait au guidon, jusqu'à ce qu'il percute la terre en le coinçant par en dessous, et que l'homme et l'engin dégringolent la colline en une succession de tonneaux, si bien que son poursuivant et sa monture durent s'écarter. Adam mit pied à terre et sortit son couteau.

Sunderson, lui-même arrivé aux contreforts de la colline, cria « Non ! » en essayant de dominer le vacarme de sa propre machine. Redoutant de se retourner à son tour, il bondit à terre sans arrêter de crier : « Non ! » Adam pivota vers lui alors qu'il escaladait le versant à quatre pattes jusqu'à Dwight. Allongé sur le dos, le Grand Maître avait tout le côté gauche du buste enfoncé et une jambe tordue sous lui. Sa tête faisait un angle impossible avec son cou et c'était la seule partie de son corps qui bougeait encore. Il émit un jappement primitif semblable au cri du héron, puis vomit un mélange de bile et de sang.

Sunderson et Adam échangèrent un regard en secouant la tête, puis se détournèrent de l'homme gémissant.

Épilogue

Sunderson venait de faire quelques pas prudents vers le bas de l'abrupte colline lorsqu'il entendit un hurlement qui lui glaça le cœur. Il se retourna, paniqué, et vit Adam qui soulevait Dwight très haut en lui serrant le cou entre ses grosses mains musclées pour le secouer comme un pit-bull secoue un rat, un mauvais souvenir pour Sunderson, et sans nul doute aussi pour Dwight.

Bien sûr le roi David survécut. Personne n'a jamais réussi à tuer le diable. Il est partout à nos côtés. L'État du Nebraska et le comté de Sioux se demandèrent s'il fallait intenter un procès pour tentative de viol et de sodomie. Devait-on vraiment dépenser des millions de dollars pour incarcérer un quadriplégique dont aucune partie du corps ne fonctionnait plus, hormis une tête qui s'exprimait en une langue que personne ne comprenait ? Étoile du Matin avait fourni un témoignage détaillé. Les jeunes Indiennes, qui vivent dans deux mondes, savent appeler un chat un chat. Sunderson minimisa avec habileté son propre rôle dans la capture de Dwight. Il se présenta comme un simple enquêteur de la police du Michigan à la retraite, qui recherchait une personne disparue. Pas une seule fois il n'évoqua l'épisode terrifiant où Adam avait secoué le moribond telle une poupée de chiffon. Personne ne décida de tirer un trait sur les crimes du Grand Maître, mais les actions de la police et de la justice sont parfois aussi brouillonnes que la vie elle-même, et puis à quoi bon dépenser des millions pour essayer de punir un légume ?

Le diable fut évacué au grand hôpital régional de Rapid City, où son état fut stabilisé – il s'agit là d'un euphémisme – pendant un mois, après quoi il partit en avion pour Santa Monica, en Californie, où Queenie et Carla avaient décidé de vivre. On installa Dwight dans une petite dépendance de la maison, qu'on transforma en pimpante chambre d'hôpital. Comme on ne peut pas attendre de jeunes femmes qu'elles passent leur vie avec un bout de bidoche inerte, elles firent appel à trois infirmiers qui se relayaient vingt-quatre heures sur vingt-quatre et passaient alternativement le genre de musique détesté par Dwight, du heavy metal, du rap et de la country.

Sunderson rentra chez lui dans le Michigan en suivant un itinéraire zigzaguant et paresseux pour essayer de décompresser. Il tenta aussi de ne pas penser aux grands problèmes tels que l'amour, la mort, la liberté ou la religion, et surtout pas à l'argent. Il roula vers le nord pour s'imprégner des espaces vides du Dakota du Nord en sachant très bien qu'un paysage dépeuplé vous purge de tous les poisons. Dans un bon mais excentrique restaurant de Fargo, il mangea une grande assiette de côte de bœuf au barbecue en pariant que la secte allait se dissoudre comme c'est d'ordinaire le cas après la disparition du chef charismatique seul capable d'attribuer un nombre à l'état de développement spirituel d'un des membres. Certains grands maîtres qui ont prédit l'apocalypse sont un peu gênés aux entournures quand le monde, loin de se volatiliser, s'obstine à aller de l'avant au sein d'un univers indifférent. La voix de Dwight avait toujours ressemblé à un aboiement de chien, mais maintenant il n'aboierait plus.

Il arriva chez lui à temps pour l'ouverture de la saison de la pêche à la truite, le 23 avril, mais ça ressemblait à une mauvaise blague car il venait de tomber une bonne quinzaine de centimètres de neige fraîche. Il pêcha néanmoins sur un étang de castors proche du chalet de Marion en sentant le poids des flocons sur son chapeau. Il attrapa deux modestes truites de rivière, qu'il fit frire dans de la graisse de bacon pour son déjeuner, avec du pain et du sel. Il y passa presque tout le mois de mai, car il ne se sentait pas tout à fait prêt pour un régime régulier d'humanité.

En juin, au début de l'insupportable saison des insectes qui durerait au moins un mois, il retrouva son bureau. Il n'y avait tout simplement aucun moyen de se prémunir contre les moustiques, taons et mouches noires, sauf lorsque le vent soufflait très fort et que Sunderson en profitait pour écumer à nouveau les forêts.

Une fois par semaine il dînait avec Diane et Mona après avoir emmené le mari de Diane, dont la santé déclinait, se promener en voiture dans le paysage estival. Mona, qui avait emménagé chez Diane, se comportait désormais un peu plus en adolescente et moins en femme précoce. Sa cinglée de mère n'avait nullement protesté contre ce changement de parenté, et elle avait aussitôt vendu sa maison à un jeune couple d'universitaires possédant un peu d'argent. Sunderson ne put s'empêcher d'ôter le volume de Slotkin pour jeter un petit coup d'œil à cette épouse séduisante. Un matin piqueté d'étoiles, il la surprit en train de faire son yoga en collant moulant et son cœur se mit à battre plus fort. C'était quoi, cette histoire de yoga ? Là encore, ne s'agissait-il pas de religion ? Le dernier lundi de mai, pour la fête du *Memorial Day*, il fit une chaleur exceptionnelle et Mona se baigna nue dans un trou d'eau de la rivière ; Sunderson fut ravi de ne pas rester à la regarder, préférant s'enfuir dans les bois. Une jeune fille a besoin d'une figure paternelle, non d'un vieillard lubrique. Il paria qu'Adam tiendrait à l'œil Étoile du Matin.

Peu après son retour chez lui, il acheta un podomètre et, le week-end de la fête du travail, par une journée désagréablement chaude, il vérifia le compteur et découvrit avec stupéfaction qu'en quatre mois il avait parcouru plus de mille kilomètres à pied, soit une moyenne d'environ huit kilomètres par jour. Il n'y avait aucune conclusion particulière à en tirer, mais des individus aussi divers que Thoreau, Kierkegaard et George Bernard Shaw avaient déclaré qu'à force de marcher on atteignait la sérénité. Il en doutait, mais la marche et la pêche occupaient désormais sa vie bien mieux que son travail ne l'avait jamais fait. Il savait qu'il n'acquerrait jamais les bonnes manières de son père, mais il tenait la bride à son irascibilité. Il se retrouva accusé d'agression sur deux étudiantes, mais la plainte fut retirée quand on prouva qu'elles faisaient exploser des feux d'artifice artisanaux près de son garage. L'événement fut relaté dans le *Marquette Mining Journal* sous le titre « Un policier à la retraite maîtrise des athlètes avec une corde à linge ».

Il ne décida certes pas de moins picoler, mais il leva le pied en troquant le whisky contre le vin, dont on pouvait mieux contrôler la quantité. Avec l'aide d'un géomètre, il interdit l'accès public d'un grand lopin de terre appartenant à l'État et tout proche du chalet de Marion, où il désirait procéder à une identification exhaustive de la faune et de la flore et à un comptage par espèces. Il feuilletait souvent les nombreux guides naturalistes qu'il possédait désormais et il aimait l'idée d'enquêter sur la nature de la nature en excluant l'espèce humaine et son histoire semblable à un charnier. Trop c'est trop.

Un dimanche matin avant la fête du travail il passa chez Diane vérifier que tout était en ordre pour le dîner alors qu'arrivaient un spécialiste en soins palliatifs et une infirmière. Diane prenait ses dispositions en vue d'une excursion jusqu'au soir, si bien que Sunderson et Mona firent une brève promenade vers la plage, près du poste des garde-côtes. Le jeune fille mit les pieds dans l'eau et déclara que le lac Supérieur ne lui avait jamais semblé aussi chaud. Elle était morte d'angoisse car elle partait pour Ann Arbor et l'université au milieu de la semaine suivante. Quand ils revinrent à la maison de Diane, il y avait un tas de matériel de camping sur la véranda et il faisait déjà plus de vingt-cinq degrés. Diane semblait tendue, désespérée. Elle leur dit que son mari lui avait suggéré qu'ils aillent tous trois camper pour la nuit alors que lui-même était à deux doigts de l'euthanasie mais sans néanmoins accomplir le dernier pas.

Ils roulèrent vers l'est jusqu'à Munising, puis vers le nord-est jusqu'à la route du rivage, ils se baignèrent sur la plage quasi déserte de Twelvemile, où le plan d'eau souvent très agité était étale, presque placide. À une vingtaine de kilomètres au sud, après Kingston Lake, Sunderson eut du mal à retrouver le chemin de terre. Il s'inquiéta à l'idée que l'étang bien-aimé où Diane et lui avaient souvent campé vingt ans plus tôt ne fût devenu une horreur. Mais il n'en était rien. Le chemin de terre était recouvert d'une végétation presque impénétrable et Sunderson réussit à bousiller un rétroviseur latéral du break neuf de Diane, laquelle n'émit aucun commentaire. Quand ils arrivèrent à la clairière, un carré approximatif d'environ soixante-dix mètres de côté, deux jeunes coyotes détalèrent et entrèrent dans un terrier à flanc de colline. Sunderson saisit une lampe torche, gravit la pente, s'agenouilla et braqua le faisceau lumineux dans le terrier. Le jeune mâle se mit à gronder comme pour protéger sa petite sœur. Les deux femmes prirent alors la lampe torche, s'agenouillèrent et se mirent à tortiller du derrière. Elles portaient des shorts de gymnastique moulants en coton gris. Dès la première vague de désir, Sunderson leva les yeux au ciel mais ne réussit pas à se sentir au paradis. Il dressa rapidement sa petite tente face à l'est pour savourer les premiers rayons de soleil à l'aube, tandis que les femmes choisissaient le côté opposé afin de pouvoir faire la grasse matinée. Elles lui demandèrent de se retourner tandis qu'elles mettaient leur maillot de bain, mais il était déjà parti se promener vers l'ouest malgré la chaleur en suivant un minuscule ruisseau qui alimentait le déversoir de l'étang. Il baissa les yeux vers les fumerolles qui montaient de la source gargouillante et les ombres d'un petit massif de nénuphars aux fleurs jaunes compactes. Là où l'eau était peu profonde on voyait partout des traces de pattes de hérons et de grues des sables. Au loin, les femmes poussaient des cris stridents à cause de la froideur de l'eau, mais elles s'y plongèrent bientôt jusqu'au cou. Il mourait d'envie de goûter au poulet grillé, à la salade de pommes de terre et au vin apportés par Diane, mais il avait d'abord besoin de marcher deux heures, de bien transpirer et de se baigner. Ils ne formeraient jamais le genre de famille vivant sous le même toit, mais ils resteraient proches.

10660

Composition
NORD COMPO

Achevé d'imprimer en Espagne
par **CPI BOOKS IBERICA**
le 7 août 2016.

1er dépôt légal dans la collection : février 2014.
EAN 9782290068991
OTP L21EPLN001408G005

ÉDITIONS J'AI LU
87, quai Panhard-et-Levassor, 75013 Paris

Diffusion France et étranger : Flammarion